Diogenes Taschenbuch 23999

de
te
be

Martin Suter

Der Koch

Roman

Diogenes

Die Erstausgabe
erschien 2010 im Diogenes Verlag
Anhang mit ausführlichen Rezepten
und Quellennachweis am Ende des Buchs
Umschlagfoto von Rainer Holz (Ausschnitt)
Copyright © Rainer Holz/
zefa/Corbis/Dukas

Für Toni
20. Juli 2006 bis 25. August 2009

Veröffentlicht als Diogenes Taschenbuch, 2011
Alle Rechte vorbehalten
Copyright © 2010
Diogenes Verlag AG Zürich
www.diogenes.ch
200/13/8/5
ISBN 978 3 257 23999 7

I

Maravan! Siphon!«

Maravan legte rasch das scharfe Messer neben die feinen Gemüsestreifen, ging zum Wärmeschrank, entnahm ihm den heißen Edelstahlsiphon und brachte ihn zu Anton Fink.

Der Siphon enthielt die Paste für die Bärlauchsabayon der marinierten Makrelenfilets.

Noch bevor sie den Tisch erreicht hatte, würde sie in sich zusammengefallen sein, darauf könnte Maravan wetten. Er hatte nämlich beobachtet, wie Fink, der Spezialist für molekulare Küche, Xanthan und Johannisbrotkernmehl verwendet hatte. Anstatt Xanthan und Guarkernmehl, wie es sich für heiße Schäume empfahl.

Er stellte den Siphon auf die Arbeitsfläche vor dem ungeduldig wartenden Koch.

»Maravan! Julienne!« Diesmal war es die Stimme von Bertrand, dem Beilagenkoch, in dessen Auftrag er eigentlich dabei war, die Julienne zu schneiden. Maravan eilte zu seinem Küchenbrett zurück. In ein paar Sekunden hatte er das restliche Gemüse geschnitten – Maravan war ein Messervirtuose – und brachte Bertrand die Gemüsestreifen.

»Scheiße!«, schrie hinter ihm Anton Fink, der Mann fürs Molekulare.

Der Huwyler – kein Mensch sagte »Chez Huwyler«, wie es auf der Fassade stand – war in Anbetracht der Wirtschaftslage und des Wetters gut besetzt. Nur dem genauen Beobachter wäre aufgefallen, dass Tisch vier und neun fehlten und auf zwei anderen die Réservé-Schilder noch immer auf ihre Gäste warteten.

Das Lokal war, wie die meisten Spitzenrestaurants aus der Nouvelle-Cuisine-Zeit, etwas überdekoriert. Die Tapeten gemustert, die Vorhänge aus schwerem Brokatimitat, an den Wänden goldgerahmte Öldrucke berühmter Stillleben. Die Platzteller waren zu groß und zu bunt, das Besteck zu unhandlich und die Gläser zu originell.

Fritz Huwyler war sich bewusst, dass der Trend an seinem Restaurant vorbeigezogen war. Er besaß genaue Pläne für dessen Neupositionierung, wie seine Einrichtungsberaterin es nannte. Aber dies war keine Zeit für Investitionen, er hatte sich entschieden, in kleinen Schritten Neuerungen vorzunehmen. Eine davon war die Farbe von Kochjacke, Hose und Dreieckstuch: alles in trendigem Schwarz. Die ganze Brigade war so eingekleidet, bis und mit Commis de Cuisine. Nur die Küchenhilfen und Officeangestellten trugen nach wie vor Weiß.

Auch was die Küche anging, hatte er sachte mit einer Neuorientierung begonnen: Die klassischen und halbklassischen Gerichte wurden da und dort durch molekulare Highlights akzentuiert. Zu diesem Zweck hatte er die vakant gewordene Stelle des Gardemanger mit einem Koch mit molekularer Erfahrung besetzt.

Huwyler selbst besaß in dieser Hinsicht keine persönlichen Ambitionen mehr. Er legte in der Küche nur noch selten

Hand an und konzentrierte sich auf den administrativen und gastgeberischen Teil seiner Aufgabe. Kam dazu, dass er Mitte fünfzig war und ein vielfach preisgekrönter Koch, vor dreißig Jahren sogar ein Pionier der Nouvelle Cuisine. Er fand, er habe seinen Teil zur kulinarischen Entwicklung des Landes beigetragen. Er war zu alt, um noch einmal etwas Neues zu lernen.

Seit der unschönen Trennung von seiner Frau, der er einen großen Teil des Erfolges von Chez Huwyler und die ganze verunglückte Inneneinrichtung zu verdanken hatte, erfüllte er gegenüber der Gästeschaft alle Repräsentationsaufgaben. Vor der Trennung waren ihm die allabendlichen Rundgänge von Tisch zu Tisch eine lästige Pflicht gewesen, aber inzwischen war er auf den Geschmack gekommen. Es geschah immer öfter, dass er sich an einem der Tische verplauderte. Dieses spät entdeckte Kommunikationstalent hatte auch dazu geführt, dass er sich im Berufsverband engagierte und dafür viel Zeit opferte. Fritz Huwyler war Vorstandsmitglied und zurzeit turnusgemäß amtierender Präsident von *swisschefs*.

Im Moment stand er neben Tisch eins, einem Sechsertisch, der heute nur für zwei gedeckt war. Dort saß Eric Dalmann mit einem Geschäftsfreund aus Holland. Dalmann hatte zum Aperitif einen 2005er Chardonnay von Thomas Studach aus Malans à hundertzwanzig Franken bestellt anstatt, wie sonst immer, eine Flasche Krug Grande Cuvée brut für vierhundertzwanzig.

Das war aber auch sein einziges Zugeständnis an die Wirtschaftskrise. Zum Essen hatte er wie immer das große Surprise bestellt.

»Und Sie? Spüren Sie etwas von der Krise?«, erkundigte sich Dalmann.

»Null«, log Huwyler.

»Qualität ist krisenfest«, antwortete Dalmann und hob die Hände, um Platz zu machen für den Teller mit der schweren Cloche, den die Kellnerin brachte.

Auch etwas, das er nächstens abschaffen würde, das Theater mit den Cloches, dachte Huwyler, bevor die junge Frau mit jeder Hand einen Messingknopf ergriff und die silbernen Glocken lüftete.

»Mariniertes Makrelenfilet auf seinem Fenchelherzbett mit Bärlauchsabayon«, verkündete sie.

Keiner der beiden Herren blickte auf seinen Teller, beide hatten nur Augen für die Frau, die sie gebracht hatte.

Nur Huwyler starrte auf die Bärlauchsabayon, die als grüner Schleim den ganzen Tellerboden bedeckte.

Andrea hatte sich an die Wirkung gewöhnt, die sie auf Männer ausübte. Meistens war sie ihr lästig, nur ab und zu fand sie sie praktisch und bediente sich ihrer. Vor allem, wenn es darum ging, eine Stelle zu finden. Was oft vorkam, denn ihr Aussehen machte es ihr nicht nur leicht, eine Stelle zu finden. Es machte es ihr auch schwer, sie zu behalten.

Sie war noch keine zehn Tage im Huwyler, und schon gab es diese kleinen Rivalitäten in der Küche und im Service, die sie so gut kannte und die ihr so zum Hals heraushingen. Früher hatte sie versucht, darauf mit fröhlicher Kumpelhaftigkeit zu reagieren. Aber das hatte jedes Mal zu Missverständnissen geführt. Inzwischen gab sie sich unterschiedslos distanziert. Das trug ihr den Ruf der Hochnäsigkeit ein. Womit sie aber gut leben konnte.

Und auch damit, dass diese beiden Säcke anstatt den Teller sie anstarrten. Vielleicht entging ihnen so, dass die Makrelenfilets in ihrer Bärlauchtunke aufweichten.

»Als seine Frau noch da war, war das Essen besser«, bemerkte Dalmann, als er wieder mit seinem Gast allein war.

»Hatte sie sich auch um die Küche gekümmert?«

»Nein, aber er mehr.«

Van Genderen lachte und ließ sich den Fisch schmecken. Er war die Nummer zwei eines internationalen Unternehmens mit Sitz in Holland, eines der wichtigsten Zulieferer der Solarindustrie. Mit Dalmann traf er sich, weil der ihm gewisse Kontakte vermitteln konnte. Eine von Dalmanns Spezialitäten – Kontakte vermitteln.

Dalmann war vor ein paar Wochen vierundsechzig geworden und trug die Spuren eines Geschäftslebens, in welchem das Kulinarische immer ein entscheidendes Überzeugungsmittel gewesen war: ein wenig Übergewicht, dem er mit einer Weste etwas Form zu geben versuchte, Tränensäcke unter den wässrigen blassblauen Augen, schlaffe, über den Backenknochen immer etwas gerötete, grobporige Gesichtshaut, schmale Lippen und eine mit den Jahren immer sonorer gewordene Stimme. Von seinem gelbblonden Haar war nur ein Halbkranz geblieben, der im Nacken über den Hemdkragen reichte und seitlich in zwei dichte, halblange Koteletten überging, vom gleichen graumelierten Gelb wie seine Brauen.

Dalmann war schon immer das gewesen, was man heute einen Networker nennt. Er pflegte systematisch Beziehungen, vermittelte Geschäfte, gab Tipps und bekam welche, brachte Leute zusammen, sammelte Informationen und gab sie selektiv weiter, wusste, wann schweigen und wann reden. Und davon lebte er, und zwar ziemlich gut.

Im Moment schwieg Dalmann. Und während Van Genderen in seinem gurgelnden Holländerdeutsch auf ihn einsprach, beobachtete er unauffällig, wer an diesem Abend sonst noch alles im Huwyler war.

Die Medien waren vertreten durch zwei Mitglieder der Unternehmensleitung eines der großen Verlagshäuser (mit Damen), das in letzter Zeit durch rigorose Sparmaßnahmen aufgefallen war. Die Politik durch einen etwas in Vergessenheit geratenen Parteipolitiker mit seiner Gattin und zwei jüngeren Ehepaaren, Parteifreunden wohl, die im Auftrag der Parteileitung einen Jahrestag des Seniors feiern mussten. Die Medizin glänzte durch die Anwesenheit eines Klinikdirektors mit einem Chefarzt im ernsten Gespräch. Am Nebentisch speiste ein hoher Funktionär eines kriselnden, zurzeit sponsorlosen Fußballclubs mit dem Finanzchef eines Versicherungskonzerns, beide in Begleitung ihrer Gemahlinnen. Sonst saßen da: ein Autoimporteur, ein Inhaber einer Werbeagentur und ein nicht ganz freiwillig abgetretener Bankpräsident, alle mit ihren großen, dünnen, blonden zweiten Frauen.

Der Raum war erfüllt vom behaglichen Gemurmel halblauter Stimmen, dem behutsamen Klappern und Klirren der Bestecke und den unaufdringlichen Düften sorgfältig komponierter Speisen. Das Licht war warm und schmeichelhaft, und die Böen des Regens, der gegen Abend begonnen hatte, den frischen späten Schnee in grauen Matsch zu verwandeln, waren nur für die Gäste mit Fensterplatz als fernes Knistern durch die Vorhänge zu vernehmen. Es war, als hätte sich der Huwyler für diesen Abend gegen die Welt da draußen verpuppt.

Die Welt da draußen bot auch keinen erfreulichen Anblick. Es war endlich an den Tag gekommen, dass die Finanzmärkte jahrelang mit Katzengold gehandelt hatten. Unsinkbare Banken sandten mit schwerer Schlagseite Notrufe aus. Jeden Tag gerieten mehr Wirtschaftssektoren in den Strudel der Finanzkrise. Automarken machten Kurzarbeit, Zulieferer Konkurs und Financiers Selbstmord. Überall stiegen die Arbeitslosenquoten, Staaten trieben auf den Bankrott zu, Deregulierer retteten sich in die Arme des Staates, Propheten des Neoliberalismus wurden kleinlaut, die globalisierte Welt erlebte den Anfang ihrer ersten globalisierten Krise.

Und als könnte es auch diesen bevorstehenden Orkan in seiner Tauchglocke überleben, begann das kleine Alpenland, sich wieder abzukapseln. Kaum hatte es sich ein wenig geöffnet.

Andrea musste warten, bis Bandini, der Annonceur, die Teller für Tisch fünf kontrolliert und mit der Bestellung verglichen hatte. Sie beobachtete Maravan, die angenehmste Erscheinung der Brigade.

Er war ein für einen Tamilen großer Mann, bestimmt über eins achtzig. Scharfgeschnittene Nase, gestutzter Schnurrbart und blauschwarzer Bartschatten bereits am frühen Abend. Obwohl er die Nachmittagsschicht wie immer frisch rasiert angetreten hatte. Er trug die weiße Arbeitskleidung der Küchenhilfen mit der langen Schürze wie eine traditionelle hinduistische Kleidung. Das weiße Kochschiffchen aus Krepp sah auf seinem schwarzen, exakt gescheitelten Haar aus wie ein Gandhi-Topi.

Jetzt stand Maravan an der Spüle, duschte mit einer Handbrause die Saucenreste von den Tellern und verstaute sie im Geschirrspüler. Er tat dies mit der Anmut eines Tempeltänzers. Als hätte er gespürt, dass sie ihn beobachtete, schaute er kurz auf und zeigte seine schneeweißen Zähne. Andrea lächelte zurück.

Sie hatte im Laufe ihrer kurzen Karriere im Gastgewerbe immer wieder mit Tamilen zu tun gehabt. Viele waren Asylbewerber mit N-Bewilligungen, die ihnen gerade mal das Recht gaben, an einer genau bestimmten Stelle im Gastgewerbe zu einem Niedriglohn zu arbeiten. Und auch das nur auf Gesuch des Arbeitgebers, von dem er dann noch abhängiger war als jemand mit einer Aufenthaltsbewilligung. Mit den meisten kam sie gut aus, sie waren freundlich und unaufdringlich und erinnerten sie an die Reise, die sie als Rucksacktouristin durch Südindien gemacht hatte.

Sie hatte Maravan, seit sie im Huwyler angefangen hatte, schon an allen Stationen arbeiten sehen. Er war virtuos im Zurüsten von Gemüse, wenn er Austern öffnete, sah es aus, als täten sie sich freiwillig für ihn auf, er filetierte mit wenigen geübten Handgriffen Seezungen grätenfrei und konnte Kaninchenkeulen so sorgfältig hohl auslösen, dass es aussah, als sei der Knochen noch drin.

Andrea hatte ihm zugesehen, mit welcher Liebe, Präzision und Geschwindigkeit er auf den Tellern Kunstwerke gestaltete oder wie geschickt er marinierte Waldbeeren mit knusprigen Blätterteig-Arlettes zu dreilagigen Millefeuilles schichtete.

Die Köche des Huwyler benutzten Maravan oft und gerne für Arbeiten, die eigentlich in ihren Bereich fielen. Aber Andrea hatte es noch nie erlebt, dass einer von ihnen ihm für deren Ausführung ein Kompliment gemacht hätte. Im Gegenteil: Kaum hatte er eines seiner Kunstwerke abgeliefert, wurde er wieder als Tellerwäscher und Handlanger eingesetzt.

Bandini gab die Bestellung frei, die beiden Kellner setzten die Cloches über die Teller und trugen sie zum Tisch. Andrea konnte den nächsten Gang für Tisch eins abrufen.

2

Es war weit nach Mitternacht, aber es fuhren noch Trams. Die Passagiere der Nummer zwölf waren müde Nachtarbeiter auf dem Nachhauseweg und aufgekratzte Nachtschwärmer in Partylaune. In der Gegend, in der Maravan wohnte, lebten nicht nur die meisten Asylbewerber, sondern befanden sich auch die angesagtesten Clubs, Discos und Lounges der Stadt.

Maravan saß auf einem Einzelsitz hinter einem Mann mit speckigem Nacken, dessen Kopf immer wieder zur Seite kippte. Ein Berufskollege, den Küchendünsten nach zu schließen, die von ihm ausgingen. Maravan besaß eine empfindliche Nase und legte Wert darauf, auch wenn er von der Arbeit kam, nach nichts zu riechen. Die Kollegen benutzten Eau de Toilette oder Rasierwasser, um die Küchengerüche zu übertünchen. Er bewahrte die Kleider im Spind in einem Mottensack mit Reißverschluss auf, und wann immer möglich benutzte er die Dusche in der Personalgarderobe.

Es gab schon Küchendüfte, nach denen ein Mensch riechen durfte, doch nach diesen roch es nicht in den Küchen dieses Landes. Aber in der von Nangay.

Wenn Nangay neun Curryblättchen, die Maravan ihr vom Bäumchen vor der Küche gepflückt hatte, ins heiße Kokosöl warf, dann erfüllte ein Duft die kleine Küche, den er so lange wie möglich an sich behalten wollte.

Genau wie den Duft nach Zimt. »Verwende immer etwas mehr Zimt als nötig«, pflegte Nangay zu sagen, »er riecht und schmeckt angenehm, desinfiziert und regt die Verdauung an und ist überall für wenig Geld zu haben.«

Für Maravan war Nangay eine uralte Frau gewesen, dabei war sie zu dieser Zeit erst Mitte fünfzig. Sie war die Schwester seiner Großmutter. Er und seine Geschwister waren mit den beiden Frauen nach Jaffna geflüchtet, nachdem seine Eltern bei den Pogromen 1983 in der Nähe von Colombo in ihrem Auto verbrannt waren. Maravan, das jüngste der vier Kinder, verbrachte danach seine Tage in der Küche von Nangay und half ihr, die Gerichte zuzubereiten, die seine Geschwister auf dem Markt von Jaffna verkauften. Was er an Schulwissen brauchte, brachte ihm Nangay in der Küche bei.

In Colombo hatte sie in einem großen Haus als Herrschaftsköchin gearbeitet. Jetzt betrieb sie auf dem Markt eine Garküche, deren guter Ruf sich rasch verbreitete und ihnen ein bescheidenes, aber regelmäßiges Einkommen sicherte.

Neben den einfachen Speisen für den Markt bereitete Nangay aber auch geheimnisvolle Spezialgerichte zu für eine wachsende, auf Diskretion bedachte Kundschaft, in der Regel Ehepaare mit großem Altersunterschied.

Noch heute, wenn Maravan frische Curryblätter fritierte oder wenn auf seinem Herd ein Curry bei leisem Feuer köchelte, sah er die kleine magere Frau vor sich, deren Haare und Saris immer nach Curryblättern und Zimt dufteten.

Das Tram hielt, ein paar Fahrgäste stiegen ein, niemand stieg aus. Als sich die Türen wieder schlossen, schreckte der Mann vor ihm aus dem Schlaf und stürzte zur Tür. Aber sie fuhren schon wieder. Der Dicke drückte wütend auf den Türöffnungsknopf, fluchte laut und stierte Maravan vorwurfsvoll an.

Er wandte den Blick ab und sah zum Fenster hinaus. Es regnete noch immer. In den Tropfen, die ihre schrägen Bahnen über das Fenster zogen, glänzten die Lichter der nächtlichen Stadt. Vor einem Club stand ein junger Mann mit ausgebreiteten Armen und hielt sein Gesicht in den Regen. Im Schutz eines Fassadenvorsprungs standen ein paar junge Leute, rauchten und lachten über den Mann im Regen.

An der nächsten Haltestelle stieg das Partyvolk aus. Gefolgt vom Dicken, der nach Küche roch. Maravan sah, wie er auf der anderen Seite des Wagens wieder auftauchte und sich missmutig ins Tramhäuschen der Gegenrichtung setzte.

Es befanden sich nur noch wenige Passagiere im Wagen, den meisten sah man an, dass sie aus anderen Ländern stammten. Sie dösten oder hingen ihren Gedanken nach, nur eine junge Senegalesin plauderte munter in ihr Handy, in der Gewissheit, dass niemand ein Wort ihres Gesprächs verstand. Jetzt stieg auch sie aus. Maravan sah ihr nach, wie sie immer noch lachend und schwatzend auf eine Seitenstraße zuging.

Im Tram war es still geworden, nur die Ankündigungen der Haltestellen vom Band. An der zweitletzten stieg auch Maravan aus, spannte seinen Schirm auf und ging in Fahrtrichtung weiter. Die Zwölf fuhr an ihm vorbei, die erleuchteten Fenster entfernten sich, bis sie nur noch ein weiterer Lichtfleck auf der regennassen Straße waren.

Es war kalt. Maravan band seinen Schal fester und bog in die Theodorstraße ein. Graue Häuserzeilen beidseits, geparkte Autos, die nass im weißen Licht der Straßenbeleuchtung glänzten, hie und da ein Laden, asiatische Spezialitäten, Reisebüro, Secondhand, Bargeldtransfer.

Vor einem braunen Mietshaus aus den fünfziger Jahren fischte Maravan den Schlüsselbund aus der Tasche und ging durch eine vollgesprayte Durchfahrt an zwei überfüllten Müllcontainern vorbei zu einer Eingangstür.

Im Hausflur blieb er vor der Wand voller Brief- und Milchkästen stehen und öffnete den, auf dem Maravan Vilasam stand.

Im Briefkasten lagen ein Brief aus Sri Lanka, adressiert in der Handschrift seiner ältesten Schwester, ein Flugblatt einer Firma, die Putzfrauen vermittelte, Wahlwerbung für eine ausländerfeindliche Partei und der Katalog eines Großhändlers von Spezialküchengeräten. Diesen öffnete er noch beim Briefkasten und blätterte darin, während er die Treppen zum vierten Stockwerk hinaufstieg, wo sich seine Wohnung befand. Zwei kleine Zimmer, ein winziges Bad und eine überraschend geräumige Küche mit Balkon, alles durch einen mit abgetretenem Linoleum ausgelegten Flur verbunden.

Maravan machte Licht. Bevor er das Wohnzimmer betrat, ging er ins Bad und wusch sich Gesicht und Hände, dann zog er die Schuhe aus, legte die Post auf den Tisch und zündete mit einem Streichholz den Docht der Deepam an, der tönernen Lampe, die auf dem Hausaltar stand. Er ging auf die Knie, legte die flachen Hände vor der Stirne gegeneinander und verneigte sich vor Lakshmi, der Göttin des Wohlstandes und der Schönheit.

Es war kühl in der Wohnung. Maravan kauerte sich vor den Ölofen, zog den Zünder und ließ ihn zurückschnellen. Fünfmal klang das helle metallische Hämmern durch die Wohnung, bis der Ofen brannte. Maravan zog seine Lederjacke aus, hängte sie an einen der zwei Garderobehaken im Flur und ging ins Schlafzimmer.

Als er wieder herauskam, trug er ein Batikhemd, einen blaurot gestreiften Sarong und Sandalen. Er setzte sich neben den Ofen und las den Brief seiner Schwester.

Die Nachrichten waren nicht gut. An den Checkpoints zu den tamilischen Gebieten wurden die Transporte behindert. Die wenigsten der Lebensmitteltransporte von Februar und März hatten den Distrikt Kilinochchi erreicht. Die Preise von Grundnahrungsmitteln, Medikamenten und Treibstoff stiegen ins Unbezahlbare.

Er legte den Brief auf den Tisch und versuchte, sein schlechtes Gewissen zu beruhigen. Es waren beinahe drei Monate vergangen, seit er zum letzten Mal im Batticaloa-Basar gewesen war, dem tamilischen Laden in der Nähe, und dem Ladenbesitzer Geld und die Ausweisnummer seiner Schwester gegeben hatte. Vierhundert Franken waren es gewesen, siebenunddreißigtausendachthundert Rupien, nach Abzug der Gebühren.

Er verdiente knapp dreitausend Franken, und trotz der günstigen Miete von siebenhundert und obwohl er allein lebte, blieb ihm nach Abzug der Krankenkasse und dem, was ihm Huwyler als Quellensteuer abzog, gerade genug zum Essen. Besser gesagt: zum Kochen.

Kochen war nicht nur Maravans Beruf. Kochen war seine große Leidenschaft. Schon als die ganze Familie noch in Colombo lebte, verbrachte er die meiste Zeit bei Nangay in der Küche. Die Eltern arbeiteten beide in einem der großen Hotels der Stadt, der Vater an der Rezeption, die Mutter als Hausdame. Wenn die Kinder nicht in der Schule waren, standen sie unter der Obhut der Großmutter. Aber weil Maravan noch nicht zur Schule ging, nahm ihn seine Großtante Nangay an manchen Tagen mit zur Arbeit, damit ihre Schwester die Hausarbeit und Einkäufe machen konnte. In der Herrschaftsküche stand Nangay sechs Helferinnen vor. Eine von ihnen hatte immer Zeit, sich um den Kleinen zu kümmern.

So wuchs er auf zwischen Pfannen und Töpfen, Gewürzen und Kräutern, Gemüsen und Früchten. Er half Reis waschen, Linsen verlesen, Kokosnuss raspeln, Koriander zupfen, schon mit drei Jahren durfte er unter Aufsicht mit einem scharfen Messer Tomaten würfeln und Zwiebeln hacken.

Schon früh war Maravan fasziniert von den Vorgängen, die ein paar krude Rohprodukte in etwas ganz anderes verwandelten. Etwas, das man nicht nur essen konnte, das einen nicht nur sättigte und ernährte, sondern das sogar – glücklich machte.

Maravan sah genau zu, merkte sich die Zutaten, Mengen, Vorbereitungen und Reihenfolgen. Mit fünf konnte er ganze Menus kochen, und mit sechs, noch bevor er zur Schule musste, lernte er schreiben und lesen, weil er die Rezepte nicht mehr alle im Kopf behalten konnte.

Die Einschulung empfand er als beinahe größere Tragödie als kurz darauf den Tod seiner Eltern, dessen Details er erst erfuhr, als er schon fast erwachsen war. Für ihn kamen sie, die ohnehin meistens abwesend waren, einfach nicht mit nach Jaffna. Die Reise dorthin erlebte er als chaotisch und das Haus der Verwandten, bei denen sie in der ersten Zeit lebten, als klein und überfüllt. Aber er musste nicht zur Schule und konnte seine Tage bei Nangay in der Küche verbringen.

Der Ölofen hatte etwas Wärme in das kleine Wohnzimmer gebracht. Maravan stand auf und ging in die Küche.

Vier Leuchtstofflampen tauchten den Raum in weißes Licht. Er enthielt einen großen Kühlschrank und einen Tiefkühler in der gleichen Größe, einen Gasherd mit vier Brennern, ein Doppelspülbecken, einen Arbeitstisch und einen Wandkorpus mit Edelstahlabdeckung, auf dem verschiedene Geräte und Küchenmaschinen standen. Der Raum war blitzsauber und glich mehr einem Laboratorium als einer Küche. Nur bei näherer Betrachtung war zu erkennen, dass die verschiedenen Elemente nicht ganz die gleiche Höhe hatten und die Fronten etwas unterschiedlich waren. Maravan hatte Stück für Stück auf Baubörsen und Gebrauchtmärkten zusammengekauft und mit Hilfe eines Landsmanns eingebaut, der in seiner Heimat Sanitärtechniker gewesen war und hier als Lagergehilfe arbeitete.

Er setzte eine kleine Bratpfanne auf die kleinste Flamme, goss Kokosöl hinein und öffnete die Balkontür. Die Fenster gegenüber waren fast alle dunkel, der Hinterhof tief unter ihm lag still und verlassen da. Es regnete noch immer in schweren, kalten Tropfen. Er ließ die Balkontür einen Spalt offen.

In seinem Schlafzimmer standen in Reih und Glied Töpfe

mit Currybäumchen, jedes mit seinem Bambusstöckchen, jedes in einem anderen Alter. Das größte reichte ihm bis unter die Achsel. Er hatte es vor ein paar Jahren als Setzling von einem Landsmann aus Sri Lanka bekommen. Aus seinen Ablegern hatte er Bäumchen gezogen, bis es so viele wurden, dass er ab und zu eines verkaufen konnte. Er tat es ungern, aber im Winter fehlte es ihm an Platz. Die Bäumchen waren nicht winterhart, nur in der warmen Jahreszeit konnten sie auf dem Küchenbalkon stehen, im Winter musste er sie im Schlafzimmer ins Licht von Pflanzenlampen stellen.

Er brach zwei der neunblättrigen Zweiglein ab, ging in die Küche zurück, warf sie in das heiße Öl und fügte ein zehn Zentimeter langes Stück Zimt hinzu. Langsam begann es, nach seiner Kindheit zu duften.

In einem Schränkchen unter dem Wandkorpus bewahrte er seine Destillationsutensilien auf: einen Destillationskolben, eine Destillierbrücke mit einem Kühlmantel, einen Auffangkolben, zwei Kolbenhalter, ein Thermometer und eine Rolle PVC-Schlauch. Er baute vorsichtig die Glasteile so zusammen, dass der Destillationskolben über einem Gasbrenner zu stehen kam, legte die Schlauchrolle ins Spülbecken und schloss das eine Ende am Wasserhahn, das andere am Kühlmantel an. Dann füllte er ein Spülbecken mit kaltem Wasser, nahm einen Plastiksack Eiswürfel aus dem Tiefkühler und schüttete sie dazu.

In der Zwischenzeit war der Duft von Kokosöl, Curryblättern und Zimt voll erblüht. Maravan goss den Pfanneninhalt in ein hitzebeständiges hochwandiges Glasgefäß und verarbeitete ihn mit dem Stabmixer zu einer sämigen nuss-braunen Flüssigkeit, die er in den Destillierkolben füllte.

Maravan zündete die Gasflamme unter dem Kolben an, zog den einzigen Stuhl heran und setzte sich neben die improvisierte Destillationsanlage. Es war wichtig, dass er den Vorgang unter Kontrolle behielt. Wenn sich die Flüssigkeit zu stark erhitzte, das wusste er aus Erfahrung, würde sich das Aroma verändern. Schon oft hatte er versucht, die Essenz aus diesem Duft, dem Duft seiner Jugend, zu gewinnen. Noch nie war es ihm gelungen.

Jetzt begann sich die Glaswand des Kolbens zu beschlagen. Tropfen entstanden, vermehrten sich und zogen ihre klaren Spuren durch den trüben Beschlag. Die Temperatur des Dampfes stieg rasch auf fünfzig, sechzig, siebzig Grad. Maravan drehte die Flamme kleiner und den Wasserhahn ein wenig auf. Das kalte Wasser stieg in den transparenten Schlauch, füllte die doppelte Wand des Kühlmantels, verließ den Kühler und floss durch ein Schlauchstück in den Abfluss des zweiten Spülbeckens.

In der Küche war nur das gelegentliche Gurgeln des Kühlwassers im Abfluss zu hören. Ab und zu vernahm er Schritte in der Mansarde über ihm. Dort wohnte Gnanam, auch ein Tamile, wie alle Bewohner der Theodorstraße 94. Er war noch nicht lange hier und hatte nach den üblichen ersten sechs Monaten Arbeitsverbot eine Arbeit gefunden. Als Küchenhilfe, wie die meisten Asylbewerber aus Sri Lanka. Er arbeitete im Stadtspital. Dass Maravan ihn um diese Zeit herumgehen hörte – es war kurz vor zwei –, bedeutete, dass Gnanam Frühschicht hatte.

Maravan besaß nur Asylbewerberstatus und musste als

Küchengehilfe arbeiten. Aber verglichen mit Gnanam war er privilegiert.

Im Huwyler gab es keine Frühschicht, die um vier Uhr morgens begann. Wenn er Tagesdienst hatte, musste er um neun in der Küche stehen. Und er musste auch nicht mit Zweihundertliter-Kochkesseln hantieren oder den schwarzgebrannten Bodensatz von quadratmetergroßen Kippbratpfannen scheuern. Im Huwyler konnte er dazulernen, auch wenn man ihn nicht ließ. Er hatte Augen im Kopf, er guckte sich Techniken ab und lernte aus den Missgeschicken anderer Leute. Dass ihn die Köche nicht besonders gut behandelten, machte ihm nicht viel aus. Er war schon schlechter behandelt worden. Hier und in seiner Heimat.

Maravan stand auf, warf zwei Handvoll Weizenmehl in eine Teigschüssel, fügte etwas lauwarmes Wasser und ein wenig Ghee hinzu, setzte sich mit der Schüssel wieder auf den Stuhl und begann den Teig zu kneten.

Als er in Jaffna seine Kochlehre machte, ertrugen seine Lehrmeister es schlecht, dass er geschickter, begabter und einfallsreicher war als sie. Er hatte lernen müssen, dass er sich dumm anstellen musste, wenn er weiterkommen wollte. Und später, als er Jaffna verließ und in einem Hotel an der Südwestküste arbeitete, behandelten die Singhalesen ihn mit der Herablassung, die sie Tamilen entgegenbrachten.

Der Teig war jetzt geschmeidig und elastisch. Maravan stellte die Schüssel beiseite und deckte sie mit einem sauberen Küchentuch zu.

In letzter Zeit gefiel es ihm im Huwyler besonders gut. Genau genommen, seit Andrea dort arbeitete. Er war, wie alle in der Brigade, fasziniert von diesem eigenartigen, schmalen, bleichen Wesen, das mit abwesendem Lächeln durch alle hindurchblickte. Aber er bildete sich ein, der Einzige zu sein, der von ihr, selten zwar, aber immerhin, beachtet wurde. Dafür sprach auch, dass ihn die Köche, sobald sie in Blickweite war, noch mehr von oben herab behandelten.

Heute, zum Beispiel, als Andrea darauf wartete, bei Bandini einen Gang abrufen zu können, während er Teller vorspülte, hatte sie in seine Richtung geblickt und gelächelt. Nicht durch ihn hindurch. Ihm zugelächelt.

Maravan hatte wenig Kontakt zu Frauen. Die unverheirateten Töchter in der tamilischen Gemeinde waren zu behütet, um mit Männern Beziehungen zu pflegen. Eine tamilische Frau musste als Jungfrau in die Ehe. Und wen sie heiratete, bestimmten traditionsgemäß die Eltern.

Es gab schon Schweizerinnen, die sich für ihn interessierten. Aber sie galten bei den Tamilen wegen ihres freizügigen Lebenswandels als schlechte Frauen. Sich mit einer von ihnen einzulassen würde Schande über seine Familie in Sri Lanka bringen. Und dass sie es früher oder später erfahren würde, dafür sorgte die Gemeinschaft der tamilischen Flüchtlinge, die Diaspora. Er hatte sich damit abgefunden, das Leben eines Junggesellen zu führen, und vertröstete sich auf eine vage Zukunft als Ehemann und Vater in Sri Lanka.

Aber seit dem Auftauchen von Andrea regten sich Gefühle, die er durch seine tiefe und mächtige Leidenschaft, das Kochen, überwunden geglaubt hatte.

Der erste Tropfen des Destillats fiel in den Scheidetrichter, hell und klar. Ein nächster folgte und ein nächster. Bald tropfte das Destillat in regelmäßigen kurzen Abständen in den Behälter. Maravan versuchte, an nichts anderes zu denken als an die Tropfen. Wie sie fielen und fielen, wie die Sekunden, Minuten, Tage und Jahre.

Er wusste nicht, wie lange es gedauert hatte, bis der Inhalt des Kolbens auf ein paar Zentiliter reduziert und die Tropfen versiegt waren. Maravan öffnete das Hähnchen des Scheidetrichters und ließ das Wasser ablaufen, bis nur noch das ätherische Öl im untersten Teil des konischen Gefäßes übrig blieb. Er mischte es mit dem Konzentrat aus dem Kolben und hielt es an die Nase.

Er roch die Curryblätter, den Zimt, das Kokosöl. Aber das, wonach er suchte, fand sich nicht: die Essenz dessen, zu dem sich die drei Stoffe in Nangays Eisenpfanne über dem Holzfeuer vereinigt hatten.

Maravan nahm eine *tawa*, eine schwere Eisenpfanne, von der Wand und stellte sie aufs Gas. Er streute etwas Mehl auf die Arbeitsfläche neben dem Herd und formte aus dem Teig ein paar Chapatis. Als die Pfanne heiß genug war, legte er das erste in die Pfanne und bräunte es auf beiden Seiten. Und wieder entstand ein Duft, der ihn in seine Jugend versetzte.

Als Maravan fünfzehn war, schickte Nangay ihn nach Kerala in Südindien. Eine alte Freundin arbeitete dort als ayurvedische Köchin in einer neueröffneten Hotelanlage, der ersten des Landes mit einem breiten Angebot an ayurvedischen Behandlungen. Maravan sollte dort die Arbeit in einer Hotelküche erlernen und in die ayurvedische Küche eingeweiht werden.

Vieles kannte Maravan schon von Nangay, und er gab

sich auch keine Mühe, dies zu verbergen. Rasch geriet er in die Situation des Schulanfängers, der bei Schuleintritt schon schreiben und lesen kann: Er ging den Lehrern und den Mitschülern mit seinem Wissen auf die Nerven. Obwohl er in einem Personalhaus auf engem Raum mit ihnen zusammenlebte, fand er keinen Anschluss an seine Kollegen und Vorgesetzten. Auch die Freundin von Nangay ging auf Distanz zu ihm, sie befürchtete, dass er es als ihr Protegé noch schwerer haben könnte.

Maravan blieb viel allein und konzentrierte sich ganz aufs Lernen, was ihn noch unbeliebter machte. In seiner Freizeit unternahm er lange Spaziergänge am endlosen menschenleeren Strand. Oder er übte stundenlang elegante Kopfsprünge in die beharrlich heranrollenden Brecher des indischen Ozeans.

In Kerala war Maravan zum Einzelgänger geworden. Und war es bis heute geblieben.

Die Chapatis waren fertig. Er nahm sich eines, träufelte ein wenig von dem frischen Konzentrat darauf, schloss die Augen und sog den Duft ein. Dann nahm er einen Biss, kaute ihn sorgfältig, behielt ihn im Mund, hob ihn mit der Zunge an den Gaumen, atmete langsam durch die Nase aus – von den missratenen Proben würde er dieser die zweithöchste Punktezahl geben, die Neun. In ein Notizbuch mit dem Titel »Extrakte« notierte er Datum, Zeit, Zutaten, Destillierdauer und Temperatur.

Darauf aß er das Produkt seines Experimentes als Würze der frischen Chapatis hastig und ohne großen Appetit, wusch die Kolben und Röhren seiner Anlage, stellte sie zum Trocknen auf die Spüle, machte das Licht aus und ging zurück in sein Wohnzimmer.

Dort, auf einem kleinen Tisch an der Wand, stand ein veralteter Secondhand-Computer. Maravan schaltete ihn ein und wartete geduldig, bis er aufgestartet hatte. Er stellte die Verbindung zum Internet her und sah nach, wie die Versteigerung des Rotationsverdampfers stand, die er seit ein paar Tagen verfolgte. Tausendvierhundertdreißig, gleich wie gestern. Noch zwei Stunden und zwölf Minuten bis Versteigerungsschluss.

Ein Rotationsverdampfer würde das, was er auch heute wieder vergeblich versucht hatte, in der richtigen Zeit, mit der richtigen Temperatur, ohne Anbrennen und ohne Geschmacksbeeinträchtigung erledigen. Nur kostete so ein Ding über fünftausend Franken, ein Vielfaches von dem, was sich Maravan leisten konnte. Manchmal wurden gebrauchte ältere Modelle bei Internetversteigerungen angeboten, wie das vor ihm auf dem Bildschirm.

Weniger als tausendfünfhundert war ein guter Preis. Tausendzweihundert hatte Maravan auf der Seite. Und den Rest würde er irgendwie auftreiben, falls der Preis nicht weiter stieg. Er würde die zwei Stunden abwarten und kurz vor Auktionsschluss mitbieten. Vielleicht hatte er Glück.

Er nahm den Brief seiner Schwester vom Tisch und las ihn zu Ende. Erst auf der letzten Seite kam sie zum Punkt: Nangay war krank, *Diabetes insipidus*. Das sei keine wirkliche Diabetes. Sie habe den ganzen Tag Durst, trinke literweise und müsse ständig auf die Toilette. Es gebe ein Medikament dagegen, aber es sei teuer und kaum erhältlich in Jaffna. Aber wenn sie es nicht nehme, vertrockne sie, sage der Arzt.

Maravan seufzte. Er ging zurück zum Bildschirm. Immer noch tausendvierhundertdreißig. Er schaltete den Computer aus und ging schlafen. Im Treppenhaus hörte er die Schritte von Gnanam auf dem Weg zur Frühschicht.

3

Ein paar Tage später kam es in der Küche des Huwyler zu einer Szene, die für Maravan Folgen haben sollte.

Anton Fink hatte eine Vorspeise kreiert, die er »Glasierte Langostinas mit Reiskrokant auf Currygelee« nannte und morgen ins Menu Surprise aufnehmen wollte. Maravan beobachtete von der Topfspüle aus, wie der Koch das Curry für das Gelee zubereitete: Er dünstete etwas feingehackte Zwiebel an, mischte ein Fertigcurrypulver darunter und rief: »Maravan! Kokosmilch!«

Maravan holte eine Dose Kokosmilch aus einem Schrank, schüttelte sie kräftig, öffnete sie und brachte sie dem Demichef de Partie. Während dieser etwa die Hälfte davon in die Pfanne goss, sagte Maravan: »Wenn du willst, mache ich dir das nächste Mal ein richtiges Curry.«

Fink legte die Kelle neben die Pfanne, wandte sich zu Maravan, musterte ihn von oben bis unten und sagte: »So, so, ein richtiges Curry. Ich muss mir also vom Küchengehilfen zeigen lassen, wie man kocht. Habt ihr das gehört?«

Er war laut geworden, und die Köche in der Nähe hoben die Köpfe.

»Maravan hier hat mir einen Kochkurs angeboten. Vielleicht will sich einer von euch mit einschreiben.« Fink hatte bemerkt, dass Andrea mit ihrem Bestellblock in der Hand hereingekommen war. »Wie man ein richtiges Curry macht. Einführungskurs für Anfänger.«

Maravan hatte nur dagestanden und geschwiegen. Aber jetzt bemerkte er Andrea und sagte: »Ich wollte nur helfen.«

»Das sollst du ja auch, helfen. Dafür bist du ja Küchengehilfe. Du sollst helfen, Pfannen putzen, Teller spülen, Salat waschen, Verschüttetes aufwischen. Aber mir das Kochen beibringen? Danke, es geht noch so halbwegs, ich schaff gerade noch so knapp ein bisschen Curry!«

Ohne Andrea als Zeugin hätte sich Maravan jetzt entschuldigt und wäre zu seinen Pfannen zurückgegangen. Aber jetzt sagte er mutig: »Ich habe mein ganzes Leben lang Currys gekocht.«

»Ach ja? Du hast Curry studiert? Verzeihung, Doktor Curry. Oder schon Professor?«

Maravan wusste keine Antwort. In die Stille, die entstanden war, sagte Andrea: »Ich würde gerne einmal eines deiner Currys versuchen, Maravan. Kochst du mir mal eines?«

Maravan konnte nicht antworten vor Überraschung. Er nickte.

»Montagabend?« Am Montag hatte der Huwyler geschlossen.

Maravan nickte.

»Versprochen?«

»Versprochen.«

Von Finks Curry stieg jetzt Rauch auf, und es roch verbrannt.

Maravan ahnte, dass Andreas Eingreifen ihm mehr geschadet als genützt hatte. Es hatte ihm nicht nur die Feindschaft von Fink eingetragen, sondern auch den Neid von allen anderen. Trotzdem war ihm so leicht ums Herz wie schon lange nicht mehr. Er verrichtete fröhlich die niedrigen Arbeiten und störte sich nicht daran, dass ihm an diesem Tag niemand eine etwas anspruchsvollere zuwies.

Hatte sie es ernst gemeint? Wollte sie wirklich, dass er für sie kochte? Und wo? Bei ihm zu Hause? Die Vorstellung, in seiner kleinen Wohnung eine Frau wie Andrea zu empfangen und zu bewirten, weckte Zweifel, ob er sich tatsächlich wünschte, dass sie es ernst gemeint hatte.

Sie ließ ihn in dieser doppelten Ungewissheit zappeln. Als er endlich Feierabend machen konnte, war sie schon gegangen.

Hans Staffel war zum ersten Mal mit seiner Frau im Huwyler. Geschäftlich war er schon zwei, drei Mal gezwungen gewesen, hier zu essen, und nach jedem Mal musste er Béatrice versprechen, sie auch einmal hierher auszuführen. Doch wie es so ist im Leben eines Managers: Wenn er einmal einen Abend freihat, bleibt er lieber zu Hause.

Aber diesmal gab es keine Ausrede: Er hatte etwas zu feiern, das er zum jetzigen Zeitpunkt nur mit seiner Frau teilen durfte. Der Chefredakteur der wichtigsten Wirtschaftszeitschrift des Landes hatte es ihm unter dem Siegel strengster Geheimhaltung verraten: Hans Staffel war Manager des Monats Mai. In zehn Tagen würde es offiziell sein.

Béatrice wusste es noch nicht. Er wollte es ihr zwischen Amuse-bouche und Fleischgang sagen, irgendwann, wenn es passte und der Sommelier gerade nachgeschenkt hatte.

Staffel war der CEO der Kugag, eines alten Familienunternehmens der Maschinenindustrie, dessen Leitung er vor zwölf Jahren übernommen und – das waren die Worte des Chefredakteurs – das er regeneriert hatte. Er hatte die Eigentümer dazu überredet, in eine Neuausrichtung der Produktpalette auf Umwelttechnik zu investieren und mit einem Börsengang dem Unternehmen neues Kapital zuzuführen. Die Kugag hatte eine kleine Firma mit einer Anzahl Patente für Bestandteile von Sonnenkollektoren gekauft und war in kurzer Zeit zu einem wichtigen Zulieferer der Solarindustrie geworden. Der Börsenkurs war entgegen dem Trend stetig gestiegen und er selbst zu einem wohlhabenden Mann geworden. Er hatte sich einen Teil seines Gehaltes in den beim Börsengang noch sehr preiswerten Aktien auszahlen lassen.

Sie hatten zweimal Menu Surprise bestellt, Béatrice ohne eventuelle Innereien und Froschschenkel. Er hatte sich aus Rücksicht auf die Küche diesen Bedingungen angeschlossen.

Die große bleiche Kellnerin mit dem langen, schwarzen, ganz nach rechts gekämmten Haar hatte eben den Fischgang gebracht – zwei glasierte Riesencrevetten auf einer etwas unangenehm schmeckenden Sülze. Der Sommelier schenkte Champagner nach – sie hatten beschlossen, auf den Weißwein zu verzichten und bis nach dem Fischgang beim Champagner zu bleiben. Der Moment war also wie geschaffen.

Staffel hob das Glas, lächelte seine Frau an und wartete, bis diese ebenfalls das Glas in die Höhe hielt. Sie tat es und wusste, dass jetzt das kommen würde, dem sie diesen Abend zu verdanken hatte.

In diesem Augenblick kam jemand an den Tisch und sagte: »Ich will Sie nicht stören, feiern Sie ungestört weiter. Ich will Ihnen nur meine herzlichsten Glückwünsche aussprechen. Keiner hat es so verdient wie Sie.«

Er schüttelte dem überrumpelten Staffel, der sich jetzt halb erhoben hatte, herzlich die Hand und stellte sich dann seiner Frau vor: »Eric Dalmann. Sie dürfen zu Recht stolz sein auf Ihren Mann. Mehr solche wie er, und wir hätten keine Krise zu fürchten.«

»Wer war das?«, wollte Béatrice wissen, als sie wieder unter sich waren.

»Ich weiß nicht. Dalmann, Dalmann? Irgendein Berater, ich weiß nicht genau.«

»Und wozu hat er gratuliert?«

»Genau in diesem Moment wollte ich es dir sagen: Ich bin Manager des Monats.«

»Und ich erfahre es natürlich wieder als Letzte.«

Maravan war an der Geschirr-Rückgabe eingesetzt, als Andrea die Teller von Tisch drei zurückbrachte. Fink eilte herbei, weil er wissen wollte, wie die Gäste auf »Glasierte Langostinas mit Reiskrokant auf Currygelee« reagiert hatten. Es war das erste Surprise heute Abend.

Die Teller waren leer bis auf die Köpfe der Langostinas – und den größten Teil des Currygelees.

Maravan tat, als bemerke er es nicht. Aber Andrea sah mit ungläubigem Kopfschütteln die Teller an, schenkte Fink ein mitleidiges Lächeln, wandte sich an Maravan und sagte: »Ist neunzehn Uhr okay am Montag? Und schreib mir deine Adresse auf.«

Am nächsten Morgen war Maravan der erste Kunde im Batticaloa-Basar. Es war bereits sein zweiter Besuch in wenigen Tagen. Beim ersten hatte er dem Besitzer achthundert Franken für Nangays Medikament abgeliefert.

Der Laden war nicht gut bestückt, nur Dosenprodukte und Reis, keine Früchte, kaum Gemüse. Dafür Plakate und Flyer für Veranstaltungen und Einrichtungen der tamilischen Gemeinde und ein paar Sticker der LTTE, der Liberation Tigers of Tamil Eelam. Der Batticaloa-Basar war weniger Lebensmittelgeschäft als Verbindungs- und Kontaktstelle für die Tamilen im Exil und erste Adresse für inoffizielle Bargeldtransfers in den Norden Sri Lankas.

Maravan bat den Besitzer, über seinen Verbindungsmann in Jaffna seine Schwester zu kontaktieren und ihr zu sagen, sie solle um halb drei Sri-Lanka-Zeit mit Nangay in seinem Laden Maravans Anruf erwarten. Eine kostenpflichtige Dienstleistung, die nur über den Batticaloa-Basar organisiert werden konnte.

Maravan ging in aufgeräumter Stimmung zur Arbeit und bewahrte sich die gute Laune trotz aller Versuche der Brigade, sie ihm zu verderben. Maravans Rendezvous mit Andrea hatte sich natürlich herumgesprochen – Montagabend, neunzehn Uhr, bei ihm zu Hause! –, und es war, als hätten sich alle verschworen, ihm die Zeit bis dahin besonders schwerzumachen. Maravan hol, Maravan bring, Maravan mach, Maravan!

Es war die Stunde von Kandan, dem anderen tamilischen Küchengehilfen. Er war kräftig, bullig, schwer von Begriff und ohne das geringste Talent für das Kochen. Und er hatte, wie viele tamilische Männer im Exil, ein Alkoholproblem, das er, außer vor Maravans feiner Nase, geschickt zu verbergen wusste. Heute bekam er alle etwas anspruchsvolleren Arbeiten zugeteilt, während Maravan spülte, scheuerte, putzte, schrubbte und schleppte.

Die Stimmung in der Küche war gereizt. Das Restaurant war schlecht besetzt, und auch für den nächsten Abend hatte eine zwölfköpfige Geburtstagsgesellschaft ihre Reservierung rückgängig gemacht. Huwyler stand in der Küche im Weg und ließ seine Laune an seinen Chefs aus. Und die gaben sie an die Demichefs weiter und die wiederum an die Commis und die an die Hilfskräfte.

Aber Maravan ging es blendend. Gleich als Andrea ihren Dienst antrat, hatte er ihr diskret seine Adresse zugesteckt. Sie hatte gelächelt und so laut, dass es der zufällig in der Nähe stehende Bertrand hören konnte, gesagt: »Ich freu mich.«

Er wusste bis auf ein paar Details, die er am nächsten Tag klären würde, was er kochen wollte. Und auch für die Technik der Zubereitung besaß er einen verwegenen Plan.

Maravan trug einen Kopfhörer und saß vor dem Computer. Nangays Stimme klang schwach, obwohl die Verbindung überraschend gut war. Er hätte sein Geld behalten und sie in Ruhe sterben lassen sollen, warf sie ihm vor. Sie sei müde.

Nangay war über achtzig, und in Ruhe sterben wollte sie schon, seit Maravan sich erinnerte.

Zuerst war sie misstrauisch und wollte ihm seine Fragen nicht beantworten. Aber als er sagte, die Informationen dienten ihm dazu, sein Einkommen aufzubessern, nannte sie ihm

Zutaten und Rezepte und gab ihm bereitwillig und detailliert Auskunft.

Das Gespräch dauerte lange. Und als es beendet war, war Maravans Notizheft fast vollgeschrieben.

4

Am darauffolgenden Sonntagmittag war der Huwyler erfreulich gut besetzt gewesen. Der Abend war ruhig, die letzten Gäste gingen früh, wie immer am Sonntagabend.

Maravan war der Letzte des Küchenpersonals. Er stand bei der Pfannenreinigung und war mit den diffizileren der Küchengeräte beschäftigt: Thermostaten, Jet-Smoker und Rotationsverdampfer.

Er wartete, bis das Reinigungspersonal die Küche betreten hatte, und brachte dann die Geräte in den Materialraum. Anschließend begab er sich in die Garderobe.

Mit geübten Handgriffen entfernte er die gläsernen Bestandteile des Rotationsverdampfers, rollte sie in zwei T-Shirts, verstaute sie in einer Sporttasche, achtete darauf, dass sie dort gegen das schwere Gehäuse mit dem Behälter des Heizbades und der Elektronik gut abgepolstert lagen.

Maravan zog sich aus, schlang ein Frottiertuch um die Hüfte, warf die Arbeitskleidung in den Wäschekorb, stopfte die Unterwäsche in die Sporttasche, nahm Shampoo und Seife aus dem Fach und ging unter die Dusche. Fünf Minuten später kam er wieder heraus, nahm den Kleidersack aus dem Spind und zog sich an.

Auf dem Weg zum Ausgang schaute er noch im Weinlager vorbei. Als er mit der schweren Sporttasche den Huwyler durch den Lieferanteneingang der Küche verließ, trug er eine schwarze Hose, einen dunkelblauen Rollkragenpullover und seine Lederjacke. Er roch nach nichts.

Noch am gleichen Abend machte er sich an die Arbeit. Er löste die Körnchen aus den Rispen des Langpfeffers, entkernte getrocknete Kaschmir-Chilis, maß schwarze Pfefferkörner ab, Kardamom-, Kümmel-, Fenchel-, Bockshornklee-, Koriander- und Senfsamen, schälte Turmeric-Wurzeln, zerbrach Zimtstangen und röstete alles in der Eisenpfanne einzeln bis zu dem Punkt, an dem es seinen vollen Duft entfaltete. Er mischte die Gewürze in verschiedenen, sorgfältig abgewogenen Kombinationen und mörserte sie zu feinen Pulvern, die er entweder noch in der gleichen Nacht verwendete oder in Gläsern luftdicht verschlossen und etikettiert bis zum nächsten Tag verwahrte.

Bis in die Morgenstunden rotierte der Verdampfer mit verschiedenen Inhalten, weißes Curry, mit Milch und Kichererbsenmehl verquirlter Sali-Reis und – natürlich – das unnachahmliche Kokosöl mit Curryblättern und Zimt.

In einer Pfanne klarte auf kleiner Flamme frische Butter zu Ghee, und in tönernen Gefäßen vermählten sich warmes Wasser und geriebene Kokosnuss zu Milch.

Es dämmerte schon, als Maravan sich auf seine Matratze auf dem Schlafzimmerboden legte zu einem kurzen, von seltsamen erotischen Träumen immer wieder auf das Angenehmste unterbrochenen Schlaf.

Andrea war kurz davor gewesen, Maravan anzurufen und ihm unter einem Vorwand abzusagen. Sie verfluchte sich für ihr Helfersyndrom. Maravan wäre auch ohne sie zurechtgekommen. Wahrscheinlich sogar besser. Wahrscheinlich hatte sie mit ihrem stupiden Eingreifen die Situation für ihn nur schlimmer gemacht. Nicht wahrscheinlich, ganz bestimmt.

Dieser Einsicht hatte es Maravan zu verdanken, dass sie jetzt im Tram saß, auf dem Schoß ihre Handtasche und eine Plastiktüte mit einer Flasche Wein.

Für den Wein als Mitbringsel hatte sie sich entschieden, weil sie nicht wusste, ob Tamilen Alkohol trinken. Falls sie es nicht taten und deshalb auch ihren Gästen keinen anboten, konnte sie dann auf diese Flasche Pinot Noir zurückgreifen. Kein Superwein, aber anständig. Anständiger vermutlich als das, was sich ein Küchengehilfe leisten konnte. Falls er überhaupt Wein im Haus hatte.

Sie hatte sich für ihn eingesetzt, weil sie die Köche, besonders diesen Fink, nicht ausstehen konnte. Nicht, weil sie auf Maravan stand. Das würde sie ihm von Anfang an beibringen müssen, eine diplomatische Mission, in der sie Übung besaß.

Ihre Abneigung gegen Köche wuchs mit jedem Stellenwechsel. Vielleicht lag es an der strengen Hierarchie, die in den Küchen herrschte. Daran, dass sich Köche benahmen, als hätten sie ein Anrecht auf das weibliche Servicepersonal. So kam es ihr jedenfalls vor.

Denn in den Küchen, auch in den einfachsten, wurde ein Starkult betrieben, der dazu führte, dass sich die Köche für unwiderstehlich hielten.

Andrea fragte sich jeden Tag, weshalb sie nicht endlich die Branche wechselte. Die Antwort war jedes Mal: Weil sie nichts anderes gelernt hatte – sie war nun mal Serviceangestellte.

Ursprünglich wollte sie Hotelmanagerin oder Wirtin werden. Sie hatte die Hotelfachschule begonnen und war bei einem Praktikum im Service hängengeblieben. Sie hatte die Nase voll gehabt von der Schule, und die Möglichkeit, nach einer kurzen Lehre in verschiedenen Hotels zu arbeiten, im Sommer am Comersee oder in Ischia, im Winter im Engadin oder im Berner Oberland, kam ihrer unsteten Natur entgegen. Die Arbeit war nicht schlecht bezahlt, wenn man aussah wie sie und wusste, wie man sich Trinkgelder holte. Sie besaß gute Zeugnisse und Erfahrung und hatte es immerhin bis zum Demichef de Rang gebracht.

Andere Jobs hatte sie auch schon ausprobiert. Zum Beispiel Reiseleiterin vor Ort. Ihre Aufgabe hatte vor allem darin bestanden, am Flughafen von Kos ein Schild mit dem Namen ihres Reiseveranstalters in die Höhe zu halten, die ankommenden Gäste auf die verschiedenen Hotelbusse zu verteilen und ihre Reklamationen entgegenzunehmen. Andrea merkte bald, dass sie sich lieber mit zu wenig oder zu gut durchgebratenen Steaks herumschlug als mit fehlendem Feriengepäck oder Zimmern auf die Straße anstatt aufs Meer.

Einmal hatte sie sich sogar bei Miss-Wahlen beworben. Sie kam auch weiter, und man hatte ihr Chancen eingeräumt. Bis sie dumme Kuh bei einem Fotoshooting im Badeanzug der Teufel ritt und sie auf die Frage des Fotografen, ob sie schon einmal professionell gemodelt habe, antwortete: »Nicht mit so viel an.«

Chez Huwyler war eine gute Adresse und würde Eindruck machen in ihrem Lebenslauf. Aber nur, wenn sie es ein wenig länger aushielt als nur die üblichen paar Monate. Ein halbes Jahr, besser ein ganzes.

Auf der anderen Seite des Ganges, ihr schräg gegenüber, saß ein Mann zwischen dreißig und vierzig. Sie sah im Spiegelbild der Fensterscheibe, wie er sie anstarrte. Jedes Mal, wenn sie den Kopf drehte, lächelte er ihr zu. Sie nahm eine zerlesene Gratiszeitung vom Nebensitz und verschanzte sich dahinter.

Vielleicht sollte sie noch einmal von vorne anfangen. Sie war erst achtundzwanzig, da konnte man noch eine Ausbildung beginnen. Sie besaß einen Mittelschulabschluss, mit dem sie an die Kunstschule könnte. Oder wenigstens die Aufnahmeprüfung machen. Fotografie, oder noch lieber: Film. Mit etwas Glück bekam man ein Stipendium. Oder eine andere staatliche Hilfe.

Ihre Station wurde ausgerufen. Andrea stand auf und ging zur weiter entfernten Tür, um nicht an dem starrenden Mann vorbeigehen zu müssen.

In einer Pfanne garten Okras mit grünen Chilis, Zwiebeln, Bockshornkleesamen, rotem Chilipulver, Salz und Curryblättern. Die dicke Kokosmilch stand noch in einer Schale neben dem Herd. Maravan hatte sich für Okras als Gemüse entschieden, wegen des englischen Namens: Ladies' Fingers, Damenfinger.

Auch das Pathiya Kari war ein weibliches Gericht: Man bereitete es für stillende Mütter zu. Er hatte das Fleisch von jungen Hühnern in etwas Wasser und Zwiebeln, Bockshornklee, Gelbwurz, Knoblauch und Salz gegart und danach eine der Gewürzmischungen der vergangenen Nacht – Koriander, Kreuzkümmel, Pfeffer, Chili, Tamarindenpaste – in dieser Hühnerbouillon aufgekocht, vom Feuer genommen und zugedeckt. Kurz vor dem Anrichten würde er es noch einmal erhitzen.

Das männliche Element seines Menüs war ein Gericht aus Haifischfleisch: Churaa Varai. Er hatte ein gekochtes Haifischsteak zerfasert und mit geriebener Kokosnuss, Gelbwurz, Kümmel und Salz gemischt und beiseitegestellt. In einer Eisenpfanne hatte er Zwiebeln in Kokosöl glasig gedünstet, getrocknete Chilis, Zwiebelsamen und Curryblätter hinzugefügt, gerührt, bis die Samen hüpften, und die Pfanne vom Herd genommen. Kurz vor dem Servieren würde er sie wieder erhitzen, die Haifisch-Gewürzmischung dazugeben und alles vermengen.

Diese drei traditionellen Gerichte dienten Maravan als Beweis für seine Behauptung, dass er Currys kochen konnte, und als Vorwand für das, was er um sie herumbaute. Er würde sie in kleinen, überschaubaren Portionen servieren und als einzige Hommage an die experimentelle Küche mit drei verschiedenen Airs – Koriander-, Minze- und Knoblauchschaum – und im Stickstoff verglasten Curryzweiglein anrichten.

Maravan war nämlich Besitzer eines Isolationsbehälters, in welchem er für kurze Zeit Flüssigstickstoff aufbewahren konnte. Er hatte ihn ein Fünftel seines Monatseinkommens gekostet, aber er war ein unverzichtbares Hilfsmittel bei seinen kulinarischen Experimenten und seinen Bestrebungen, die Köche des Huwyler zu überflügeln.

Worum es bei diesem Essen wirklich ging, waren die Zwischengänge: alles bewährte ayurvedische Aphrodisiaka in neuer, gewagter Zubereitung. Anstatt das ganze Püree aus in gezuckerter Milch eingelegten Urd-Linsen portionenweise im Backofen zu trocknen, vermischte er die Hälfte mit Agar-Agar. Beide Hälften strich er auf Silikonmatten, schnitt sie in Streifen. Die Hälfte ohne Agar-Agar trocknete er im Backofen und drehte sie noch warm zu Spiralen. Die andere Hälfte ließ er erkalten und wand die elastischen Blätter in die inzwischen knusprig gewordenen Spiralen.

Die Mischung aus Safran, Milch und Mandeln servierte er nicht flüssig, sondern verwendete Rahm statt Milch, mixte sie luftig mit Safran, Palmzucker, Mandeln und etwas Sesamöl und tauchte davon je drei gehäufte Kunststofflöffel so lange in flüssigen Stickstoff, bis die Safran-Mandel-Espuma außen gefroren und innen weich waren.

Er würde sie zusammen mit süßem Safranghee reichen, den er auf dünne, mit Safranfäden belegte Honig-Gel-Streifen strich und rollte. Mit diesen hellgelben Zylindern, durch deren opake Wände dunkelgelb die Safranfäden schimmerten, umstellte er die Sphären.

Auch der Mischung aus Ghee, Langpfeffer, Kardamom, Zimt und Palmzucker gab er eine neue Struktur: Er mixte stilles Wasser mit Palmzucker, reduzierte die Mischung im Rotationsverdampfer mit den Gewürzen auf die Hälfte, mixte Alginat und Xanthan darunter, ließ die Luftblasen entweichen und formte mit dem Portionenlöffel kleine Kugeln. Diese legte er in eine Mischung aus Wasser und Calciumlactat. In Minuten hatten sie sich in glatte, glänzende Bällchen verwandelt, in die er mit einer Einwegspritze eine kleine Menge erwärmtes Ghee injizierte. Rasch drehte er die Kugeln, damit sich die Einstichstelle wieder schloss. Diese Sphären stellte er bei sechzig Grad warm. Er würde sie zur Nachspeise reichen.

Zum Tee hatte er drei Sorten Konfekt zubereitet, die alle, natürlich auch wieder in traditioneller Zubereitung, bewährte Aphrodisiaka waren: Aus einem Brei aus Sali-Reis und Milch extrahierte er die Flüssigkeit und vermischte sie mit Kichererbsenmehl und Zucker zu einer dickflüssigen Paste, die er mit Mandeln, Sultaninen, Datteln, gemahlenem Ingwer und Pfeffer zu einem Teig verarbeitete, aus dem er Herzchen ausstach, buk und mit rotem Fondant glasierte.

Er hatte getrocknete Spargel eingeweicht, sie mit dem Stabmixer püriert und im Rotationsverdampfer die Essenz daraus gewonnen. Diese hatte er mit Ghee und Algin vermischt, und als die Mischung am Eindicken war, hatte er sie zu kleinen Spargeln geformt, deren Spitzen er mit Chlorophyll grün färbte.

Aus dem gängigsten ayurvedischen Mittel zur Lusterregung, einer einfachen Mischung aus gemahlener Lakritze, Ghee und Honig, hatte er Eislutscher gemacht, indem er sie zu Plätzchen geformt, mit einem Holzspieß versehen, mit Pistaziensplittern dekoriert und tiefgefroren hatte.

Um zwanzig vor sieben duschte er, zog sich um und öffnete ein weiteres Mal alle Fenster. Nur das Essen sollte nach Essen riechen.

5

Auf dem kurzen Weg von der Tramstation bis zur Theodorstraße 94 wurde Andrea von einem Junkie angebet-
telt, von einem Dealer angehauen und von einem Autofahrer
angemacht. Für den Rückweg würde sie ein Taxi bestellen,
auch wenn es früh am Abend war. Und es würde früh sein,
das hatte sie sich fest vorgenommen. Gleich beim Betreten
seiner Wohnung würde sie sagen, sie wäre beinahe nicht gekommen, so krank fühle sie sich.

Im Treppenhaus roch es, wie es eben in Mietshäusern
riecht um diese Zeit. Nur nicht nach Hackbraten, sondern
nach Curry. Im ersten Stock standen zwei Tamilinnen in ihren halboffenen Wohnungstüren und schwatzten. Im dritten
wartete ein kleiner Junge auf dem Treppenabsatz und verschwand enttäuscht in der Wohnung, als er Andrea sah.

Maravan erwartete sie vor seiner Wohnungstür. Er trug
ein buntes Hemd und eine dunkle Hose, war frisch rasiert
und frisch geduscht, gab ihr seine lange schmale Hand und
sagte: »Willkommen in Maravans Curry Palace.«

Er führte sie herein, nahm ihr den Wein ab und half ihr
aus dem Mantel. Überall brannten Kerzen, nur da und dort
sorgten ein paar Spots für eine etwas nüchterne Beleuchtung.

»Die Wohnung erträgt nicht viel Licht«, erklärte er in

seinem Schweizerhochdeutsch mit tamilischem Zungen-
schlag.

Auf dem Wohnzimmerboden, keine zwanzig Zentimeter
erhöht, war ein Tisch für zwei Personen gedeckt. Kissen und
Tücher dienten als Sitzgelegenheit. An der Wand stand ein
Hausaltar mit einer brennenden Deepam. In dessen Zentrum die Statue einer vierarmigen Göttin, die in einer Lo-
tusblüte saß.

»Lakshmi«, sagte Maravan mit einer Handbewegung, als
stelle er einen weiteren Gast vor.

»Weshalb hat sie vier Arme?«

»Dharma, Kama, Artha und Moksha. Rechtschaffenheit,
Lust, Wohlstand und Erlösung.«

»Ach so«, antwortete Andrea, als wüsste sie jetzt mehr.

Auf einem Tisch an der Wand stand ein Eiskübel neben
einem mit einem Batiktuch zugedeckten Computer. Maravan
entnahm dem Kübel eine Flasche Champagner, trocknete
sie mit einer weißen Serviette, entkorkte sie und schenkte
zwei Gläser voll. Das andere Szenario wäre ihr lieber gewesen: Kein Wein im Haus, er hätte das Gastgeschenk öffnen
müssen, und sie hätte mit einem weniger schlechten Gewissen
auf ihren angeschlagenen Gesundheitszustand zu sprechen
kommen können.

Als sie sich zutranken, bemerkte sie, dass er nur die Lippen benetzte.

Er deutete auf den Tisch. »Besondere Mahlzeiten nehmen
wir am Boden ein. Stört es dich?«

Sie überlegte kurz, wie er es aufnehmen würde, wenn
sie ja sagte, und antwortete dann: »Aber Besteck bekomme
ich?«

Es war als Witz gemeint, aber Maravan fragte ganz ernst: »Brauchst du welches?«

Brauchte sie Besteck? Andrea überlegte kurz. »Wo kann ich mir die Hände waschen?«

Maravan führte sie zu seinem winzigen Bad. Sie wusch sich die Hände und tat, was sie immer tat in fremden Bädern: Sie öffnete das Spiegelschränkchen und inspizierte dessen Inhalt. Zahnpasta, Zahnbürste, Zahnseide, Rasierseife, Rasierpinsel, Rasierapparat, Nagelschere, zwei Dosen mit tamilischer Aufschrift, eine gelb, die andere rot. Alles aufgeräumt und sauber wie Maravan selbst.

Als sie ins Wohnzimmer zurückkam, war er verschwunden. Sie öffnete die Tür, hinter der sie die Küche vermutete, aber es war das Schlafzimmer. Auch aufgeräumt und nur mit einem Schrank, einem Stuhl und einem Bett ohne Bettgestell möbliert. An einer Wand das Poster eines weißen Strandes mit ein paar Kokospalmen, deren Kronen fast den Sand berührten, im Vordergrund ein verwitterter Katamaran. An der gegenüberliegenden Wand waren Blumentöpfe mit Pflanzen aufgereiht, die sie nicht kannte. An der Wand hinter dem Kopfkissen ein Bild der gleichen Hindugöttin wie im Wohnzimmer, einige Familienfotos, Frauen in Maravans Alter, Kinder, Jugendliche, eine kleine weißhaarige Frau, um die Maravan den Arm gelegt hatte. Und ein älteres formelles, retuschiertes und koloriertes Studiofoto von einem ernsten jungen Paar, vielleicht die Eltern.

Andrea schloss die Tür und öffnete die andere. Sie betrat einen Raum, der aussah wie die Miniaturausgabe einer professionellen Küche. Viel Stahl und viel Weiß und überall Töpfe und Pfannen und Schüsseln. Es war, wie ihr erst jetzt auffiel, der einzige Raum mit einem Geruch, obwohl die Balkontür weit offen stand.

Maravan kam ihr mit einem Tablett entgegen. »Der Gruß aus der Küche«, sagte er und merkte, dass der Satz etwas komisch klang, wenn er in einer Küche ausgesprochen wurde. Sie lachten beide, und Andrea setzte sich auf ihren Platz.

Die Tellerchen enthielten fünf winzige Chapatis, sonst nichts.

Andrea nahm sich eines, roch daran und wollte es in den Mund stecken.

»Moment.« Maravan nahm eine Pipette, die in einem Glasgefäß auf dem Tablett lag, und träufelte drei Tropfen einer Flüssigkeit darauf. »Jetzt.«

Sofort stieg von dem kleinen Fladen ein so fremdartiger und doch vertrauter Duft auf, dass sie ihren Plan aufgab, einen frühen Abgang anzukündigen. »Was ist das?«

»Curryblätter und Zimt in Kokosöl. So duftete meine Jugend.«

»Und wie hast du das eingefangen?«

»Kochgeheimnis.« Auf alle Chapatis träufelte Maravan ein paar Tropfen der Essenz. Dann setzte er sich Andrea gegenüber.

»Du musst eine schöne Jugend gehabt haben, dass du dich gerne an ihren Duft erinnerst.«

Maravan ließ sich Zeit mit der Antwort. Als müsste er erst noch entscheiden, ob seine Jugend schön war. »Nein«, meinte er schließlich. »Aber das wenige, das schön war, roch so.«

Er erzählte ihr von seiner Zeit in Nangays Küchen, der

großen, vornehmen und der kleinen, grobgezimmerten. Mitten im Satz entschuldigte er sich, erhob sich elastisch von seinen Kissen, verschwand für kurze Zeit und kam mit dem ersten Gang zurück.

Er bestand aus zwei ineinander verschlungenen braunen Bändern, das eine hart und knusprig, das andere geschmeidig und fest. Beide waren aus dem gleichen, seltsam süßlicherdigen Rohstoff gemacht, aber durch ihre grundverschiedene Beschaffenheit schmeckten sie wie Tag und Nacht. Andrea konnte sich nicht erinnern, jemals etwas so Eigenartiges mit so viel Genuss gegessen zu haben.

»Wie heißt das?«, wollte sie wissen.

»Mann und Frau«, antwortete Maravan.

»Und welches ist die Frau?«

»Beides.« Er schenkte ihr Champagner nach – Bollinger Spécial Cuvée, im Huwyler für hundertdreißig Franken auf der Karte –, räumte die Teller ab und ging wieder in die Küche. Sie trank einen Schluck und betrachtete sein volles Glas, von dessen Grund nur noch selten ein von Kerzenlicht erfülltes Bläschen hochstieg.

»Und wie heißt das?«, fragte sie, als er den nächsten Teller vor sie hinstellte.

»Nord-Süd.«

Auf dem Teller lagen drei unregelmäßig geformte hellgelbe Gebilde, wie Steine aus Schwefel. Als sie sie anfasste, fühlten sie sich hart und kalt an, aber als sie es Maravan nachtat und reinbiss, war ihr Inhalt lauwarm und luftig und schmolz zu etwas Nachgiebigem, Freundlichem, das süß nach exotischem Konfekt schmeckte.

Um diese kleinen Eis-Sphären standen Gel-Zylinder in

einem anderen Gelb, durch die im Kerzenlicht gelborange-farbene Safranfäden durchschimmerten. Im Mund entfalteten sie sich zu einer weiteren Belohnung für den Mut, in die eisigen Schwefelbrocken gebissen zu haben.

»Das hast du erfunden?«

»Die Zutaten stammen aus einem uralten Rezept, nur die Zubereitung ist von mir.«

»Und der Name bestimmt auch.«

»Ich hätte es ebenfalls Mann und Frau nennen können.«

Kam es ihr nur so vor, oder war da etwas Anzügliches in seiner Stimme? Es war ihr egal.

Bis jetzt war ihr das Essen mit der Hand leichtgefallen, die Gerichte waren alle handlich wie Fingerfood. Aber nun servierte Maravan die Currys.

Drei Teller, auf jedem eine kleine Portion Curry, jedes auf dem Podest einer anderen Sorte Reis präsentiert und mit einem Schlenker Schaum und einem glasierten Zweiglein geschmückt.

»Ladies'-Fingers-Curry auf Sali-Reis mit Knoblauch-schaum. Curry vom jungen Huhn auf Sashtika-Reis mit Korianderschaum. Churaa Varai auf Nivara-Reis mit Mintschaum«, verkündete Maravan.

»Was ist Churaa Varai?«

»Haifisch.«

»Ach.«

Er wartete, bis sie zu essen anfing.

»Du zuerst«, forderte sie ihn auf und sah ihm zu, wie er mit Daumen, Zeige- und Mittelfinger den Reis mit etwas Curry zu einem Bällchen formte und in den Mund steckte.

Beim ersten Versuch stellte sich Andrea noch etwas ungeschickt an, aber sobald sie den ersten Bissen im Mund hatte, achtete sie nicht mehr auf die Technik, nur noch auf den Geschmack. Es war, als könnte sie jedes Gewürz herausschmecken. Als würde jedes einzeln explodieren und das Ganze sich zu einem sich immer wieder neu formierenden Feuerwerk entfalten.

Auch die Schärfe war genau richtig. Sie brannte nicht auf der Zunge, machte sich kaum bemerkbar und hielt sich für den Abgang bereit. Und auch dann verhielt sie sich wie ein zusätzliches Gewürz, eine letzte Intensivierung des Geschmackserlebnisses, und hinterließ eine wohlige Wärme, die in der Zeit, die Andrea brauchte, um einen neuen Bissen zu formen, sanft verebbte.

»Hast du Heimweh?«, fragte sie.

»Ja. Aber nicht nach dem Sri Lanka, das ich verließ. Nur nach dem, in das ich zurückkehren möchte. Ein friedliches. Ein gerechtes.«

»Und vereintes?«

Maravans Rechte bewegte sich, als hätte sie sich losgelöst von seinen Hirnbefehlen und erfüllte nun selbständig die Aufgabe, ihren Besitzer zu füttern. Dieser hatte seinen Blick fest auf seinen Gast gerichtet, und wenn der Mund sprach, wartete die Hand mit ihrem Bissen respektvoll und in diskreter Distanz.

»Alle drei? Friedlich, gerecht und vereint? Das wäre schön.«

»Aber du glaubst nicht daran.«

Maravan zuckte mit den Schultern. Als wäre dies das Zeichen, auf das sie gewartet hatte, setzte sich die Hand in Bewegung, schob ein Reisbällchen in den Mund und machte sich daran, ein neues zu formen.

»Lange habe ich daran geglaubt. Sogar meine Stelle als Koch in Kerala habe ich aufgegeben und bin nach Sri Lanka zurückgekehrt.«

Maravan erzählte von seiner Ausbildungszeit in Kerala und seiner Karriere in verschiedenen Ayurveda Wellness Resorts. »Noch ein Jahr, und ich wäre Chef gewesen«, seufzte er.

»Und warum bist du zurückgegangen?« Andrea hatte ein Stück Chapati mit Korianderschaum in der Hand und konnte es kaum erwarten, es in den Mund zu schieben. Sie hatte nicht gewusst, wie viel sinnlicher es war, mit der Hand zu essen.

»2001 gewann die United National Party die Neuwahlen. Alle glaubten an den Frieden, die LTTE rief eine Waffenruhe aus, in Oslo begannen Friedensverhandlungen. Es sah aus, als wäre endlich das Sri Lanka im Entstehen, in das ich zurückwollte. Und ich musste von Anfang an dabei sein.«

Er tauchte seine Finger in die Fingerschale, trocknete sie mit der Serviette, stellte die Teller zusammen und stand auf, alles in einem einzigen, fließenden Bewegungsablauf, wie es Andrea vorkam.

Sie sah ihn in der Küche verschwinden. Als er kurz darauf wieder herauskam, trug er vorsichtig eine lange, sehr schmale Platte, in deren Mitte nichts als eine Reihe exakt ausgerichteter glänzender Bälle lag. Sie sahen aus wie kleine alte Billardkugeln aus nachgedunkeltem Elfenbein, waren warm, besaßen eine Konsistenz wie kandierte Früchte und schmeckten süß und scharf nach Butter, Kardamom und Zimt.

»Und dann?«, fragte Andrea, wie ein Kind bei der Gutenachtgeschichte.

»Ich fand eine Stelle als Commis in einem Hotel an der Westküste.«

»Als Commis?«, unterbrach sie ihn. »Ich dachte, du warst beinahe Chef?«

»Aber auch Tamile. In Kerala spielte das keine große Rolle. Im singhalesischen Teil Sri Lankas schon. Ich arbeitete fast drei Jahre als Commis.«

Andrea biss bereits in die zweite der polierten Kugeln. »Dabei bist du ein Künstler.«

»2004 bekam ich meine Chance. Die Hotelkette, bei der ich angestellt war, hatte im Hochland aus einer Teefabrik ein Boutique-Hotel gemacht und mich dort zum Chef de Partie ernannt.«

»Und weshalb bist du nicht geblieben?«

»Der Tsunami.«

»Im Hochland?«

»Er hatte das Hotel an der Küste zerstört, und einer der überlebenden singhalesischen Köche hat meine Stelle bekommen. Ich musste zurück in den Norden. Und dort erlebte ich, wie die LTTE und die Regierung die Hilfslieferungen der ganzen Welt dazu benutzten, ihre Politik zu betreiben. Da wusste ich, dass dies nicht das Sri Lanka war, in das ich hatte zurückkehren wollen.« Er naschte jetzt auch von einer Kugel und legte sie in seinen Teller zurück. »Und noch lange nicht sein würde.«

»Der Tsunami ist doch gar nicht so lange her.«

»Etwas über drei Jahre.«

»Und weshalb sprichst du schon so gut Deutsch?«

Maravan zuckte mit den Schultern. »Wir haben gelernt, uns anzupassen. Dazu gehört Sprachen lernen.« Nach einer kurzen Pause fügte er hinzu: »Chuchichäschtli.«

Andrea lachte. »Und warum die Schweiz?«

»In den Ayurveda Resorts in Kerala und in den Hotels in Sri Lanka gab es viele Schweizer. Die waren immer freundlich.«

»Hier auch?«

Maravan überlegte. »Hier werden die Tamilen besser behandelt als in ihrer Heimat. Es gibt hier fast fünfundvierzigtausend von uns. – Tee?«

»Wenn du meinst.«

Er räumte das benutzte Geschirr ab.

»Ist es eigentlich okay, dass ich einfach hier sitze und mich bedienen lasse?«

»Heute hast du frei«, antwortete er und verschwand in der Küche.

Nach einer Weile brachte er ein Tablett mit einem Teeservice und schenkte ein. »Weißer Tee. Aus den silbernen Blattspitzen des Tees vom Hochland bei Dimbula«, kommentierte er, ging zurück in die Küche und brachte für jeden einen Teller mit Konfekt. Ein grüngesprenkelter Eislutscher, umgeben von kleinen Spargeln mit giftgrünen Spitzen und herzförmigen dunkelroten Plätzchen.

»Ich glaube, ich kann nichts mehr essen.«

»Konfekt kann man immer essen.«

Er hatte recht. Der Lutscher schmeckte nach Lakritze, Pistazien und Honig, wie eine Jahrmarktsleckerei. Die Spargel aßen sich wie Gummibärchen und schmeckten intensiv nach – Spargel. Die Herzchen waren süß und scharf, dufteten nach einem indischen Markt und schmeckten – es fiel ihr kein besseres Wort ein – frivol.

Plötzlich wurde sie sich der Stille bewusst, die zwischen ihnen entstanden war. Auch der Wind hatte aufgehört, seine Regenböen auf das Fenster zu treiben. Irgendetwas ließ sie sagen: »Zeigst du mir Fotos von deiner Familie?«

Ohne ein Wort stand Maravan auf, zog sie auf die Beine und führte sie ins Schlafzimmer zur Wand mit den Fotos.

»Meine Geschwister und einige ihrer Kinder. Meine Eltern, sie kamen 1983 um, ihr Auto wurde angezündet.«

»Weshalb?«

»Weil sie Tamilen waren.«

Andrea legte die Hand auf seine Schulter und schwieg. »Und die alte Frau ist Na …«

»Nangay.«

»Sie sieht weise aus.«

»Sie ist weise.«

Wieder entstand eine Stille. Andreas Blick wanderte zum Fenster. In dem schwachen Licht, das aus dem Schlafzimmer in die Dunkelheit drang, sah sie Schneeflocken tanzen. »Es schneit.«

Maravan sah kurz zum Fenster und zog die Vorhänge zu. Jetzt stand er da und sah sie unentschlossen an.

Andrea fühlte sich satt und zufrieden. Und dennoch nagte da noch immer ein kleiner Hunger. Erst jetzt wurde ihr klar, wonach.

Sie ging auf ihn zu, nahm seinen Kopf zwischen beide Hände und küsste ihn auf den Mund.

6

Am nächsten Morgen wurde bekannt, dass die größte Bank des Landes weitere neunzehn Milliarden abschreiben und fünfzehn Milliarden aufnehmen musste. Ihren Präsidenten kostete das den Job. Auch für Maravan sollte es ein schlechter Tag werden.

Er war schon vor sechs Uhr aus dem Schlafzimmer geschlichen und hatte Egg Hoppers mit Sothi und Kokosnuss-Chutney gemacht. Als er mit dem Tablett die Küche verließ, wäre er beinahe mit Andrea zusammengestoßen. Sie war fertig angezogen.

Es fiel ihm nichts Besseres ein als zu fragen: »Hoppers?«

»Danke, ich bin nicht so der Frühstückstyp.«

»Ach so«, antwortete er nur. Beide sahen sich eine Weile wortlos an. Es war Andrea, die die Stille unterbrach.

»Ich muss jetzt gehen.«

»Ja.«

»Danke für das wunderbare Essen.«

»Danke, dass du gekommen bist. Hast du früh?«

»Nein, spät.«

»Dann bis heute Nachmittag.«

Andrea zögerte, als habe sie noch etwas auf dem Herzen.

»Maravan…«, begann sie. Aber sie überlegte es sich anders, küsste ihn steif auf beide Wangen und ging.

Vom Fenster aus sah er, wie sie aus dem Haus trat und, die Hände tief in den Manteltaschen vergraben, zur Tramstation stapfte. Ein düsterer Morgen, aber die Straße war trocken.

Maravan ging in die Küche und machte die Arbeit, für die er auch im Huwyler zuständig war: Pfannen putzen, abwaschen, aufräumen.

Es war das erste Mal seit seiner Flucht aus Sri Lanka, dass er mit einer Frau geschlafen hatte. Und auch die Male davor konnte er an einer Hand abzählen. Dreimal in Südindien, zweimal in Sri Lanka, vier waren Prostituierte, eine war Touristin. Sie kam aus England, war um die vierzig und sagte, sie heiße Caroline. Aber auf ihrem Kofferanhänger stand Jennifer Hill.

Es war auch das erste Mal, dass er sich gut fühlte danach. Ohne schlechtes Gewissen. Ohne das Bedürfnis, stundenlang zu duschen. Er wunderte sich nicht darüber. Es war das erste Mal, dass es etwas mit Liebe zu tun hatte.

Deswegen traf ihn Andreas Verhalten besonders hart. War ihm das passiert, was er von anderen alleinstehenden Tamilen schon gehört hatte: War er für eine Nacht als kleine exotische Abwechslung missbraucht worden?

Zum Reinigen des Rotationsverdampfers musste er Licht machen, so düster war der Morgen. Er verpackte das Gerät wieder, gut gepolstert von der frischen Wäsche und dem sauberen Frottiertuch in der Sporttasche.

Als er aus dem Haus ging, regnete es wieder. Es war noch früh, er wollte als Erster dort sein, gleich nach Frau Keller. Sie machte die Administration des Huwyler und arbeitete zu normalen Bürozeiten. Punkt Viertel nach acht schloss sie den Lieferanteneingang auf. Das würde Maravan genügend Zeit verschaffen, um den Rotationsverdampfer an seinen Platz zu stellen.

Aber dann begann seine Pechsträhne: Er stand im Heck des Anhängers, tief in Gedanken an die Nacht und das seltsame Verhalten von Andrea, als das Tram plötzlich scharf und mit schrillem Gebimmel bremste und mit einem Knall zum Stillstand kam.

Maravan hatte sich nicht festgehalten. Er versuchte einen Sturz zu vermeiden und stolperte dabei gegen eine junge Frau, die an der Lehne eines Sitzes Halt gesucht hatte. Sie stürzten beide.

Ein paar Passagiere hatten aufgeschrien, dann wurde es still, und man hörte von weiter vorne das anhaltende Hupen eines Autos.

Maravan rappelte sich auf und half der Frau auf die Beine. Ein alter Mann auf einem Sitz brummte kopfschüttelnd: »Typisch.«

Die junge Frau hatte einen Pottu auf der Stirn. Sie trug einen hellgrünen Punjabi und darüber eine gesteppte Windjacke.

»Alles in Ordnung?«, erkundigte sich Maravan auf Tamilisch.

»Ich glaube schon«, antwortete sie und sah an sich hinunter. Vom rechten Knie an abwärts war ihr Punjabi verschmutzt von der Brühe, die die regennassen Schuhe der Fahrgäste auf dem Bodenbelag zurückgelassen hatten. Der leichte Stoff ihrer goldbestickten Hose klebte am Unterschenkel und verlieh ihrer sittsamen Erscheinung etwas unpassend Vulgäres. Maravan zog ein Päckchen Papiertaschentücher aus der Jackentasche und reichte es ihr.

Während sie versuchte, die verschmutzte Viskose wieder halbwegs sauber zu bekommen, öffnete Maravan den Reißverschluss seiner Sporttasche und untersuchte verstohlen den im Frottiertuch eingerollten Glaskolben. Er war unbeschädigt. So erleichtert war er darüber, dass er eine Seite aus seinem Notizbuch für Rezeptideen riss und der jungen Frau seine Adresse und Telefonnummer aufschrieb. Falls sie den Punjabi reinigen lassen müsse.

Sie las den Zettel und steckte ihn in die Tasche. »Sandana«, sagte sie. »Ich heiße Sandana.«

Von da an schwiegen sie. Sandana hielt den Kopf gesenkt, und Maravan konnte nur den Ansatz ihres Mittelscheitels unter der Kapuze sehen. Und die Spitzen ihrer langen Wimpern.

Die Passagiere wurden unruhig. Ein junger Mann im vorderen Teil des Anhängers klappte den schmalen Lüftungsteil über einem Fenster auf und schrie: »He! Hier drinnen gibt es Leute, die noch Arbeit haben!«

Kurz darauf die Durchsage der Leitstelle: »Kollision in der Blechstraße. Die Linie zwölf bleibt in beiden Fahrtrichtungen gesperrt. Der Betrieb wird durch Busse aufrechterhalten, aber es ist mit Wartezeiten zu rechnen.«

Die Türen des Tramwagens blieben geschlossen. Auch als die Sirenen von Polizei und Ambulanz immer lauter wurden und neben dem Tram jäh verstummten.

Wieder war es der junge Mann, der vorhin durch das Lüftungsfenster protestiert hatte. Er nahm die Sache in die Hand, öffnete den Nothahn über einer Tür und stieg aus. Die übrigen Fahrgäste folgten ihm, erst zögernd, dann immer rascher. In weniger als einer Minute war der Anhänger leer.

Maravan und Sandana waren die Letzten, die ausstiegen. Noch bei der Tür verabschiedete sich Maravan mit den Worten: »Ich muss mich beeilen, bin schon zu spät. Auf Wiedersehen!«

»Mihdum Sandipom«, wiederholte sie.

Im vorderen Wagen drängten sich noch immer die gesetzestreueren Passagiere und sahen verdutzt den Ausbrechern nach.

In die Spitze des Trams war ein Lieferwagen verkeilt. Ein Sanitäter beugte sich über das offene Beifahrerfenster. Ein zweiter hielt eine Infusionsflasche, deren Schlauch in das Fenster hineinführte. Von weitem war die Sirene der Feuerwehr zu hören, die kam, um den Fahrer aus dem Wrack zu befreien.

Maravan war der Letzte, der im Huwyler eintraf. Wenig hätte gefehlt, und er wäre zu spät gekommen. Keine Chance, den Rotationsverdampfer diskret an seinen Platz zurückzustellen. Aber er hatte einen Plan B:

Sobald jemand das Gerät benötigte, würde der »Maravan! Rotationsverdampfer!« rufen, denn er war der Mann, der für die empfindlicheren Geräte zuständig war. Er würde die Tür seines Garderobekastens angelehnt lassen und auf dem Weg zum Materialraum in der Garderobe vorbeigehen und den Verdampfer holen.

Die Köche empfingen ihn mit anzüglichen Bemerkungen. Alle wussten, dass er gestern Besuch von Andrea hatte. »Ich hoffe, du hast sie nicht zu scharf gemacht, die Currys meine ich«, sagte einer grinsend, und ein anderer: »Ein richtiges Curry muss zweimal brennen, heißt es. Würde diesem kalten Arsch nichts schaden.«

Maravan gab sich Mühe, zu lächeln und zu schweigen. Aber die Stimmung blieb gereizt. Sogar Huwyler tauchte ungewohnt früh in der Küche auf, stand im Weg herum und nannte ihn »unseren scharfen Tiger«.

Maravan schälte Kartoffeln und dachte: Wenn ihr wüsstet, wenn ihr wüsstet, als plötzlich Fink durch die Küche rief: »Kandan! Rotationsverdampfer!«

Noch nie hatte Kandan den Rotationsverdampfer auch nur angefasst. Er erstarrte, und Maravan mit ihm.

»Na los, was ist?«, fragte Fink mit einem kurzen Seitenblick auf Maravan.

Kandan setzte sich in Bewegung.

Maravan überlegte fieberhaft. Sollte er warten, bis Kandan mit leeren Händen zurückkam, und hoffen, dass Fink dann ihn schicken würde? Oder sollte er einfach mitgehen und den Apparat holen und hoffen, dass Kandan ihn nicht verriet? Oder sollte er ganz ruhig sagen: Der Rotationsverdampfer ist in meinem Kästchen, ich habe ihn mir ausgeliehen.

Er schälte weiter seine Kartoffeln und wartete, was passieren würde.

Kandan brauchte eine ganze Weile, bis er zurückkam. »Er ist nicht dort«, stammelte er.

»Nicht wo?«

»Nicht dort, wo er immer ist.«

Maravan verpasste seinen Einsatz. Fink ging mit raschen Schritten an ihm vorbei, auf Kandan zu und verschwand in der Tür zum Materialraum und den Personalräumen. Kandan folgte ihm.

Maravan legte Schäler und Kartoffel beiseite und setzte sich in die gleiche Richtung in Bewegung, während er mechanisch die Hände mit der Schürze trocknete.

Im Materialraum hörte er Fink fluchend Schranktüren und Schubladen öffnen und schließen. Er ging vorbei, betrat die Personalgarderobe, öffnete seinen Spind und packte den Rotationsverdampfer aus.

Hinter ihm sagte Huwylers Stimme: »Heute ist der Erste, deinen Lohn hast du bekommen. Wir prüfen jetzt, ob das Gerät noch einwandfrei funktioniert. Falls ja, wird dir Frau Keller den Anteil an deinem dreizehnten Monatslohn auszahlen. Falls nein, lassen wir es reparieren und verrechnen die Kosten mit dem, was wir dir schulden.«

Der Rotationsverdampfer funktionierte noch einwandfrei, und so verließ Maravan den Huwyler mit etwas über sechshundert Franken in bar. Während er seine Siebensachen packte, stand der Chef neben ihm und sah zu, dass er nichts klaute.

Zum Abschied sagte er: »Wirst sehen, einer, der von Huwyler fristlos entlassen wurde, findet nicht so leicht wieder einen Küchenjob. Sei froh, wenn ich dich nicht anzeige. Sonst: Sri Lanka einfach.«

Andrea trat ihren Dienst um sechzehn Uhr an. Sie wusste nicht, was ihr unangenehmer war: die Begegnung mit Maravan oder die mit der Brigade. Aber als sie sich umgezogen hatte und mithalf, die Tische zu decken, machte niemand eine Bemerkung. Auch beim Briefing durch den Chef de Service blieb das Thema der gestrigen Einladung bei Maravan unerwähnt. Sogar als sie das erste Mal in der Küche auftauchte, sagte niemand ein Wort.

Auch die Begegnung mit Maravan schien ihr erspart zu bleiben. Er wurde wohl im hinteren Teil der Küche eingesetzt, denn von da, wo sie stand, sah sie ihn nirgends. In einer Stunde war sein Dienst beendet, so lange konnte sie ihm leicht aus dem Weg gehen.

Beim zweiten Gang in die Küche fiel ihr auf, dass Kandan bei der Pfannenreinigung arbeitete, dort, wo sie Maravan vermutet hatte. Das bedeutete wohl, dass dieser wie jeden Abend mit Zurüsten beschäftigt war.

Aber es war einer der Commis, der für den Entremetier die Julienne schnitt. Er tat es mit viel weniger Geschick als Maravan.

Noch immer war es auffallend still in der Küche, aber jetzt bemerkte sie ein paar neugierige Blicke in ihre Richtung.

»Wo ist eigentlich Maravan?«, fragte sie Bandini, den Annonceur, der neben ihr stand und sich Notizen auf eine Menükarte machte.

»Entlassen«, murmelte er, ohne aufzublicken. »Fristlos.«

»Aus welchem Grund?« Die Frage kam lauter als beabsichtigt.

»Er hat sich den Rotationsverdampfer ausgeliehen. Über fünftausend kostet so ein Ding.«

»Ausgeliehen?«

»Ohne zu fragen.«

Andrea ließ ihren Blick durch die Küche schweifen. Alle betont in ihre Arbeit vertieft. Und mittendrin, pomadig und selbstherrlich, Huwyler in seinem affigen schwarzen Outfit.

Andrea klopfte mit einem Messer an ein Glas, wie eine Festrednerin. »Ich möchte etwas sagen!«, rief sie.

Alle Köpfe drehten sich in ihre Richtung.

»Maravan hat unter dem Nagel seines kleinen Fingers mehr Talent, als in dieser ganzen Küche versammelt ist!«

Und dann ritt sie der kleine Teufel, der sie schon so oft in Schwierigkeiten gebracht hatte, und sie fügte hinzu: »Das gilt auch fürs Bett!«

7

Ein strahlender Tag im April. Durchs Stadtzentrum bewegte sich zu Marschmusik ein Umzug von fast zweieinhalbtausend Kindern in bunten Trachten und Uniformen. Den Abschluss des Zuges bildete ein Pferdegespann mit einem Schneemann aus Watte, der am nächsten Abend um sechs feierlich dem Feuer übergeben werden sollte.

Etwas außerhalb der Stadt hatten sich, auch bunt gekleidet, ein paar hundert Tamilen in ihrem Tempel versammelt. Sie waren hier, um das Neujahrsfest zu feiern, welches dieses Jahr mit dem Kinderumzug des Sechseläutens zusammenfiel.

Sie saßen auf dem Boden des Tempels, schwatzten und lauschten, während die Kinder spielten, den Voraussagen für das kommende Jahr.

Maravan schaltete den Mixer aus, wischte sich mit dem Ärmel die Augen trocken und goss den Inhalt des Glasbehälters in die Schüssel mit der Paste aus rohen Zwiebeln, Senfkörnern und Curryblättern.

In einer Inox-Schüssel von Großküchen-Ausmaßen lagen in Streifen geschnittene grüne Mangos in ihrem Saft. Maravan hatte sie mit geraffelten Kokosnüssen, Joghurt, grünen Chilis und Salz gemischt, fügte jetzt die gemixte Masse hinzu und goss den mit Chilis und Senfkörnern gewürzten Ghee darüber.

Das Niemblüten-Pachadi stand schon bereit. Er hatte es nach altem Rezept aus den bitteren Blüten des Niembaums, dem süßen Nektar der männlichen Palmyrablüte, dem sauren Saft der Tamarinde, dem frischen Fruchtfleisch der grünen Mango und dem scharfen Gehäuse der Chilischote zubereitet. Denn ein Niemblüten-Pachadi musste schmecken wie das Leben: bitter, süß, sauer, frisch und scharf.

Nach der Zeremonie würden die Tempelgänger auf nüchternen Magen von beiden Pachadis essen und sich dann Puthandu Vazhthugal wünschen, glückliches neues Jahr.

Huwyler hatte Maravan vor die Wahl zwischen einem Arbeitszeugnis und einer Arbeitsbestätigung gestellt. In Ersterem würde er die fristlose Kündigung und deren Begründung (Entwendung zum Gebrauch eines wertvollen Küchengeräts) erwähnen, in Letzterer nur die Dauer des Arbeitsverhältnisses und die Funktion.

Maravan hatte sich für die Arbeitsbestätigung entschieden. Aber wo immer er vorsprach, wunderte man sich, dass Maravan nach über einem Jahr bei Huwyler nur eine Arbeitsbestätigung vorzuweisen hatte. Danach hörte er nichts mehr oder erhielt eine Absage.

Er stempelte. Etwas über zweitausend Franken würde er erhalten haben, wenn der Monat um war. Plus das, was er zusätzlich inoffiziell verdiente.

Dieser Job im Tempel war allerdings der erste Auftrag dieser Art. Und schlecht bezahlt war er auch. Man hatte an seinen Gemeinsinn appelliert und eigentlich erwartet, dass er den Einsatz umsonst leiste, als eine Art freiwilliger Gemeindearbeit. Sie hatten sich dann doch auf den symbolischen Betrag von fünfzig Franken geeinigt. Der Priester hatte versprochen, seinen Namen vor der Gemeinde zu nennen. Maravan hoffte, dass diese Werbung und die Qualität des Essens ihn als Koch bekannt machen würden.

Die sri-lankische Diaspora war eine geschlossene Gesellschaft. Darauf bedacht, ihre Kultur zu bewahren und sie von den Einflüssen ihres Asyllandes zu schützen. So gut sich die Tamilen beruflich integrierten, so sehr grenzten sie sich gesellschaftlich ab. Aber Maravan war kein sehr aktives Mitglied dieser Gemeinschaft. Er hatte, abgesehen vom Deutschkurs, von keinem der Angebote für Neuankömmlinge Gebrauch gemacht. Zwar besuchte er den Tempel zu den wichtigsten Feiertagen, aber sonst wahrte er Distanz. Doch jetzt, wo er versuchte, sich als Privatkoch ein Auskommen zu verschaffen, fehlten ihm die Beziehungen zur Diaspora.

Die tamilischen Hindus feierten viele religiöse und Familienfeste – Pubertätszeremonie, Hochzeit, Schwangerschaftsfest. Bei keinem wurde gegeizt, und bei allen wurde gegessen.

Das Kochen fürs Neujahrsfest war immerhin ein Anfang. Und – wer weiß? – mit der Zeit würde es sich vielleicht auch bei den Schweizern herumsprechen, dass es da einen gab, der indische, ceylonesische, ayurvedische Spitzenküche ins Haus lieferte. Eines Tages würde man im Villenviertel der Stadt einen Lieferwagen antreffen, einen kurkumagelben Citroën Jumper vielleicht, mit der Aufschrift *Maravans Catering.*

Und noch einen Traum hatte er: Maravan's. Die einzige Adresse für subkontinentale Avantgarde-Küche. Höchstens fünfzig Plätze, ein kleiner kulinarischer Tempel, in welchem den Düften, Aromen und Texturen Südindiens und Sri Lankas gehuldigt wurde.

Und wenn ihn Maravan's ein wenig wohlhabend gemacht hatte und in Sri Lanka Frieden herrschte, würde er zurückkehren und das Restaurant in Colombo weiterführen.

In diesen Träumen kam immer auch eine Frau vor. Aber jetzt war sie nicht mehr schemenhaft, jetzt hatte sie Gestalt angenommen: die von Andrea. Sie beaufsichtigte das Servierpersonal beim Catering, und sie war die Maître d' in Maravan's. Später, in Colombo, würde sie sich nur noch um Haus und Familie kümmern, wie eine richtige tamilische Ehefrau.

Allerdings hatte er von Andrea seit jenem Dienstagmorgen im April nichts mehr gehört. Er hatte weder ihre Adresse noch ihre Telefonnummer. Nach einer Woche ohne Nachricht überwand er seinen Stolz und rief im Huwyler an. Sie arbeite nicht mehr hier, war die Auskunft, die er von Frau Keller bekam.

»Können Sie mir ihre Adresse oder Telefonnummer geben?«, hatte er gefragt.

»Wenn sie gewollt hätte, dass du sie anrufst, hätte sie sie dir gegeben«, sagte Frau Keller und legte auf.

Maravan trug die Schüsseln nach draußen. Dort, vor dem Tempeleingang, war ein großer Tisch unter einem bunten Baldachin aufgebaut. Zwei Frauen nahmen die Pachadis entgegen und begannen, sie in kleinen Portionen auf Kunststoffteller zu verteilen. Maravan half ihnen dabei.

Sie waren noch nicht bei der Hälfte angelangt, als sich die Tempeltür öffnete, die Gläubigen herausströmten und im Gewimmel von Schuhen vor dem Eingang nach ihrem Paar suchten. »Puthandu Vazhthugal«, riefen sie sich zu, »glückliches neues Jahr.«

Maravan portionierte weiter die Pachadis, während die Frauen die Teller verteilten. Er konzentrierte sich auf seine Arbeit, lauschte aber mit der Neugier und Ängstlichkeit des Künstlers auf die Kommentare seines Vernissagepublikums. Er hörte nichts Abschätziges, aber auch kaum Lob. Die Gemeinde putzte fröhlich und gedankenlos weg, was er mit so viel Liebe zubereitet hatte.

Ein paar der Gesichter kannte er, aber nicht viele. Maravans Aktivitäten in der Diaspora beschränkten sich auf die Besuche der wichtigsten Feste und Kontakte mit den Mitbewohnern seines Hauses, von denen er ab und zu einige als Testesser einlud. Auch in den tamilischen Geschäften tauchte er auf und wechselte ein paar Worte mit den Inhabern oder Kunden. Aber sonst blieb er für sich. Nicht nur, weil ihm seine Arbeit und sein aufwendiges Hobby kaum Zeit ließen. Er hatte noch einen anderen Grund: Er wollte sich von der LTTE fernhalten, die bei der tamilischen Asylbevölkerung eine wichtige Rolle spielte und von dieser die Mittel für den Befreiungskampf eintrieb.

Maravan war nicht militant. Er glaubte nicht an den unabhängigen Staat Tamil Eelam. Er würde das zwar nie laut sagen, aber er war der Meinung, dass die *Liberation Tigers* eine Versöhnung erschwerten und die Rückkehr von ihnen allen, die sie hier froren und niedrige Arbeiten verrichteten, verzögerten, vielleicht noch für Generationen verhinderten. Das wollte er nicht mitfinanzieren.

»Puthandu Vazhthugal«, sagte eine Frauenstimme.

Vor ihm stand eine junge Frau. Sie trug einen roten Sari

mit einer breiten goldenen Borte und war so schön, wie nur eine junge Tamilin schön sein konnte. Ihre gescheitelten glänzenden Haare setzten tief an der Stirn an, ihre dichten, kaum gebogenen Brauen ließen gerade genug Platz für den roten Punkt, der sie schmückte. Das Schwarz ihrer Pupillen hob sich kaum vom Schwarz ihrer Iris ab, ihre Nase war fein und gerade geschnitten, und darunter lächelte ein voller Mund etwas schüchtern und etwas erwartungsvoll.

»Noch rechtzeitig zur Arbeit gekommen?«, fragte sie.

Jetzt erst erkannte er sie. Die junge Frau aus dem Tram. In der klobigen Steppjacke mit der Kapuze war ihm nicht aufgefallen, wie schön sie war.

»Und Sie? Sind die Flecken rausgegangen?«

»Dank meiner Mutter.« Sie deutete auf eine füllige Frau im weinroten Sari, die neben ihr stand. »Das ist der Mann, der mich umgerissen hat«, erklärte sie.

Die Mutter nickte nur, sah von Maravan zu ihrer Tochter und wieder zurück. »Lass uns gehen, Vater wartet.«

Jetzt erst fiel Maravan auf, dass die Tochter zwei Teller trug und die Mutter nur einen.

»Mihdum Sandipom«, sagte sie.

»Auf Wiedersehen«, antwortete Maravan. »Sandana, nicht wahr?«

»Maravan, nicht wahr?«

8

Im Mai gestand Maravan seiner Familie, dass er arbeitslos war. Es blieb ihm nichts anderes übrig, denn seine Schwester flehte ihn um sehr viel mehr Geld an, als er entbehren konnte. In Jaffna gab es kaum Reis und Zucker. Was auf dem Schwarzmarkt zu bekommen war, hätte Maravans finanzielle Möglichkeiten auch dann überstiegen, wenn er Arbeit gehabt hätte.

Dennoch versprach er, irgendwie Geld aufzutreiben und am nächsten Tag wieder anzurufen. Aber am nächsten Tag war seine Schwester nicht zu erreichen. Im Batticaloa-Basar erfuhr er dann, dass der Brigadier Balraj, der Held der Offensive am *Elephant Pass*, gestorben und eine dreitägige Staatstrauer ausgerufen worden war, die auch in Jaffna von vielen befolgt wurde.

Am vierten Tag kam er endlich durch und musste seiner Schwester beibringen, dass er nicht mehr als zweihundert Franken, knapp zwanzigtausend Rupien, schicken könne. Sie reagierte, wie er sie noch nie erlebt hatte: wütend und vorwurfsvoll. Erst da beichtete er ihr seine Situation.

Der Monat *Vaikasi* war nicht gerade reich an Festen, und auch als Koch für eine Familienfeier hatte ihn noch niemand engagiert. Seine Stellensuche verlief deprimierend, nicht einmal Spitalküchen und Fabrikkantinen hatten Interesse an ihm.

Wenn er eine regelmäßige Arbeit gehabt hätte, hätte ihm der Liebeskummer vielleicht weniger zu schaffen gemacht. Dann hätte er die Tage nicht in seiner Wohnung zu verdösen brauchen, fremd und allein.

Es war nicht nur die Liebesbeziehung, der er nachtrauerte. Es war das erste Mal gewesen, dass er überhaupt eine persönliche Beziehung zu jemandem aus diesem Land hatte. Er pflegte keine Freundschaften, weder zu Schweizern noch zu Tamilen. Jetzt merkte er, dass ihm das fehlte.

In dieser Stimmung saß er in den Kissen, in denen er an jenem Abend mit Andrea gesessen hatte, und trank Tee. Die Luft mild, fast sommerlich, das Fenster offen, von draußen Sommergeräusche, Musik, das Geschrei spielender Kinder, das Gelächter der Halbwüchsigen vor den Hauseingängen und Hundegebell.

Da klingelte es. Andrea stand vor der Tür.

Es hatte sie viel Überwindung gekostet. Zuerst war sie sich sicher gewesen, dass sie ihn nie, nie mehr sehen wollte. Was in jener Nacht vorgefallen war, hatte sie in ihren Grundfesten erschüttert. Wie hatte das nur geschehen können, hatte sie sich immer wieder gefragt.

Dass Maravan am gleichen Morgen noch entlassen worden war, hatte es ihr leichtgemacht, ihm aus dem Weg zu gehen. Dass sie – davon war sie überzeugt – der wahre Grund für seine Kündigung war, tat ihr natürlich leid. Aber sie fand, mit ihrem Akt der Solidarität habe sie ihren Beitrag zur Wiedergutmachung geleistet. Immerhin hatte ihr Auftritt ebenfalls in einer fristlosen Kündigung gegipfelt.

Aber die Frage, wie es in jener Nacht so weit hatte kommen können, hatte sie nicht mehr losgelassen. Die Antwort, die ihr am angenehmsten war, lautete, dass es etwas mit dem Essen zu tun haben musste. Das war zwar eher unwahrscheinlich, aber es wäre eine Erklärung, die sie nicht zwingen würde, ihr ganzes Lebenskonzept neu zu überdenken.

Denn je öfter sie im Geist den Abend wiederaufleben ließ, je detaillierter sie ihre Gefühle und Empfindungen rekonstruierte, desto sicherer war sie, dass sie unter dem Einfluss von etwas gestanden haben musste.

Allerdings: Sie hatte alles sehr bewusst erlebt. Sie war nicht halb betäubt oder wehrlos gewesen. Im Gegenteil, sie hatte die Führung übernommen, er war ihr gefolgt, bereitwillig zwar, aber gefolgt. Es waren ein Abend und eine Nacht gewesen, die alle ihre Sinne so intensiv beansprucht hatten wie noch nie. Sie gestand es sich nicht gerne ein, aber wenn es von etwas ausgelöst worden war, das außerhalb ihrer Kontrolle lag, dann wäre alles ein bisschen weniger kompliziert.

So hatte sie sich an diesem unerwartet schönen Maiabend doch auf den Weg zu ihm gemacht. Sie würde unangemeldet auftauchen, damit er kein Aufhebens machen konnte. Sie wollte den Besuch so sachlich und kurz wie möglich halten. Kam dazu, dass sie sich so die kleine Möglichkeit offenließ, die Begegnung doch noch zu vermeiden. Falls er nicht zu Hause war, hatte das Schicksal entschieden.

Die Zeitung, mit der sie sich wie meistens bei Tramfahrten abschirmte, berichtete über eine geheime Aktenvernichtung, die die Regierung auf Druck der USA veranlasst hatte. Es waren

Pläne für Gaszentrifugen, die für den Bau von Atombomben gebraucht werden könnten. Sie waren bei einem aufsehenerregenden Fall von Atomschmuggel sichergestellt worden.

Andrea las die Geschichte ohne besonderes Interesse und sah immer wieder durch die von stümperhaften Glasgraffiti zerkratzte Scheibe auf die nicht sehr belebte Straße. Der Stoßverkehr war vorbei, der Ausgehverkehr hatte noch nicht begonnen. Auch das Tram war halb leer. Ihr schräg gegenüber hatte sich eine übergewichtige Halbwüchsige gesetzt, die geduldig das Kopfhörerkabel ihres iPods entwirrte.

Vor der Theodorstraße 94 stand eine Gruppe junger Tamilinnen zweiter Generation. Sie lachten und schwatzten in breitem Dialekt. Als sie sahen, dass Andrea auf sie zukam, sprachen sie etwas leiser und wechselten die Sprache. Sie machten ihr Platz und grüßten artig. Sobald sie im Treppenflur verschwunden war, hörte Andrea sie wieder auf Schweizerdeutsch plaudern.

Im Haus roch es nach gedünsteten Zwiebeln und Gewürzen. Auf dem ersten Treppenabsatz blieb sie unentschlossen stehen und überlegte sich, ob sie umkehren sollte. Die Tür zu einer Wohnung ging auf, und eine Frau im Sari spähte hinaus. Sie nickte Andrea zu, Andrea nickte zurück und war gezwungen weiterzugehen. Auch eine Schicksalsentscheidung.

Vor Maravans Tür blieb sie einen Moment stehen, bevor sie auf den Knopf drückte. Sie hörte die Klingel im Inneren der Wohnung, aber keine Schritte. Vielleicht ist er nicht zu Hause, hoffte sie. Aber dann drehte sich der Schlüssel im Schloss, und er stand vor ihr.

Er trug ein weißes T-Shirt mit Bügelfalten an den kurzen

Ärmeln, einen einfachen blaurot gestreiften Sarong und Sandalen. Unter den Augen lagen Schatten, die sie noch nie an ihm gesehen hatte, blauschwarz wie seine Bartstoppeln.

Jetzt lächelte er. So glücklich, dass sie bereute, nicht auf dem Treppenabsatz umgekehrt zu sein. Sie sah ihm an, dass er überlegte, ob er sie umarmen solle, und nahm ihm die Entscheidung ab, indem sie ihm die Hand entgegenstreckte.

»Darf ich reinkommen?«

Er führte sie in seine Wohnung. Sie war so, wie sie sie in Erinnerung hatte: aufgeräumt und gut gelüftet. Im Wohnzimmer vor dem Hausaltar brannte die Tonlampe. Wie beim letzten Mal lief keine Musik, durch das offene Fenster drangen die Geräusche der Straße.

Auf dem niedrigen Tisch standen eine Teekanne und eine Tasse, den Kissen auf der einen Seite sah man an, dass Maravan eben noch dort gesessen hatte. Er bot ihr den Platz gegenüber an.

»Macht es dir etwas aus, wenn ich mich hier hinsetze?« Sie zeigte auf den Stuhl vor dem PC.

»Bitte«, sagte er achselzuckend. »Magst du Tee?«

»Danke, keinen Tee. Ich bleibe nicht lange. Ich wollte nur etwas fragen.«

Sie setzte sich auf den Stuhl. Maravan blieb vor ihr stehen. Er sah gut aus. Proper, schlank, wohlproportioniert. Aber ein anderes Gefühl als Sympathie und Wohlwollen löste er bei ihr nicht aus. Die Vorstellung, dass sie mit ihm im Bett gewesen war, kam ihr grotesk vor.

»Hast du keinen zweiten Stuhl?«

»In der Küche.«

»Willst du ihn nicht holen?«

»Bei uns ist es unhöflich, Respektspersonen auf gleicher Höhe zu begegnen.«

»Ich bin keine Respektsperson.«

»Für mich schon.«

»Quatsch. Hol einen Stuhl, und setz dich.«

Maravan setzte sich auf den Boden.

Andrea schüttelte nur den Kopf und stellte ihre Frage: »Was war im Essen?«

»Du meinst, welche Zutaten?«

»Nur die, die diese Wirkung auslösen.«

»Ich verstehe nicht.«

Er war ein schlechter Lügner. Bis jetzt hatte Andrea an ihrer Theorie gezweifelt. Aber er benahm sich so ertappt, dass sie ganz sicher wurde. »Du verstehst schon.«

»Das Essen bestand aus den traditionellen Zutaten. Da war nichts drin, das nicht reingehört.«

»Maravan, ich weiß, dass das nicht wahr ist. Ich bin mir ganz sicher. Ich kenne mich und meinen Körper. Mit dem Essen hat etwas nicht gestimmt.«

Er schwieg einen Moment. Dann schüttelte er störrisch den Kopf.

»Es sind uralte Rezepte. Nur die Zubereitung habe ich ein wenig modernisiert. Ich schwör's dir, da war nichts drin.«

Andrea stand auf und ging zwischen Altar und Fenster hin und her. Es dämmerte jetzt, der Himmel über den Ziegeldächern hatte sich orange gefärbt, die Stimmen auf der Straße waren verstummt.

Sie wandte sich vom Fenster ab, baute sich vor Maravan auf. »Steh auf, Maravan.«

Er stand auf und senkte die Lider.

»Sieh mich an.«

»Bei uns ist es unhöflich, jemandem in die Augen zu sehen.«

»Bei uns ist es unhöflich, einer Frau etwas ins Essen zu tun, damit sie mit einem ins Bett geht.«

Er sah ihr in die Augen. »Ich habe dir nichts ins Essen getan.«

»Maravan, ich verrate dir jetzt ein Geheimnis: Ich schlafe nicht mit Männern. Sie machen mich nicht scharf. Sie haben mich noch nie scharf gemacht. Ich habe als Teenager zweimal mit einem Jungen geschlafen, weil ich dachte, das tut man. Aber schon nach dem zweiten Mal habe ich gewusst, dass ich das nie mehr tun würde.«

Sie legte eine Pause ein. »Ich schlafe nicht mit Männern, Maravan. Ich schlafe mit Frauen.«

Er sah sie erschrocken an.

»Verstehst du jetzt?«

Er nickte.

»Also, was war im Essen?«

Maravan nahm sich Zeit. Dann sagte er: »Ayurveda ist eine Heilkunde, die viele tausend Jahre alt ist. Sie kennt acht Sparten. Die achte heißt Vajikarana. Sie befasst sich mit Aphrodisiaka. Dazu gehören auch gewisse Speisen. Meine Großtante Nangay ist eine weise Frau, die unter anderem solche Speisen zubereitet. Von ihr habe ich die Rezepte. Aber die Art, wie sie zubereitet waren, stammt von mir.«

Als Andrea an diesem Abend nach Hause fuhr, war sie eingeweiht in die aphrodisischen Geheimnisse von Milch und Urd-Linsen, Safran und Palmzucker, Mandeln und Sesamöl, Safranghee und Langpfeffer, Kardamom und Zimt, Spargel- und Lakritzenghee.

Sie hatte ihn halbherzig beschimpft, war so weit gegangen, seine Tat als »ayurvedisches date raping« zu bezeichnen, und hatte seine Wohnung ohne Abschied verlassen. Aber jetzt fühlte sie sich doch eher erleichtert als beunruhigt. Als es ihr, zwei Tramstationen vor ihrem Ziel, gelang, die ganze Geschichte aus etwas Distanz zu betrachten, musste sie laut auflachen.

Schräg gegenüber lächelte ein junger Mann zurück.

Auch Maravan hatte das Treffen getröstet. Dieser Grund der Abweisung war zu ertragen. Der einzige Mann gewesen zu sein, für den sie für eine Nacht ihren Neigungen untreu geworden war, erfüllte ihn sogar mit ein bisschen Stolz. Und – wenn er ehrlich war – auch mit ein bisschen Hoffnung.

Am nächsten Tag schickte er seiner Schwester zehntausend Rupien, um einen Vorwand zu haben, mit ihr zu telefonieren und sie zu bitten, für Nangay einen Telefontermin zu arrangieren. Zwei Tage musste er sich gedulden, bis es klappte.

Nangay klang schwach und erschöpft, als er sie endlich erreicht hatte.

»Nehmen Sie Ihre Medikamente, *mami*?«, fragte er. Er siezte sie nach Brauch und nannte sie *mami*, Tante.

»Ja, ja, rufen Sie deshalb an?«

»Auch.«

»Und weshalb noch?«

Maravan wusste nicht recht, wie er anfangen sollte. Sie kam ihm zuvor.

»Es ist normal, wenn es nicht beim ersten Mal funktioniert. Manchmal braucht es Wochen, Monate. Sagen Sie ihnen, sie müssen Geduld haben.«

»Es hat beim ersten Mal funktioniert.«

Eine Weile war sie still. Dann sagte sie: »Wenn beide fest genug daran glauben, kommt das vor.«

»Die Frau hat aber nicht daran geglaubt. Nicht einmal gewusst hat sie es.«

»Dann liebt sie den Mann.«

Maravan gab keine Antwort.

»Sind Sie noch da, Maravan?«

»Ja.«

Leise fragte Nangay: »Ist sie wenigstens eine Shudra?«

»Ja, *mami*.« Er fand die Lüge verzeihlich. Shudra war die Kaste der Dienenden. Und Andrea war schließlich Serviceangestellte.

Als seine Schwester wieder dran war, fragte er: »Stimmt es, dass sie ihre Medikamente nimmt?«

»Wie denn?« Sie klang gereizt. »Wir haben nicht einmal genug Geld für Reis und Zucker.«

Nach dem Gespräch blieb Maravan noch lange vor dem Bildschirm sitzen. Er kam immer mehr zu der Überzeugung, dass die rasche Wirkung an der molekularen Zubereitung liegen musste.

9

Der Sonntagmorgen war so sonnig gewesen, dass sich Dalmann das Frühstück auf der Terrasse servieren ließ. Aber kaum hatte Lourdes das Rührei mit Speck gebracht, zog der Wind einen Wolkenvorhang vor die Sonne.

Dalmann machte sich trotzdem über den Teller her und griff sich die oberste der vier Sonntagszeitungen, die ihm die Haushälterin bereitgelegt hatte. Jetzt verdüsterte sich auch seine Stimmung.

Durch die Hysterie um die Aktenvernichtung des Bundesrats wurde unnötigerweise Dreck aufgewirbelt. Ein Teil dessen, was der deutsche Bundesnachrichtendienst über die Atomschmuggelsache berichtet hatte, war in die Hände eines Journalisten geraten, und jetzt war plötzlich neben der pakistanischen auch die iranische Verbindung ein Thema. Nicht mehr lange, und der Name Palucron würde in der Zeitung stehen.

Die Palucron war eine heute nicht mehr aktive Aktiengesellschaft mit Sitz in einem Anwaltsbüro im Stadtzentrum. Über sie liefen damals die Zahlungen aus dem Iran an die involvierten Firmen, übrigens alles grundsolide, tadellos beleumundete Unternehmen, die natürlich keine Ahnung hatten von ihrer Einbindung in die Entwicklung eines Atomprogramms.

Das galt selbstverständlich offiziell auch für die Palucron. Jedenfalls für ihren damaligen Verwaltungsrat Eric Dalmann, der dort nur auf Bitte einer Geschäftsbekanntschaft, der er eine Gefälligkeit schuldete, Einsitz genommen hatte.

Jedenfalls: Es käme ihm jetzt, wo die Geschäfte ohnehin unter der Finanzkrise zu leiden begannen, extrem ungelegen, wenn er in einem Atemzug mit dieser Geschichte genannt würde.

Dalmann blickte zum Himmel. Es war eine ganze Wolkenfront, die die Sonne verdunkelte. Zudem kam ein unangenehm kühler Wind auf, der ihn in seinem sommerlichen Freizeitoutfit – grünes Polo und leichte, schottisch karierte Golfhose – frösteln ließ.

»Lourdes!«, rief er. »Wir gehen rein!« Er stand auf, nahm die Kaffeetasse und ging durch die Verandatür in den Salon. Dort setzte er sich in einen Polstersessel und stierte missmutig vor sich hin, bis die Haushälterin das Frühstück auf der Terrasse abgeräumt und im Esszimmer neu gedeckt hatte.

Kaum hatte er sich gesetzt und über die frische Portion Rührei mit Schinken hergemacht – die erste war, nur halb gegessen, während des Umzugs erkaltet –, klingelte es. Schaeffer, wie immer etwas überpünktlich.

Schaeffer war Dalmanns Mitarbeiter. Er hatte keinen anderen Namen gefunden. Sekretär wurde der Sache nicht ganz gerecht, Assistent auch nicht, rechte Hand traf auch nicht zu – so war er bei »Mitarbeiter« geblieben. Er arbeitete seit bald zehn Jahren mit, sie duzten sich fast genauso lange. Schaeffer nannte Dalmann Eric, Dalmann nannte Schaeffer Schaeffer.

Lourdes führte ihn herein. Er war ein großer, schlaksiger Mann von etwas über vierzig mit schmalem Kopf, schütterem blondem Haar und hellblauen Augen. Seit ein paar Jahren trug er anstatt randloser Brillen Kontaktlinsen, was seinen empfindlichen Augen nicht gut bekam; ständig sah man ihn mit weit nach hinten geneigtem Kopf Tropfen unter die Lider träufeln.

Schaeffer trug wie Dalmann Freizeitkleidung. Hellblaues Buttondown, dunkelblaue Baumwollhose und einen sorgfältig über die Schultern geschlungenen roten Kaschmirpullover. In der Hand trug er einen schweren Aktenkoffer.

»Ich wollte draußen essen, aber ...« Dalmann deutete mit einer vagen Bewegung nach oben.

»Die Wetterprognosen sind nicht rosig«, antwortete Schaeffer.

Dalmann schob einen Bissen nach und deutete auf einen Stuhl, vor dem ein zweites Gedeck stand. Schaeffer setzte sich und stellte den Aktenkoffer neben sich auf den Boden. »Hoffentlich verschifft es uns nicht das Eröffnungsspiel.«

In einer Woche begann die EURO 08. Für Dalmann der ideale Beziehungspflegeanlass. Schon vor Monaten hatte er dank seiner Kontakte zu UEFA-Kreisen Karten für die wichtigsten Spiele gehortet und verschiedene Events – Essen in exklusiven Restaurants, Nachtclubbesuche etc. – darum herum organisiert beziehungsweise organisieren lassen. Das war zurzeit eine der wichtigsten Aufgaben von Schaeffer und auch der eigentliche Grund für dessen sonntäglichen Besuch.

Aber im Moment hatte die Palucron Vorrang.

Schaeffer hatte schon gefrühstückt, trank Tee und schälte

einen Apfel mit einer Sorgfalt, die Dalmann auf die Nerven ging. Er schob ihm eine der Sonntagszeitungen über den Tisch. »Schon gesehen?«

Schaeffer nickte und biss in einen Apfelschnitz.

Auch die Sorgfalt, mit der Schaeffer den Apfel kaute, ging Dalmann auf den Wecker. Schaeffer ging Dalmann überhaupt auf den Wecker. Aber er war gut, das musste er ihm lassen. Deswegen ertrug er ihn seit so vielen Jahren. »Kennst du diesen Huber?« So hieß der Journalist, der den Artikel gezeichnet hatte.

Schaeffer schüttelte so lange den Kopf, bis er den Bissen runtergeschluckt hatte. »Aber seinen Chef.«

»Den kenne ich auch. Aber bei dem können wir immer noch intervenieren. Vorläufig geht es nur darum, zu wissen, ob in diesem BND-Bericht die Palucron erwähnt ist.«

»Davon ist auszugehen.«

Wenn er nur nicht immer so geschwollen reden würde, dachte Dalmann. »Der Bericht liegt dem Blatt ›auszugsweise‹ vor. Wenn in diesem Auszug von der Palucron die Rede wäre, würde es in der Zeitung stehen.«

Schaeffer behielt den Apfelschnitz, den er zum Mund führen wollte, in der Hand. »Oder sie sparen sich dieses Detail für nächsten Sonntag auf.«

»Siehst du, Schaeffer, deshalb möchte ich, dass du herausfindest, wie viel die haben.«

Schaeffer steckte den Apfelschnitz in den Mund und kaute nachdenklich. Schließlich schluckte er, nickte und sagte: »Ich denke, das liegt im Bereich des Machbaren.«

»Gut«, brummte Dalmann, »dann mach mal.«

Sie wandten sich der EURO 08 zu.

Am folgenden Sonntag enthüllte das gleiche Sonntagsblatt weitere Details über die Atomaffäre. Der Name Palucron kam nicht vor.

10

Die Fußball-Europameisterschaft hatte Maravan eine Verschnaufpause verschafft. Das Gastgewerbe brauchte so viel Personal, dass selbst der Bann eines Huwyler kein Anstellungshindernis mehr war. Wenigstens nicht für den Betreiber eines Verpflegungsstandes in der Fanmeile.

Maravan machte dort den Abwasch. Sein Arbeitsplatz war ein von Küche und Essensausgabe abgetrennter, stickig heißer Zeltteil. Die Pfannen und Warmhalteschalen musste er von Hand schrubben, für den Abwasch von Geschirr und Besteck stand ihm ein Geschirrspüler zur Verfügung. Der war aber so störungsanfällig, dass er immer wieder ausfiel und Maravan zwang, auch diesen Teil von Hand zu erledigen.

Es war eine eintönige Arbeit. Manchmal hatte er stundenlang kaum etwas zu tun, und dann, wenn ein plötzlicher Ansturm hungriger Fans hereinbrach, kam er nicht nach mit der Arbeit. Beides, das Nichtstun und das Nichtnachkommen, nahm ihm der Chef übel. So, wie er überhaupt allen alles übelnahm. Er sorgte für eine miese Arbeitsatmosphäre, weil er für teures Geld eine Lizenz erworben, sich das große Geschäft versprochen hatte und jetzt erleben musste, wie in der Fanmeile meistens Flaute herrschte. Die Schweiz war ausgeschieden, und es war kalt und regnerisch. Maravan zählte die Tage bis zum Ende der Europameisterschaft.

Nicht nur wegen des Jobs. Der ganze Rummel ging ihm auf die Nerven. Er interessierte sich nicht für Fußball. Schwimmen war sein Sport gewesen. Und ganz früher hatte er sich auch einmal für Kricket interessiert. Bevor er sich ganz dem Kochen verschrieben hatte.

Das einzig Gute an diesem Job war, dass die Arbeitslosenkasse davon nichts erfuhr. Eine etwas zweifelhafte Temporärfirma, die vor allem mit Leuten in seiner Situation arbeitete, hatte ihm die Stelle vermittelt. Er war zwar schlecht bezahlt, zwanzig Franken die Stunde, aber er verdiente sie zusätzlich zum Arbeitslosengeld.

Er hatte seiner Schwester Geld für Nangays Behandlung geschickt und dafür Schulden gemacht. Dreitausend Franken. Natürlich nicht bei einer Bank – welche Bank hätte einem arbeitslosen Asylbewerber schon Kredit gegeben? –, sondern bei Ori, einem tamilischen Geschäftsmann, der privat Geld verlieh. Fünfzehn Prozent Zinsen. Auf den ganzen Betrag bis zur Tilgung.

Er hatte es zuerst ohne Schulden versucht. Gleich nachdem er erfahren hatte, dass Nangay ihre Behandlung nicht fortsetzen konnte, hatte er schwarz bei einem Altreifenlager gejobbt. Er musste den ganzen Tag die schweren Reifen sortieren.

Aber er hielt nicht durch. Nicht, weil ihm die Arbeit zu hart war: Sie war ihm zu schmutzig. Es gab dort keine Dusche, und am Waschbecken bekam er den Gummigestank und den schwarzen Dreck nicht weg. Dass er ganz unten auf der sozialen Leiter schuftete, konnte er gerade noch verkraften. Aber sein Stolz ließ es nicht zu, danach auszusehen und danach zu riechen.

Auch auf dem Bau hatte er es versucht. Er arbeitete für den Subunternehmer eines Subunternehmers auf einer großen Baustelle. Aber schon am zweiten Tag tauchte ein städtischer Schwarzarbeiterkontrolleur auf. Maravan und zwei seiner Kollegen konnten gerade noch rechtzeitig verschwinden. Der Subunternehmer war ihm den Lohn bis heute schuldig geblieben.

Im Abwaschzelt merkte man nicht, wie kühl es draußen war. Maravan schrubbte die hartnäckigen Reste eines Gulaschs von einem Essensbehälter. Sonst hatte er nichts zu tun. Durch die Zeltwand hörte er die Stimme eines Fußballreporters. Auf dem kleinen Fernsehapparat lief das Spiel Italien – Rumänien. Alle Imbissstände der Fanmeile hofften auf einen Sieg Italiens. Es waren viel mehr Italiener als Rumänen in der Stadt, und sie waren auch die spendableren Fans.

Endlich, in der fünfundfünfzigsten Minute, fiel das erlösende Eins-zu-null. Maravan erschrak über das Triumphgeschrei und linste durch den Vorhang, der den Durchgang zum Stand verhängte. Am lautesten brüllte der Chef. Er hüpfte mit hochgerissenen Armen auf und ab und schrie: »Italia! Italia!«

Maravan tat, als freue er sich mit, und das wurde ihm zum Verhängnis. In der gleichen Sekunde, als er durch den Vorhang lachte, glich Rumänien aus. Der Chef wandte sich angewidert vom Fernseher ab und sah in das strahlende Antlitz von Maravan. Er sagte kein Wort, aber nachdem das Spiel eins zu eins geendet hatte und der erhoffte Ansturm euphorischer italienischer Fans den ganzen Abend über ausgeblieben war, zahlte er Maravan aus und teilte ihm mit, dass er am nächsten Tag nicht wiederzukommen brauche.

Er fuhr gegen seine Gewohnheit im Triebwagen der Nummer zwölf nach Hause. Im Anhänger hatte ein Fan gekotzt, Maravan hielt den Gestank nicht aus.

Auf der Straße waren immer noch vereinzelte Fans auf dem Weg zurück ins Zentrum. Die Halstücher in den Farben ihrer Mannschaften dienten jetzt als Schutz gegen den kühlen Wind, und nur gelegentlich drangen Fetzen eines trotzigen Kampfliedes herein.

Maravan hatte sich noch nie so am Ende gefühlt. Nicht einmal an dem Tag, an dem er sich entschlossen hatte, sein ganzes Ersparte einem Schlepper zu übergeben. Das war wenigstens ein Ausweg gewesen.

Diesmal sah er keinen. Oder nur einen sehr demütigenden. Wenn er sich zu den Befreiungstigern bekannt hätte, hätte er die Stelle im ceylonesischen Restaurant bekommen. Dem Besitzer war es egal gewesen, dass er bei Huwyler rausgeflogen war. Er hätte ihn genommen, als Küchenhilfe mit Aussicht auf Beförderung zum Koch. Aber in dem Augenblick, als Maravan auf die Gretchenfrage, wie er zu den Befreiungstigern stehe, mit einem Achselzucken antwortete, wusste er, dass er die Stelle nicht bekommen würde. Die LTTE war allgegenwärtig in der Diaspora. Wer hier auf die Hilfe seiner Landsleute angewiesen war, konnte es sich nicht leisten, sich von ihr zu distanzieren.

Vielleicht sollte er zurückkehren. Weniger Zukunft als hier würde er auch dort nicht haben.

11

Ein Sommertag Ende Juli, die Temperaturen waren auf über fünfundzwanzig Grad gestiegen, obwohl noch immer eine leichte Bise wehte.

Barack Obama, der Präsidentschaftskandidat der Demokraten, sprach in Berlin vor zweihunderttausend Menschen und versprach ihnen eine Wende für die ganze Welt. Die brauchte es auch, denn vor wenigen Tagen war die zweitgrößte Hypothekenbank der USA zusammengebrochen, und ein paar weitere gerieten immer tiefer in Schwierigkeiten.

Die sri-lankische Armee meldete eine schwere Niederlage der LTTE im Mullaitivu-Distrikt. Und die LTTE berichtete über das dritte Amnestieangebot an desertierte sri-lankische Soldaten in diesem Jahr.

Maravan fischte mit einem Kaffeelöffel eine der gespaltenen gerösteten grünen Mungobohnen aus dem kochenden Wasser und kostete. Sie war gar, aber noch fest. Er goss das Wasser ab, breitete die Bohnen auf einer Silikonmatte aus und ließ sie abkühlen.

Er fügte geriebene Kokosnuss, Jaggery und feingemörserte Kardamomsamen dazu und vermischte alles gründlich in einer Schüssel. Danach verarbeitete er geröstetes Reismehl und kochendes Wasser zu einem festen Teig. Die Wassermenge musste genau stimmen: Mit zu viel Wasser ließ sich der Teig schlecht formen, mit zu wenig wurde er nach dem Dämpfen hart.

Maravan wusch sich die Hände und rieb sie mit etwas Kokosnussöl ein. Er rollte kleine Kugeln aus Reismehlteig und formte sie zu kleinen Gefäßen, die er mit der gewürzten Gram-Mischung füllte und zu spitz verlaufenden Kegeln verschloss. Er dämpfte sie, legte sie in die Thermobox und machte sich an die nächsten dreißig.

Maravan war der Lieferant von Mothagam geworden, der Lieblingssüßigkeit von Ganesha, dem elefantenköpfigen Herrn der Heerscharen.

Er produzierte jeden Morgen und jeden Abend etwa hundert Mothagam zum Gottesdienst, die die Gläubigen vor dem Tempel kaufen und Ganesha opfern konnten. Gemeindemitglieder, die Autos besaßen, wechselten sich ab, um kurz vor acht Uhr früh und kurz vor sechs Uhr abends die volle Thermobox abzuholen und die leere zurückzubringen.

Die Geschäftsidee stammte von ihm selbst. Um sie umzusetzen, musste er seine Schuld bei Ori weiter erhöhen. Er musste die Boxen anschaffen und eine Spende von tausend Franken an die LTTE machen. Dafür konnte er jetzt aber auch tamilische Lebensmittelgeschäfte und zwei ceylonesische Restaurants mit Teegebäck und anderen Süßigkeiten beliefern. Das Geschäft lief zwar noch nicht besonders, aber es zog ein wenig an. Vielleicht war es der Einstieg zu *Maravans Catering*.

Es klingelte. Maravan sah auf die Uhr. Es war erst kurz nach fünf, der Tempelkurier war heute früh dran.

»Moment!«, rief er auf Tamilisch, wusch sich die Hände und öffnete die Tür.

Andrea.

Sie hatte einen Blumenstrauß in der Hand und eine Flasche Wein. Beides hielt sie ihm entgegen. »Ich weiß, du trinkst keinen Alkohol. Aber ich.«

Wie bei ihrem letzten unangemeldeten Besuch musste sie fragen: »Darf ich reinkommen?«, bevor Maravan aus seiner Erstarrung erwachte.

»Entschuldige.«

Er ließ sie in die Wohnung. Sie sah die offene Küchentür und seine Kochschürze und fragte: »Erwartest du Gäste?«

»Nein, ich mache Mothagam.« Er ging in die Küche, nahm zwei aus der Thermobox, legte sie auf ein Tellerchen und hielt es ihr hin. »Hier. Man kann es essen oder opfern.«

»Ich opfere es lieber«, entschied sie mit einem Lächeln.

»Ach so. Nein, nein, keine Angst, es ist harmlos.«

Doch Andrea nahm keines. »Hast du Zeit?«

»Noch zwanzig, dann habe ich Zeit. Willst du im Wohnzimmer warten?«

»Ich schau zu.«

Als es klingelte, war Maravan fertig. Das Gemeindemitglied, das das Konfekt zum Tempel brachte, war diesmal eine rundliche Frau in mittleren Jahren, die ihm bekannt vorkam. Er erinnerte sich nicht, wo er sie schon einmal gesehen hatte. Wahrscheinlich hätte sie es ihm gesagt, aber als sie Andrea in der Küche stehen sah, erlosch ihr Lächeln. Sie nahm die Thermobox entgegen und ging fast grußlos.

»Kann man bei dir ein Essen bestellen?«

Sie saßen in den Kissen vor dem niedrigen Tisch. Andrea

hatte ein Glas Wein vor sich, Maravan seinen Tee. Bevor er sich gesetzt hatte, hatte er zeremoniell die Deepam vor seinem Hausaltar angezündet und etwas dazu gemurmelt.

»Das kann man. Eines Tages will ich sogar davon leben.«

»Ich meine ein besonderes Essen.«

»Ich versuche, jedes besonders zu machen.«

Sie trank einen Schluck Wein und stellte langsam das Glas ab. »Ich meine: auf die gleiche Art besonders wie das Essen für mich. Kann man das bei dir bestellen?«

Maravan überlegte. »Etwas Ähnliches schon.«

»Es müsste genau gleich sein.«

»Dazu brauche ich einen Rotationsverdampfer.«

»Was kostet so etwas?«

»Etwa sechstausend.«

»Aua.«

Andrea ließ den Rotwein im Glas kreisen und dachte nach. Sie hatte viele Verbindungen im Gastgewerbe. Da sollte doch so ein Ding aufzutreiben sein.

»Und wenn ich mir so ein Gerät ausleihe?«

»Dann wird es genau gleich.« Maravan schenkte ihr nach.

»Auch die Wirkung?«

Er hob die Schultern und lächelte. »Wir können es probieren.«

»Nicht wir, Maravan«, sagte sie behutsam.

12

Andreas Wohnung lag ungefähr in der Gegend, in der Maravan in seinen Träumen schon den kurkumagelben Lieferwagen mit der Aufschrift *Maravans Catering* sah. Sie befand sich im dritten Stock eines bürgerlichen Mehrfamilienhauses aus den zwanziger Jahren. Drei hohe Zimmer, ein Wintergarten, ein altmodisches Bad, ein WC mit einem fast unter der Decke angebrachten Spülkasten und eine große Küche mit Gasherd und einem neuen, frei stehenden Geschirrspüler, dessen Ablauf ins Spülbecken führte.

Es war die Art Wohnung, die man nur mit sehr viel Glück und guten Beziehungen bekam und bei der man ständig damit rechnen musste, dass das Haus, in dem sie sich befand, verkauft und renoviert und die Miete unerschwinglich wurde.

Andrea hatte sie bis zum Scheitern ihrer letzten Beziehung zu zweit bewohnt und fühlte sich darin nun etwas verloren. Sie lebte im Schlafzimmer und in der Küche. Manchmal noch im Wintergarten. Das Wohn-Ess-Zimmer benutzte sie kaum, und das leer geräumte Schlafzimmer von Dagmar betrat sie nie.

Aber heute war das Wohn-Ess-Zimmer von einem Meer von Kerzen erhellt. In seinem Zentrum standen Maravans niedrige Tischplatte und seine Sitzkissen. Auch die Tischdecke stammte aus seinen Beständen, selbst den Hausaltar mit der Göttin Lakshmi und der tönernen Lampe hatte sie ihm abgeschwatzt. Nur die Räucherstäbchen und die meditative indische Flöte hatte Maravan ihr ausreden können.

Küchenmaterial, Kissen und Tischplatte, Zutaten und die Speisen, die er zu Hause hatte vorfertigen können, hatten sie in Andreas Golf hierhertransportiert.

Schon gestern war er bei ihr gewesen und hatte die Lakritzeeislutscher zubereitet und tiefgefroren. Auch die Gebilde aus knusprigen und elastischen Urd-Folien, die er damals aus einer Eingebung »Mann und Frau« genannt hatte, hatte er schon gestern hergebracht und in den Kühlschrank gelegt.

Alles andere – die im flüssigen Stickstoff halbgefrorenen Safran-Mandel-Sphären mit den transparenten, safranfädendurchzogenen Gheezylindern, die hochglänzenden Kugeln aus Ghee, Langpfeffer, Kardamom, Zimt und Palmzucker – machte er in Andreas Küche. Selbst das Teekonfekt, die rotglasierten Herzchen und die gelierten Spargel, servierte er frisch. Daneben musste er auch noch seine Mothagam herstellen. Andrea hatte heute den Transport in den Tempel übernehmen müssen, er wollte den Tempelkurier nicht in ihre Wohnung bestellen.

Seit zehn Uhr vormittags drehte sich der Rotationsverdampfer, den Andrea nach langem Suchen nicht bei einer ihrer Verbindungen zum Gastgewerbe, sondern bei einer Verehrerin ausgeliehen hatte, die an der Uni als Assistentin an ihrer Chemiedissertation arbeitete.

Maravan hatte der Versuchung widerstanden, die drei normalen Currygerichte aus kreativen Gründen ein wenig zu variieren, auch wenn diese als Einzige keine aphrodisischen Rezepte waren. Vielleicht war es gerade die Kombination mit diesen Speisen gewesen, der er die Wirkung auf Andrea zu verdanken hatte.

Um zwanzig Uhr war Andreas Gast eingetroffen. Es war eine sehr blonde, sehr nervöse, etwas füllige, mehr hübsche als schöne Endzwanzigerin, der man ansah, dass sie sich nicht wohl fühlte in der Situation. Sie lehnte den Champagner ab, den Maravan in Sarong und weißem Hemd servierte. Er nahm diese Abweichung vom Menü mit Besorgnis zur Kenntnis und hoffte, dass nicht genau diese Zutat die Wirkung beschleunigt hatte.

Als die beiden Frauen Platz genommen hatten, brachte er den Gruß aus der Küche, die Minichapatis, auf die er mit etwas Zeremoniell seine Essenz aus Curryblättern, Zimt und Kokosöl träufelte.

Von da an servierte er die Gänge nur noch auf Andreas Zeichen, das Läuten einer Tempelglocke aus Messing, ebenfalls eine Leihgabe von Maravan.

Jedes Mal, wenn die Glocke ertönte und er ein neues Gericht brachte, war Andreas Gast entspannter und er dadurch auch. Nachdem er den Tee und das Konfekt serviert hatte, verabschiedete er sich mit einer kurzen Verneigung, so wie sie es abgemacht hatten.

Kurz vor zehn Uhr abends verließ er die Wohnung diskret. Andrea würde ihn am nächsten Tag anrufen und ihm mitteilen, wann er vorbeikommen, aufräumen und mit ihr das Material nach Hause transportieren konnte.

Es war ein schwüler Abend, am Himmel lag noch der

Nachglanz der Sonne, die vor einer Weile untergegangen war. Tagsüber war das Thermometer auf über dreißig Grad geklettert.

An solchen Abenden war das Heimweh am schlimmsten. Sie erinnerten ihn an Colombo im Monsun. Jeden Moment konnten die ersten Tropfen fallen, und manchmal glaubte er, die ferne Brandung vom Galle Face Drive her zu hören und das Krächzen der Raben, die die Garküchen an der Promenade belauerten.

Sogar der Geruch konnte ähnlich sein an schwülen Tagen kurz vor dem Regen. Besonders, wenn von irgendwo der Duft eines Gartengrills herüberwehte. Dann roch er sie, die Garküchen, und meinte, ihre Lichter in der Ferne blinken zu sehen.

Aber heute war das Heimweh nicht schlimm. Heute hatte er das Gefühl, einen Schritt weitergekommen zu sein. Er hatte seinen ersten richtigen Auftrag als Mietkoch in einem Schweizer Haushalt ausgeführt. Nein. Hatte er nicht Mobiliar und Dekorationsmaterial mitgeliefert? Und hatte er nicht auch den Service übernommen? Genau genommen war das heute der erste Einsatz von *Maravans Catering* gewesen.

Und auch der Liebeskummer quälte ihn nicht. Wenn es ein Mann gewesen wäre, mit dem Andrea diese Nacht verbringen wollte, hätte er sich wohl anders gefühlt. Aber auf die Blondine war er nicht eifersüchtig. Wenn er ganz ehrlich war, freute er sich sogar über seine Komplizenschaft bei ihrer Verführung. Er fühlte sich dadurch Andrea etwas näher.

Ohne weitere Warnung entleerten sich die Wolken über

ihm. Er blieb stehen, breitete die Arme aus und wandte das Gesicht dem Regen entgegen. Wie der junge Mann, den er vor Monaten aus dem Tram beobachtet hatte. Oder wie er selbst. Als Junge im ersten Regen des Monsuns.

13

Huwyler hatte den Laden wenn auch nicht gerade voll, so doch um einiges besser ausgelastet als die meisten seiner Kollegen. Er musste es wissen, als amtierender Präsident von *swisschefs* saß er an der Quelle. Er strampelte sich ab gegen die Krise, hatte Ideen – sein *Menu Surcrise* hatte zum Beispiel als kleine witzige Meldung Eingang in die lokalen Medien gefunden – und jetzt das!

Baute ihm doch dieses Arschloch einen Herzinfarkt. An einem Freitagabend, *full house*! Kotzte dabei über den Tisch! Und auf die Hemdenbrust seines Gastes, eines holländischen Geschäftsmannes.

Alle mussten denken: So, jetzt stirbt da einer vor meinen Augen im Huwyler. Was hat der wohl gegessen?

Drei Ärzte waren sofort bei ihm, zogen ihn praktisch nackt aus, einer am Handy gab dem Notruf erste Diagnosen durch, »Verdacht auf Myokardinfarkt«, der andere am Wiederbeleben, der dritte draußen und schon wieder drinnen mit einem Köfferchen, gab ihm eine Spritze. Und schon hörte man die Ambulanz.

Sanitäter und Notarzt kamen mit einer fahrbaren Trage, drei Tische mussten aus dem Weg geräumt werden. Dann fuhren sie ihn raus, kein schöner Anblick: Dalmann, schneeweiß, Sauerstoffmaske, im Haar klebte Erbrochenes.

Der ganze Betrieb brach natürlich zusammen. Abgerufene Gänge mussten zurück in die Küche, Halbaufgegessenes blieb auf den Tischen stehen, Gäste wollten zahlen, andere warteten, bis ihre Tische wieder an ihrem Platz standen, anderen war schlecht geworden. Die Frau eines bekannten Wirtschaftsanwalts bekam einen hysterischen Weinkrampf. Und alle schauten angewidert zu, wie die beiden Tamilen Dalmanns Tisch abräumten und den Boden aufwischten.

Und dann kam noch der Chef de Service mit einem Raumspray, weiß der Teufel, wo der einen *Raumspray* herhatte, und ehe Huwyler eingreifen konnte, stank es nicht mehr nach Kotze, sondern nach Fichtennadeln und Kotze.

Und dann, als es Huwyler gelungen war, diejenigen seiner Gäste, die nicht Reißaus genommen hatten, mit einer kleinen Ansprache zu beruhigen – er hatte gesagt, er sei zuversichtlich, dass dem Gast durch den glücklichen, aber für sein Lokal nicht ungewöhnlichen Umstand, dass gleich drei Ärzte anwesend waren, bestimmt eine sehr günstige Prognose gestellt werden könne –, genau dann, als wieder eine Art Normalität eingekehrt war, kam Dalmanns Gast aus der Personalgarderobe zurück. Frisch geduscht und im zu engen und zu kurzen schwarzen Reserveanzug des Sommeliers.

Und bat doch tatsächlich um einen Platz und die Fortsetzung des Menüs! Dies, betonte er laut, sei gewiss im Sinne seines Gastgebers. Was natürlich wieder ein paar Gästen den Appetit verschlug.

Am nächsten Morgen, als Huwyler sich telefonisch bei Schaeffer, Dalmanns Mitarbeiter, der immer die Reservierungen machte, nach dem Befinden seines Chefs erkundigte, antwortete dieser: »Den Umständen entsprechend. Nach einer Notoperation ist der Zustand des Patienten stabil.« Der Mann sprach wie ein medizinisches Bulletin.

Glück im Unglück: Wenn Dalmann im Huwyler gestorben wäre, hätte das dem Geschäft mehr geschadet. Andererseits: Dann hätten die Medien vielleicht darüber berichtet.

14

Erst am Nachmittag des nächsten Tages meldete sich Andrea.

Maravan war dabei, die Mothagam für den Abend herzustellen, als das Telefon klingelte. Sie klang fröhlich, äußerte sich aber nicht über den Erfolg des Experiments. Maravan zügelte seine Neugier und stellte keine Fragen.

Auch als er eine Stunde später ihre Küche aufräumte, überließ er ihr die Regie. Sie sah ihm zu, ein Glas Wasser in der rechten Hand, den Ellbogen in die linke Handfläche gestützt. Sie machte keine Anstalten, ihm beim Aufräumen zu helfen.

»Bist du gar nicht neugierig?«, fragte sie schließlich.

»Doch«, antwortete er nur.

Sie stellte das Glas auf den Küchentisch, packte ihn bei den Schultern und küsste ihn auf die Stirn. »Du bist ein Magier. Es hat funktioniert!«

Er musste sie etwas ungläubig angesehen haben, denn sie wiederholte etwas lauter: »Es hat funktioniert!«

Und als er immer noch nicht reagierte, begann sie zu hüpfen und ihn um seine Achse zu drehen. »Funktioniert, funktioniert, funktioniert!«, sang sie.

Jetzt erst lachte er und tanzte ein paar Schritte mit.

Sie schockierte ihn mit einer Schilderung ihrer Liebesnacht, die zwar nicht ins Detail ging, aber doch mehr verriet, als es das sittliche Empfinden eines gläubigen Hindus erlaubte. Sie gipfelte in der Frage:

»Und weißt du, wann sie gegangen ist?«

Er räusperte sich: »Spät, wenn du so fragst.«

»Um halb drei. Nachmittags! Vierzehn Uhr dreißig.« Sie sah ihn triumphierend an.

»Und wieso denkst du, dass es am Essen lag? Es könnte ja auch an dir gelegen haben.«

Andrea schüttelte nachdrücklich den Kopf. »Franziska schläft nicht mit Frauen, Maravan. Nie!«

Sie half ihm, das Material in ihren Golf zu laden, und fuhr ihn nach Hause. Für eine knappe halbe Stunde konnte er sich einbilden, ein Teil seines Traums sei wahr geworden: er mit seiner Partnerin Andrea beim Transport der Cateringausrüstung auf dem Weg zurück zum Firmensitz nach einem erfolgreichen Einsatz. Er war froh, dass auch sie ihren Gedanken nachhing und ihn nicht mit Konversation aus seiner Träumerei riss.

Als alles in seiner Wohnung verstaut war, machte sie keine Anstalten zu gehen. Sie standen auf dem kleinen Küchenbalkon, Andrea an das Geländer gelehnt, mit einer Zigarette, deren Rauch sie nicht inhalierte und hastig wieder ausstieß, als wollte sie den Zug rückgängig machen. Es hatte merklich abgekühlt, aber seit ein paar Stunden regnete es nicht mehr. Aus den offenen Fenstern drangen Musik und das Geplauder und Gelächter der tamilischen Nachbarn.

Unten im Innenhof machte ein Dealer mit einem Kunden ein schnelles, stummes Geschäft. Dann verschwanden beide.

»Was ist dein größter Traum?«, fragte Andrea.

»Zurück und Frieden.«

»Kein Restaurant?«

»Doch. Aber in Colombo.«

»Und bis dann?«

Maravan richtete sich auf und versenkte die Fäuste in den Hosentaschen. »Ein Restaurant hier.«

»Und wie finanzierst du das?«

Er hob die Schultern. »Catering?«

Andrea sah zu ihm auf. »Genau.«

Er schien verwundert. »Glaubst du, das könnte funktionieren?«

»Wenn du so kochst wie für mich.«

Maravan lachte leise. »Ach so. Und die Kunden?«

»Um die kümmere ich mich.«

»Und was hast du davon?«

»Die Hälfte.«

Andrea besaß einen Business-Plan und ein bisschen Geld. Eine kinderlose Schwester ihrer Mutter war vor anderthalb Jahren gestorben und hatte ihre vier Neffen und Nichten als Erben eingesetzt. Das Erbe bestand neben etwas Erspartem aus einem Chalet mit ein paar Ferienwohnungen in einem nicht sehr schneesicheren Winterkurort in den Voralpen, wo sie ihr halbes Leben zugebracht hatte. Die Erben hatten keinen Moment gezögert, das Chalet zu verkaufen. Nach allen Abzügen hatte jeder knapp achtzigtausend Franken erhalten, wovon Andrea wegen ihres häufigen Stellenwechsels nur noch gut die Hälfte geblieben war. Davon wollte sie einen Teil in *Love Food* investieren, wie sie die Firma jetzt schon nannte.

Sie würde die Geräte – vor allem den Rotationsverdampfer –, die Maravan fehlten, anschaffen, sie würde einen Grundstock Geschirr und Besteck besorgen, sie würde sich um die Kundenakquisition kümmern, sie würde ihren Golf gegen einen Kombi eintauschen, sie würde die Administration und den Service übernehmen und für den Anfang das Betriebskapital stellen.

Maravan würde das Know-how liefern.

So betrachtet war fifty-fifty mehr als fair, das musste auch Maravan zugeben.

Ein *Love Dinner* für zwei Personen würde tausend Franken kosten, zuzüglich der Getränke, vorwiegend und auf Anraten des Meisters Champagner, den sie zu Grossistenkonditionen beschaffen und zu Restaurantpreisen verkaufen konnte.

Maravan war mit allem einverstanden. Es war zwar nicht die Art von Catering, die er sich vorgestellt hatte. Aber Speisen zur Förderung des Liebeslebens von Ehepaaren – um solche würde es sich laut Andrea bei ihren Gästen handeln – waren in seiner Kultur nichts Verwerfliches. Und die Aussicht, viel Zeit mit Andrea zu verbringen, machte ihn glücklich.

»Und weshalb interessiert es dich?«, fragte er. »Du findest doch jederzeit wieder eine Stelle.«

»Es ist etwas Neues«, antwortete sie.

Über den Dächern stieg eine Rakete, wurde immer langsamer, blieb einen Augenblick stehen und fiel in rot verglühenden Schnüren zur Erde zurück. Man feierte den ersten August. Und die Gründung von *Love Food*.

15

Es war erst das zweite Mal, dass Maravan in Andreas
Wohnung kochte, aber schon hatten sie so etwas wie
Routine. Er wusste, wo er alles finden konnte, und sie
musste beim Tischdecken und Dekorieren keine Fragen
mehr stellen. Jeder tat schweigend seine Arbeit, wie ein ein-
gespieltes Team.

Der heutige Gast war Esther Dubois, eine Psychologin,
die Andrea vor einiger Zeit in einem Club kennengelernt
hatte. Sie war in Begleitung eines Mannes gewesen und hatte
ihr trotzdem ganz unverhohlen Avancen gemacht.

Esther Dubois war eine renommierte Sexualtherapeutin, die ein paar Jahre lang in einer Zeitschrift für Frauen
über vierzig eine vielbeachtete Sexkolumne betreut hatte.
Sie war ebenfalls über vierzig, hatte ihr früh ergrautes Haar
flammend rot gefärbt und war Stammgast auf den Leute-
Seiten.

Andrea hatte sie in ihrer Praxis erreicht und keine große
Mühe gehabt, sie zu sich einzuladen. »Zu einem aufregenden
kulinarisch-sexualtherapeutischen Experiment«, wie sie sich
ausgedrückt hatte.

Sie kam mit einer halben Stunde Verspätung und einem
dicken Strauß weißer Arumlilien, weil sie, wie sie sagte, for-
mal so gut zum Thema des Abends passten. Andrea stellte

ihr Maravan mit den Worten vor: »Das ist Sri Maravan, ein großer Guru der erotischen Küche.«

Weder der Sri noch der Guru waren mit Maravan abgesprochen, und aus seiner Reaktion schloss sie, dass sie das vielleicht hätte tun sollen. Er reichte dem Gast mit einem verlegenen Lächeln die Hand und wandte sich wieder seiner Arbeit zu.

»Jetzt bin ich aber gespannt«, verkündete Esther Dubois, als Andrea sie in den abgedunkelten und in Kerzenlicht getauchten Raum führte. Sie machte es sich sofort bequem in den Kissen und fragte: »Keine Räucherstäbchen? Keine Musik?«

»Sri Maravan findet, beides lenke ab. Das eine vom Duft der Speisen, das andere von den Klängen des Herzens.« Auch das nicht abgesprochen. Sie nahm die Tempelglocke und klingelte. »Nur das erlaubt er mir.«

Die Tür ging auf, Maravan brachte ein Tablett mit zwei Gläsern Champagner und zwei Tellerchen Minichapatis. Während die beiden Frauen anstießen, träufelte er die Essenz aus Curryblättern, Zimt und Kokosöl auf die kleinen Chapatis.

»Hoffentlich keine Chemie«, bemerkte Esther Dubois.

»Kochen ist Chemie und Physik«, antwortete Maravan höflich.

Sie nahm das Chapati, roch daran, schloss die Augen, biss ein Stück ab, kaute feierlich und schlug die Augen auf. »Ein unvergleichliches Stück Chemie und Physik.«

Die Therapeutin, sonst eine mitteilsame Frau, sprach kaum während des ganzen Essens. Sie beschränkte sich darauf, in allen Tonlagen zu seufzen und zu stöhnen, die Augen zu verdrehen und sich theatralisch Luft zuzufächeln. Einmal erklärte sie: »Weißt du, was das Geilste ist? Mit der Hand essen.«

Und als sie mit einem glücklichen Seufzer das letzte der glasierten Herzchen geschluckt hatte, fragte sie: »Und jetzt? Dein hübscher Guru?«

Aber der hübsche Guru war schon gegangen.

Das Essen hatte auch dieses dritte Mal die gleiche Wirkung auf Andrea ausgeübt. Es war ein wunderbarer Abend und eine wunderbare Nacht geworden, obwohl sie mit Esther Dubois als Person nichts anfangen konnte. Sie war ihr etwas zu intellektuell und etwas zu aufgeschlossen. Andrea mochte diese Bi-Frauen nicht, die eine offene Beziehung mit ihrem Mann lebten und gegen Mitternacht anrufen konnten und sagen: »Ich komme nicht mehr, heute Nacht, Honey. Morgen erzähl ich dir alles.«

Am nächsten Morgen, jedenfalls, war sie froh, dass Esther schon so früh aufgestanden war und sich noch vor dem Frühstück aus dem Staub gemacht hatte, wie ein untreuer Ehemann.

»Du hörst von mir«, sagte Esther, als sie noch einmal ins Schlafzimmer kam und sie auf die Stirn küsste. Das Versprechen bezog sich auf ein kurzes, geschäftliches Gespräch in dieser Liebesnacht. Andrea war sich ziemlich sicher, dass sie es halten würde.

»Funktioniert das immer?«, hatte Esther mit verschlafener Stimme gefragt.

»Bei mir schon. Einmal sogar mit einem Mann!«

»Ich wusste gar nicht, dass du auch mit Männern.«

»Ich auch nicht.«

»Schon erstaunlich. Was tut er da rein?«

»Es sind uralte ayurvedische aphrodisische Rezepte. Aber er kocht sie auf seine ganz spezielle Art.«

»Weißt du, wie viele meiner Patienten ihren rechten Arm geben würden für so ein Essen?«

»Schick sie vorbei«, antwortete Andrea nur, kuschelte sich in die Decke und schlief endlich ein.

16

Dalmann war überzeugt, dass Schaeffer ihn der Lächerlichkeit preisgeben wollte. Der Jogginganzug, den er ihm besorgt hatte, war rot mit neongelben Einsätzen. »Hast du nichts Auffälligeres gefunden?«, hatte er ihn gefragt.

»Man bevorzugt in dieser Saison die mehr expressiven Farben. Nicht zuletzt auch aus Sicherheitsgründen.«

»Wer sagt das?«

»Ich habe mich von Fachleuten beraten lassen«, antwortete der Mitarbeiter etwas pikiert.

Dieses Outfit trug Dalmann jetzt, aber er musste zugeben: Es war ihm scheißegal. Die anderen sahen auch nicht besser aus in ihren zu engen oder zu weiten Dresses. Wie sie, außer Atem, hochrot und hilflos ihren Fitnessgeräten ausgeliefert, versuchten, die Sünden der letzten Jahrzehnte ungeschehen zu machen.

Dalmann saß auf einem Ergometer und trat sparsam in die Pedale. In der Ablage vor dem Lenker lag das Blatt mit seinem persönlichen Fitnessprogramm. Er ließ die anderen Übungen aus und konzentrierte sich auf den Ergometer. Dort konnte er die Anstrengung dosieren und dabei sitzen. Der Kurarzt hatte ihm geraten, die Übungen täglich zu machen, doch nie bis an die Leistungsgrenze zu gehen. An Letzteres hielt sich Dalmann strikt.

Man hatte ihm einen Stent eingesetzt. Ein Röhrchen, das das verengte Herzkranzgefäß, das am Infarkt schuld war, ausweitete. Der Eingriff war nicht besonders groß gewesen, er hatte ihn gut überstanden und musste jetzt noch diese lästige Kur machen und ein Mittel zur Regulierung der Blutgerinnung schlucken, damit das Röhrchen offen blieb. Zusätzlich sollte er etwas gesünder leben, aufpassen beim Essen und Trinken und – was ihm am schwersten fiel – das Rauchen aufgeben.

Früher hatte er immer gesagt: Lieber tot als in der Kuranstalt. Aber jetzt fand er es gar nicht so schlimm. Es war wie ein luxuriöses Hotel mit einem etwas professionelleren Spa. Nun gut, die Gäste waren älter und gebrechlicher, und ihr einziges Gesprächsthema war die Gesundheit. Aber er musste ja nicht mit ihnen reden. Jeden zweiten Tag kam Schaeffer mit seinem Aktenkoffer vorbei, und sie arbeiteten ein paar Stunden in Dalmanns Suite.

Sein Puls war auf über neunzig gestiegen. Dalmann reduzierte die gemächliche Tretfrequenz noch ein bisschen mehr und noch ein bisschen mehr, hörte schließlich ganz auf zu treten und stieg ab.

In der Garderobe schlüpfte er in den weißen Frotteemantel mit dem großen gestickten Hotelemblem auf der Brust, ging zum Kiosk, kaufte sich die wichtigsten Tageszeitungen und schlurfte zum Lift, der ihn auf seine Etage brachte.

Die Zeitungen berichteten über den Rücktritt von Pervez Musharraf. Dalmann fragte sich, was das wohl für seine Pakistan Connection für Folgen hatte.

Er würde jetzt duschen, normale Kleider anziehen und sich auf dem Balkon eine Zigarette erlauben. Er wohnte in einer Nichtrauchersuite voller Rauchmelder.

Aber als er fertig angekleidet in den Salon zurückkam, war es im Zimmer so dunkel, dass er Licht machen musste. Tiefhängende Gewitterwolken hatten den trüben Sommertag zur Nacht gemacht. Dalmann öffnete die Balkontür. Der hellbeige Spannteppich färbte sich dunkel vom Regen, der vom Balkonboden aufspritzte.

17

Nationalbanken aus aller Welt pumpten Milliarden in den Finanzmarkt, um die Liquidität zu sichern. Zehn Großbanken gründeten einen Fond mit siebzig Milliarden Dollar, um eine internationale Börsenpanik zu verhindern. Und Lehman Brothers, die viertgrößte Investmentbank Amerikas, war zahlungsunfähig.

Vielleicht nicht die beste Zeit, um eine Firma zu gründen, dachte Andrea, nachdem Esther Dubois aufgelegt hatte.

Diese hatte Wort gehalten und schon zwei Tage nach dem Essen angerufen, um einen Termin für ein »Patientenpaar« zu machen. Andrea hatte zugesagt, aber jetzt kamen ihr Zweifel. Sie setzte sich im Wintergarten in den knarrenden Rattansessel, den sie noch mit Dagmar auf dem Flohmarkt entdeckt und dunkelgrün gestrichen hatte, und zündete sich eine Zigarette an.

Wenn sie über ihr Leben nachdachte, kam es ihr vor wie eine lange Reihe unüberlegter Entscheidungen. Sie war schnell zu begeistern und leicht zu langweilen. Ausbildung, Berufswahl, Liebesbeziehungen, Arbeitsstellen – alles zufällig, spontan und wechselhaft. War es wirklich das, was sie wollte? Einen großen Teil ihres verbliebenen Geldes in einen Cateringservice für erotische Menüs investieren, der nicht einmal legal arbeiten konnte.

Sie hatte sich erkundigt: Um die Polizeibewilligung zum Betrieb eines Cateringservices zu erhalten, erfüllte sie die Voraussetzung. In einem Monat wäre das erledigt. Aber das fast unüberwindbare Hindernis war die Hygieneverordnung. Die unzähligen Vorschriften für Küche und Material waren weder in ihrer noch in Maravans Küche – so blitzsauber sie auch war – zu erfüllen. Selbst wenn sie es schafften, müssten sie die Lokalitäten bei einem Ortstermin mit Wirtschaftspolizei, Lebensmittelkontrolle, Baupolizei und Feuerwehr inspizieren und abnehmen lassen. Kam dazu, dass Maravan als Asylbewerber keine selbständige Tätigkeit ausüben durfte. Sie könnte ihn auch nicht als Koch anstellen, höchstens – die Bewilligung des Amts für Wirtschaft vorausgesetzt – als Küchenhilfe, und sich selbst als Köchin ausgeben. Das war alles zu kompliziert für ein Projekt, das auch scheitern konnte. Und wer würde ihr die Investitionen zurückzahlen, falls sie die Bewilligung nicht bekäme? Wenn sie wirklich in der Praxis ausprobieren wollte, ob die Sache funktionierte, blieb ihr nur eine Möglichkeit: es schwarz zu tun. Wenigstens am Anfang.

Sie brauchte das alles nicht. Eine Woche nach der fristlosen Kündigung bei Huwyler hatte sie bereits wieder einen Job gehabt. Keinen so eleganten und kulinarischen, aber nicht schlechter bezahlt und mit einem jüngeren, angenehmeren Publikum. Das Restaurant hieß Mastroianni und war ein Italiener mitten in der Clubszene der Stadt. Selbst wenn sie dort kündigte – was sie vorhatte, denn die Arbeitszeiten waren ihr zu nächtlich –, würde sie schnell wieder etwas anderes finden.

Sie drückte ihre halbgerauchte Zigarette aus und ließ die

Sonnenstores vor dem Westfenster herunter. Es war ein warmer Sommertag, die Nachmittagssonne würde sonst bald den Wintergarten aufheizen. Das durch das verschossene Braun des Stoffes gefilterte Licht gab dem Raum mit seiner zusammengewürfelten Möblierung und den beiden verstaubten Zimmerpalmen ein altmodisches Flair. Andrea setzte sich wieder und gab sich dem Gefühl hin, Bestandteil einer vergilbten Fotografie zu sein.

Vielleicht wäre es besser gewesen, sich von Maravan fernzuhalten, nachdem sie hinter sein Geheimnis gekommen war. Jener Abend bei ihm hatte ihr damals keine Ruhe gelassen. Sie hatte die Gewissheit gebraucht, dass alles wirklich nur mit dem Essen zu tun hatte.

Aber sollte sie sich nun nicht zufriedengeben mit der Bestätigung, die ihr das überzeugende Resultat des Versuchs mit Franziska gebracht hatte, die sich übrigens seit jener Nacht verleugnen ließ? Jedenfalls kein Grund, ihre Lebensgestaltung und Veranlagung in Frage zu stellen. Und schon gar keiner, ausgerechnet mit dem Mann, der ihr diese Falle gestellt hatte, eine Arbeits- und Schicksalsgemeinschaft einzugehen. Auch wenn sie es ihm nicht nachtrug – es war etwas, das immer zwischen ihnen stehen würde.

Sie fischte eine Zigarette aus dem Päckchen mit der fetten Todeswarnung. Als Dagmar noch hier wohnte, herrschte Rauchverbot in der ganzen Wohnung. Sie hatten das Rauchen gemeinsam aufgegeben. Aber nach ihrer Trennung hatte Andrea wieder angefangen und sich das Rauchen im Wintergarten erlaubt. Einen Sommergarten besaß sie ja nicht.

Auch die kulturellen Unterschiede zwischen Maravan und ihr würden bald zu Problemen führen. Schon das Detail mit dem »Sri« und dem »Guru« hatte zu einer leichten Verstimmung geführt. »Bitte stell mich nicht als Sri und Guru vor«, hatte er sie höflich, aber mit Nachdruck gebeten. »Wenn meine Leute erfahren würden, dass ich mich so nennen lasse, wäre ich erledigt.«

Nein. Es war eine schlechte Idee, von welcher Seite man es auch betrachtete.

Sie legte ihre Zigarette in den Aschenbecher und sah dem Rauchfaden nach, der dünn und gerade nach oben stieg, bis er von den Fiedern eines Palmblattes durcheinandergebracht wurde.

Vielleicht war es dieses Bild, das sie dazu inspirierte, es trotz allem zu tun.

Ach, dieses eine Mal, dachte sie, könnten sie es ja versuchen.

Die Fensterläden in Maravans Wohnzimmer waren geschlossen, alle Türen und Fenster der Wohnung standen offen und sorgten für etwas Durchzug. Maravan saß, nur mit einem Sarong bekleidet, im Halbdunkel vor seinem Bildschirm und las die Nachrichten aus seiner Heimat.

Die sri-lankische Regierung hatte alle UN- und anderen Hilfsorganisationen angewiesen, die Nordprovinzen bis zum Ende des Monats zu verlassen. Fast eine Viertelmillion Tamilen waren auf der Flucht. Es drohte eine humanitäre Katastrophe.

Ein paar Flugzeuge der Befreiungstiger hatten den Luftwaffenstützpunkt und das Polizeihauptquartier in Vavuniyaas, einer Gegend, die von der sri-lankischen Regierung längst als befreit erklärt worden war, angegriffen und mit Unterstützung von Artillerie das Radarsystem, ein Fliegerabwehrgeschütz und das Munitionslager zerstört und eine unbekannte Anzahl Soldaten getötet.

Die sri-lankische Armee bombardierte daraufhin in der Gegend von Mu'rika'ndi die Nationalstraße A9 und die umliegenden Dörfer. Der Verkehr auf der A9 in Richtung des Checkpoints Oamanthai war lahmgelegt. Es gelangten keine Hilfsgüter und Medikamente mehr über die Kontrollpunkte.

Für Maravan bedeutete das, dass er mehr Geld benötigte. Seine Familie musste sich immer öfter auf dem Schwarzmarkt versorgen, dessen Preise täglich stiegen. Vor allem die für Medikamente.

Dazu kam, dass Ori, der Geldverleiher, bei Zinsverzug happige Strafzinsen erhob und auch gnadenlos eintrieb. Und dass die der LTTE nahestehenden Organisationen ihre Sammelanstrengungen verdoppelten, weil man sich – wie oft schon? – in einer entscheidenden Phase des Befreiungskriegs befände.

Maravan hatte noch immer keine Stelle, und das bisschen, das er sich mit seinen Mothagam zum Arbeitslosengeld dazuverdiente, reichte bei weitem nicht aus, um all seinen Verpflichtungen nachzukommen.

Seine Lage war also ziemlich verzweifelt, als Andrea anrief und ihm vom ersten Auftrag an *Love Food* berichtete. Er zögerte keine Sekunde.

Seine einzige Frage lautete: »Sind sie verheiratet?«

»Seit bald dreißig Jahren«, war Andreas etwas amüsierte Antwort.

Damit war für Maravan die Sache entschieden.

18

Von der Küche aus sah man die Stadt und den See und die gegenüberliegenden Hügelzüge. Maravan stand an einer schneeweißen Kochinsel unter einem gewaltigen Dampfabzug aus Edelstahl, der nur ein leises Summen von sich gab, wie die Klimaanlage eines Luxushotels. Der große Esstisch mit den zwölf Schalenstühlen, beides ebenfalls in Schneeweiß, war ungedeckt. Das Essen wurde im Nebenraum serviert, einem riesigen Wohnzimmer voller Kunst und ebenfalls einer Glasfront mit Blick auf die Dachterrasse und das Panorama der Stadt. Bei dieser Art von Essen, *Love Menus* nannte es Andrea, war die Anwesenheit des Kochs im selben Raum natürlich unerwünscht.

Maravan war die Situation etwas peinlich und der Gastgeberin, Frau Mellinger, ganz offensichtlich auch. Sie war näher bei sechzig als bei fünfzig, sehr gepflegt und etwas staksig, vielleicht nur heute und aus gegebenem Anlass. Immer wieder tauchte sie unter einem Vorwand in der Küche auf, hielt affektiert eine Hand vor die Augen und rief: »Ich gucke nicht, ich gucke nicht!«

Herr Mellinger hatte sich in sein Arbeitszimmer zurückgezogen. Auch ihm schien die Sache etwas unangenehm zu sein. Er war ein hagerer Mann in den Sechzigern mit weißem kurzgeschorenem Haar, schwarz gestylt und mit einer schwarzgeränderten Brille. Er war kurz aufgetaucht und hatte Maravan mit einem verlegenen Räuspern begrüßt. Als gleich darauf Andrea in die Küche kam, hatte sich sein missmutiger Gesichtsausdruck aufgehellt. Dann hatte er sich entschuldigt und gemurmelt: »Ich überlasse Sie jetzt Ihren Zauberkünsten.«

Einzig Andrea war die Sache nicht peinlich. Sie bewegte sich mit großer Unbefangenheit in diesem überdimensionierten Penthouse, als sei es ihr eigenes, und trug ihren goldgelben Sari mit großer Selbstverständlichkeit. Maravan fand Europäerinnen im Sari zwar immer etwas unpassend, aber an Andrea mit ihrem langen schwarzen glänzenden Haar wirkte er einigermaßen authentisch, trotz ihres schneeweißen Teints.

Das Menü war das bewährte:

Minichapatis mit Curryblätter-Zimt-Kokosöl-Essenz
Urd-Linsen-Cordons in zwei Konsistenzen
Ladies'-Fingers-Curry auf Sali-Reis mit Knoblauchschaum
Curry vom jungen Huhn auf Sashtika-Reis mit Korianderschaum
Churaa Varai auf Nivara-Reis mit Mintschaum
Gefrorene Safran-Mandel-Espuma und ihre Safran-Texturen
Süß-pikante Kardamom-Zimt-Ghee-Sphären
Glasierte Kichererbsen-Ingwer-Pfeffermüschelchen
Gelierte Spargel-Ghee-Phallen
Eislutscher aus Lakritze-Honig-Ghee

Andrea hatte ihn zu einer gestalterischen Neuerung überredet. Sie hatte vorgeschlagen, den gelierten Spargel-Ghee anstatt in Form von Spargeln in Form von Penissen zu servieren. Und die glasierten Herzchen in Form von Muschis, wie sie es nannte. Maravan hielt es für zu direkt und hatte sich gesträubt. Aber Andrea hatte gesagt: »Ich habe Fotos von erotischen Fresken gesehen, die deine Vorfahren vor tausendfünfhundert Jahren an die Felswände von Sigiriya gemalt haben. Also tu nicht so prüde.«

Maravan gab nach. Aber er deckte sein Konfekt verschämt mit Backpapier ab. Falls Frau Mellinger wieder unverhofft in der Küche auftauchte.

Wenn *Love Food* eine offizielle Firma mit Signet wäre, müsste es für Andrea eine Tempelglocke sein. Sie saß bei Maravan in der Küche und lauschte auf das Klingeln aus dem Zimmer, wo die Mellingers ihrer Beziehung neue Impulse gaben. Immer wieder glaubte sie, etwas gehört zu haben, eilte hinaus, lauschte an der Tür und kam unverrichteter Dinge zurück.

»Und was machen wir, wenn es nicht funktioniert?«, fragte Maravan.

»Es wird funktionieren«, antwortete Andrea bestimmt. »Und falls nicht, werden wir es nicht erfahren. Niemand gibt zu, dass er weit über tausend Franken für ein erotisch stimulierendes Essen ausgegeben hat, das nicht funktioniert hat.«

Als sie den Champagner und die Appetizer serviert hatte, kam sie kichernd zurück. »Sie ist in wallende Tücher gehüllt, durchsichtige«, wusste sie zu berichten.

Nach den Linsen-Cordons rapportierte sie: »Ich habe die Vorspeise wie du als ›Mann und Frau‹ präsentiert, und er hat gefragt: ›Welches ist der Mann, das Weiche oder das Harte?‹«

Maravan schwieg verlegen.

»Ich sagte natürlich: ›Beides.‹« Andrea machte eine Kunstpause. »Und sie: ›Hoffentlich.‹«

Die Zeitabstände zwischen den Gängen wurden länger. Andrea ging zwischendurch auf die Dachterrasse und rauchte. Es war dunkel geworden, die Stadt spiegelte ihre Lichter im See, die Vororte sprenkelten die Hügel mit Lichtpunkten.

Nach dem Hauptgang blieb die Tempelglocke stumm. Maravan wurde nervös. Der nächste Gang war der heikelste, was das Timing anging. Er musste die Sphären fünf Minuten in Alginwasser kochen, kalt spülen, mit Ghee injizieren und danach etwa zwanzig Minuten bei sechzig Grad warm stellen. Er konnte keine halbe Stunde bis zum Dessert verstreichen lassen und hatte deshalb zehn Minuten, nachdem Andrea die Curryvariationen serviert hatte, die Sphären geformt, gekocht, injiziert und kalt gespült. Er fürchtete, sie könnten zusammenfallen, wenn sie nicht bald in den Backofen kämen.

»Geh doch bitte mal nachsehen«, bat er sie nun schon zum zweiten Mal.

Sie ging hinaus und überlegte, ob sie anklopfen oder nur sich räuspern sollte. Aber schon auf halbem Weg zur Tür drangen Geräusche aus dem Raum, die ihr diese Entscheidung abnahmen.

Sie kehrte in die Küche zurück und sagte: »Auftrag erfüllt, ich glaube, die verzichten auf Dessert und Friandises.«

Nach diesem ersten Auftrag waren Andreas Zweifel verflogen. Die Rückmeldungen der Mellingers an ihre Therapeutin waren so positiv, dass Esther Dubois bereits am nächsten Tag weitere Aufträge in Aussicht stellte. Die Nettoeinkünfte nach Abzug der Rohstoffe und des Einstandspreises für Champagner und Wein betrugen beinahe tausendvierhundert Franken. Die Arbeit war leicht, sie hatte unter keinen Vorgesetzten zu leiden, und Maravan war ein ruhiger, höflicher und unaufdringlicher Arbeitskollege.

Aber den Ausschlag gab die Tatsache, dass *Love Food* ihre Idee war. Darauf musste man erst einmal kommen, die kulinarischen Verführungskünste eines tamilischen Asylbewerbers sexualtherapeutisch einzusetzen. Und die richtigen Beziehungen, um diese Idee zu vermarkten, musste man auch erst einmal haben.

Was Andrea unter anderem an ihrem Beruf langweilte, war das Fehlen der Kreativität. Immer hatte sie Ideen und nie Gelegenheit, sie umzusetzen. Das hatte sich mit *Love Food* gründlich geändert. Die Idee war ihr Baby, sie war stolz darauf. Und wenn sie sogar Geld brachte, sah sie nicht ein, weshalb sie sie aufgeben sollte.

Als kurze Zeit später Esther Dubois sie um einen neuen Termin für ein Patientenpaar bat, zögerte sie keine Sekunde. Und auch von Maravan kamen keine Bedenken. Außer der Frage: »Sind sie verheiratet?«

Die meisten waren Paare über vierzig aus Einkommensklassen, die sowohl die Existenz solcher Probleme als auch deren Therapie erlaubten. Maravan erhielt plötzlich tiefe Einblicke in eine Gesellschaftsschicht, mit der er, es sei denn aus großer Distanz als Koch in der Luxushotellerie Südindiens und Sri Lankas, bisher nicht in Kontakt gekommen war. Er betrat Wohnungen und Häuser, in denen jeder Stuhl und jeder Wasserhahn den Geldbedarf seiner Angehörigen zu Hause für viele Monate hätte decken können.

Er bewegte sich in ihren Küchen wie ein Eingeweihter, und doch fühlte er sich wie ein blinder Passagier in den Raumfahrzeugen Außerirdischer.

Maravan hatte geglaubt, dass ihm in den Jahren, die er in diesem Land verbracht hatte, die Mentalität und Kultur seiner Bewohner vertrauter geworden war. Aber jetzt, wo er hinter die Kulissen sah, wurde ihm bewusst, wie fremd ihm diese Menschen und ihre Probleme waren. Wie sie sprachen, wie sie wohnten, wie sie sich kleideten, was ihnen wichtig war – alles kam ihm seltsam vor.

Er hätte lieber seine Distanz gewahrt. Er litt darunter, dass er gezwungen war, in die Intimität dieser Leute einzudringen. Schon früher hatte er sich daran gestört, dass diese Menschen keinen Wert darauf zu legen schienen, ihre Intimsphäre zu wahren. Sie küssten sich in der Öffentlichkeit, sie sprachen im Tram über die persönlichsten Dinge, Schulmädchen kleideten sich wie Prostituierte, in den Zeitungen, im Fernsehen, im Kino, in der Musik ging es immer um Sex.

Er wollte das alles nicht wissen, nicht sehen, nicht hören. Nicht, weil er prüde war. Wo er herkam, verehrte man das weibliche Prinzip als Urkraft der Welt. Seine Götter besaßen Penisse und seine Göttinnen Brüste und Vaginas. Die Mütter seiner Götter waren keine Jungfrauen. Nein, er hatte kein gestörtes Verhältnis zur Sexualität. Sie spielte eine wichtige Rolle in seiner Kultur, Religion, Medizin. Aber hier war sie ihm peinlich. Und er ahnte auch, weshalb: weil sie diesen

Menschen trotz ihrer Allgegenwart tief im Innersten peinlich war.

Aber das Geschäft lief. Bereits in der vierten Woche nach
Mellingers hatte *Love Food* fünf Termine in einer einzigen
Woche. Und für die sechste waren sie zum ersten Mal ganz
ausgebucht.

Ende September teilten sie sich einen Reingewinn von fast
siebzehntausend Franken. Steuerfrei.

19

Ausgebucht zu sein bedeutete für Maravan, dass er den ganzen Tag und die halbe Nacht in der Küche stand. Um sechs Uhr früh begann er mit den Vorbereitungen für den nächsten Tag, kurz nach Mittag fuhr Andrea mit dem Kombi vor, und sie begannen mit dem Verladen der Thermoboxen und des anderen Küchenmaterials.

Die Arbeit war hart und ein wenig eintönig, weil er jedes Mal das exakt gleiche Menü kochen musste. Aber Maravan genoss die Selbständigkeit, die Anerkennung und die Gesellschaft von Andrea. Sie kamen sich jeden Tag näher, nur leider nicht auf die Art, die er sich erhoffte. Sie wurden Kollegen, die gerne miteinander arbeiteten, und waren vielleicht auf einem guten Weg, Freunde zu werden.

An einem dieser Mittage brachte Andrea ein Bündel Post mit, das aus seinem überfüllten Briefkasten herausgeragt hatte. Zwischen den Flyern und Prospekten, die der Austräger in mehrfacher Ausführung in den Schlitz gestopft hatte, um seine Bürde schneller loszuwerden, steckte ein Luftpostbrief, der in kindlicher Schrift an Maravan adressiert war. Er kam von seinem Neffen Ulagu und lautete:

»*Lieber Onkel,*

ich hoffe, es geht Ihnen gut. Uns geht es nicht so gut. Hier gibt es viele, die vor dem Krieg nach Jaffna geflüchtet sind. Das Essen reicht oft nicht für alle. Die Leute sagen, wir werden den Krieg verlieren, und haben Angst vor dem, was nachher passiert. Nangay sagt aber, schlimmer könne es nicht werden.

Wegen Nangay schreibe ich Ihnen diesen Brief. Es geht ihr sehr schlecht, aber sie will nicht, dass Sie es erfahren. Sie ist ganz dünn, trinkt den ganzen Tag nur Wasser und macht jede Nacht ins Bett. Der Arzt sagt, wenn sie ihr Medikament nicht bekommt, wird sie vertrocknen. Er hat mir aufgeschrieben, was sie hat und wie das Medikament heißt. Vielleicht bekommen Sie es dort und können es uns schicken. Ich will nicht, dass Nangay vertrocknet.

Ich grüße Sie und danke Ihnen. Ich hoffe, dass der Krieg bald vorbei ist und Sie zurückkommen können. Oder ich komme zu Ihnen und arbeite als Koch. Ich kann es schon ziemlich gut.

Ihr Neffe Ulagu«

Ulagu war der älteste Sohn seiner jüngsten Schwester Ragini. Er war elf gewesen, als Maravan das Land verließ. Wegen Ulagu war ihm der Abschied am schwersten gefallen. So wie er war auch Maravan als Junge gewesen. Still, verträumt und ein wenig verschlossen. Und wie Maravan wollte er Koch werden und verbrachte viel Zeit bei Nangay in der Küche.

Wegen Ulagu hatte Maravan manchmal das Gefühl, sich selbst zurückgelassen zu haben. Und ihm hatte er es auch zu verdanken, dass er immer noch ein wenig dort war.

»Schlechte Nachrichten?« Andrea hatte ihn beim Lesen beobachtet, während sie das Material von der Küche auf den Treppenabsatz trug.

Maravan nickte. »Mein Neffe schreibt, meiner Großtante gehe es sehr schlecht.«

»Der Köchin?«

»Ja.«

»Was hat sie?«

Maravan las von dem Zettel ab, der dem Brief beilag: »Diabetes insipidus.«

»Meine Großmutter hat schon seit Jahren Diabetes«, tröstete Andrea. »Damit kann man uralt werden.«

»Es ist keine Diabetes, es heißt nur so. Man trinkt ununterbrochen, aber man kann das Wasser nicht behalten und vertrocknet mit der Zeit.«

»Kann man es behandeln?«

»Ja. Aber man bekommt das Medikament nicht.«

»Dann musst du versuchen, es hier zu bekommen.«

»Das werde ich.«

Das Wartezimmer war klein und überfüllt. Fast alle Patienten waren Asylbewerber. Die meisten davon Tamilen, ein paar Eritreer und Iraker. Dr. Kerner war in den letzten Jahren, mehr zufällig als gewollt, zum Asyldoktor geworden. Es hatte damit begonnen, dass er eine tamilische Arztgehilfin eingestellt hatte. Bald hatte es sich in der tamilischen Diaspora herumgesprochen, dass man bei Dr. Kerner Tamil sprechen konnte. Später kamen die ersten Afrikaner, und jetzt auch die Iraker.

Maravan war fast eine Stunde gestanden, bis er einen Stuhl geerbt hatte. Jetzt waren noch vier Patienten vor ihm.

Er war hier in der Hoffnung, ein Rezept zu bekommen. Vielleicht konnte er ihr das Medikament schicken. Das wurde zwar immer schwieriger, aber es gab immer noch Wege. Er wäre dafür zwar auf die Dienste der LTTE angewiesen, aber das würde er in Kauf nehmen, schließlich ging es um das Leben von Nangay.

Die letzte Patientin vor Maravan wurde gerufen. Es war eine ältere Tamilin. Sie stand auf, verbeugte sich mit zusammengelegten Händen vor der Abbildung von Shiva an der Wand und folgte der Arztgehilfin.

Im Wartezimmer von Dr. Kerner hingen Shiva, Buddha, Kruzifix und die Kalligraphie eines Koranverses einträchtig nebeneinander. Das passte zwar nicht allen Patienten, aber wer sich daran stieß, brauchte nicht in seine Sprechstunde zu kommen, fand der Arzt.

Es dauerte lange, bis Maravan hörte, wie die Gehilfin die Frau mit ein paar tröstenden Worten verabschiedete. Kurz vor sechs wurde er ins Sprechzimmer geführt.

Dr. Kerner mochte um die fünfzig sein. Er hatte widerspenstiges braunes Haar und müde Augen in einem jugendlichen Gesicht. Er trug einen offenen Arztkittel und ein Stethoskop, wohl mehr als vertrauensbildende Maßnahme als aus Notwendigkeit. Als Maravan eintrat, blickte er von dessen Patientenkarte auf, deutete auf den Stuhl vor seinem Schreibtisch und wandte sich wieder der Krankengeschichte zu. Maravan war vor längerer Zeit wegen einer Verbrennung bei ihm gewesen, die er sich beim Hantieren mit einer Kippbratpfanne in einer Großküche zugezogen hatte.

»Es geht nicht um mich«, erklärte Maravan, als die Assistentin gegangen war. »Es geht um meine Großtante in Jaffna.«

Er erzählte von Nangays Krankheit und der Schwierigkeit, das Medikament zu beschaffen.

Dr. Kerner hörte zu, immer wieder nickend, als kenne er die Geschichte längst. »Und jetzt möchten Sie ein Rezept«, sagte er, noch bevor Maravan geendet hatte.

Er nickte.

»Kreislauf, Blutdruck, Herzkranzgefäße: alles in Ordnung bei Ihrer Großtante?«

»Ihr Herz ist stark«, antwortete Maravan. »›Wenn nur mein Herz nicht so stark wäre‹, sagt sie immer, ›dann würde ich euch längst nicht mehr zur Last fallen.‹«

Dr. Kerner nahm seinen Rezeptblock. Während er schrieb, sagte er: »Es ist ein teures Medikament.« Er riss das Blatt ab und schob es über den Schreibtisch. »Ein Dauerrezept für ein Jahr. Und wie kommt das Mittel zu Ihrer Großtante?«

»Per Kurier nach Colombo und von dort aus« – Maravan hob die Schultern – »irgendwie weiter.«

Dr. Kerner stützte das Kinn in die Hand und überlegte. »Eine Bekannte von mir arbeitet für Médecins sans Frontières. Sie wissen, dass die sri-lankische Regierung alle Hilfsorganisationen zum Ende des Monats aus dem Norden ausgewiesen hat. Sie fliegt morgen nach Colombo mit dem Auftrag, der Delegation beim Umzug zu helfen. Ich könnte sie fragen, ob sie die Medikamente mitnimmt. Was meinen Sie?«

20

In diesen Tagen feierten die Hindus Navarathiri, den Kampf des Guten gegen das Böse.

Als sich die Götter einmal hilflos fühlten gegen die Mächte des Bösen, trennten sie sich alle von einem Teil ihrer göttlichen Kraft und formten daraus eine neue Göttin, Kali. In einem schrecklichen Kampf, der neun Tage und Nächte dauerte, besiegte sie den Dämon Mahishasura.

Wenn sich dieser Kampf jährt, beten die Hindus neun Tage lang zu Saraswati, der Göttin des Lernens, zu Lakshmi, der Göttin des Reichtums, und zu Kali, der Göttin der Macht.

An jedem Tag und Abend von Navarathiri hatte Maravan einen Termin. Alles, wozu er noch in der Lage war, wenn er spät und müde nach Hause kam, war, seine Puja, die tägliche Andacht vor dem Hausaltar, etwas länger und feierlicher zu gestalten und den Göttinnen ein wenig von dem Essen zu opfern, das er beim Kochen für sie beiseitegeschafft hatte. Lakshmi hatte er immerhin zu verdanken, dass er kaum mehr Schulden und genug Geld hatte, um davon regelmäßig nach Hause zu schicken.

Doch am zehnten Tag setzte er sich gegen Andrea durch. An Vijayadasami, der Nacht des Sieges, war er wie jedes Jahr, seit er sich erinnern konnte, im Tempel.

Er hatte sie schon vor Wochen darauf aufmerksam gemacht, und sie hatte das Datum in ihrem Terminkalender dick angestrichen. Aber ein paar Tage später war sie zu ihm gekommen und hatte beiläufig bemerkt: »Ich musste was annehmen an deinem unaussprechlichen Feiertag, schlimm?«

»An Vijayadasami?«, fragte er ungläubig.

»Die hätten sonst erst wieder in drei Wochen gekonnt.«

»Dann sag wieder ab.«

»Das kann ich doch jetzt nicht mehr.«

»Dann musst du kochen.«

Andrea sagte wieder ab. Und sie hatten den ersten Konflikt in ihrer jungen Geschäftsbeziehung zu verbuchen.

In der Nacht hatte es stark geregnet. Den ganzen Tag lag eine rußgraue Hochnebeldecke über dem Mittelland. Aber es war fast zwanzig Grad warm und trocken. Die Prozession zog singend, trommelnd und händeklatschend hinter dem Wagen mit dem Bildnis von Kali über den aus diesem Anlass geräumten Parkplatz vor dem Industriebau, in dem der Tempel lag.

Maravan hatte sich dem Zug angeschlossen. Er trug, im Gegensatz zu vielen anderen Männern, die traditionell gekleidet waren, Anzug, weißes Hemd und Krawatte. Nur das Segenszeichen, das ihm der Priester auf die Stirn gemalt hatte, zeigte, dass er kein unbeteiligter Zuschauer war.

»Wo ist Ihre Frau?«, fragte eine Stimme neben ihm. Es war die junge Tamilin aus dem Tram, die er damals umgerissen hatte. Sie hatte das Gesicht zu ihm hochgewandt und sah ihn forschend an. Wie hieß sie? Sandana?

»Hallo, Sandana, Vanakkam, willkommen. Ich habe keine Frau.«

»Meine Mutter hat sie gesehen. In Ihrer Wohnung.«

»Wann war Ihre Mutter in meiner Wohnung?«

»Sie hat mal Mothagam für den Tempel abgeholt.«

Jetzt erinnerte er sich. Deshalb war ihm die Frau damals bekannt vorgekommen.

»Ach so, das war Andrea. Sie ist nicht meine Frau. Wir arbeiten zusammen. Ich koche, sie macht das Organisatorische und den Service.«

»Sie ist keine Tamilin.«

»Nein, sie wurde hier geboren.«

»Das wurde ich auch. Und trotzdem bin ich Tamilin.«

»Ich glaube, sie ist Schweizerin. Weshalb interessiert Sie das?«

Ihre dunkle Haut färbte sich noch ein wenig dunkler. Doch ihren Blick wandte sie nicht ab. »Wenn ich Sie schon sehe.«

Die Prozession hatte wieder den Tempeleingang erreicht. Die Menge bildete einen Halbkreis um die Kali-Statuette. Maravan wurde im Gedränge dicht an Sandana geschoben. Sie verlor kurz das Gleichgewicht und hielt sich an ihm fest. Er spürte ihre weiche warme Hand an seinem Handgelenk. Sie behielt sie dort, ein wenig länger als nötig.

»Kali, Kali! Warum hilfst du uns nicht?«, schluchzte eine Frau. Sie streckte der Göttin flehend die Hände entgegen und schlug sie sich vors Gesicht. Zwei Frauen neben ihr stützten sie und führten sie weg.

Als Maravan sich wieder Sandana zuwandte, sah er gerade noch, wie ihre Mutter sie wegzog und dabei eindringlich auf sie einsprach.

21

Die Finanzkrise war in Europa angekommen. England hatte Bradford & Bingley verstaatlicht, die Benelux-staaten neunundvierzig Prozent des Finanzkonzerns Fortis. Die dänische Bank Roskilde konnte nur dank ihrer Konkurrenten überleben. Die isländische Regierung hatte die drittgrößte Bank Glitnir übernommen, kurz darauf alle Banken unter staatliche Kontrolle gestellt und eindringlich vor der Gefahr eines Staatsbankrotts gewarnt.

Die europäischen Regierungen stellten der Finanzbranche eine Billion Euro zur Verfügung.

Auch die Schweizer Regierung ließ verlauten, dass sie notfalls weitere Maßnahmen zur Stabilisierung des Finanzsystems und zur Sicherung der Einlagen der Bankkunden ergreifen würde.

Im Huwyler war die Krise noch nicht angekommen. Außer in der Person von Eric Dalmann.

Er saß mit seinem Anlageberater, Fred Keller, wie immer an Tisch eins, aber heute auf Rechnung seines Gastes. Nicht etwa, weil es so schlimm um ihn gestanden hätte, aber Keller sollte es ruhig in seinem eigenen Portemonnaie spüren, was er angerichtet hatte.

Denn der hatte einen beachtlichen Teil seines *venture capital*, wie Dalmann augenzwinkernd den Teil seines Kapitals nannte, den er etwas spekulativer einsetzte, im amerikanischen Subprime-Markt investiert. Das nahm Dalmann ihm nicht übel, er war ja auch ein risikofreudiger Investor. Was er Keller aber nachtrug, war, dass der ihm empfohlen hatte, die Krise auszusitzen, als sie noch in ihren Anfängen stand. Der zweite grobe Schnitzer bestand darin, dass er alle diese Geschäfte über Lehman Brothers tätigte. Und der dritte, dass er den Teil des Kapitals, den er in Europa gelassen hatte, hauptsächlich in Anleihen in isländischen Kronen investiert hatte.

Und der vierte: dass ein beträchtlicher Teil des nicht spekulativen restlichen Vermögens in Finanztiteln angelegt war, namentlich in Aktien der größten Schweizer Bank.

Das Essen war denn auch bis jetzt eher wortkarg verlaufen. Sie aßen die Vorspeise des Menu Surprise, getrüffelte Wachtelmousse mit Wachtelessenz und Apfelkristallen, Dalmann auf seine gierige, gedankenlose Art, Keller mit etwas mehr Sorgfalt und Kinderstube.

»Niemand hat es kommen sehen«, betonte er. Er hatte den Satz schon einmal gesagt, bevor der Kellner den Gang gebracht hatte. Aber Dalmann hatte nicht darauf reagiert.

Jetzt tat er es: »Und weshalb ist es dann hier so voll?«, schnappte er. »Die sind alle ganz entspannt. Wer hat die beraten?«

»Die haben vielleicht einen niedrigeren Risikokapitalanteil. Den Risikokapitalanteil bestimmt der Kunde. Das habe ich immer gesagt. Der Kunde sagt, welchen Prozentsatz er konservativ anlegen will und welchen etwas dynamischer.«

»Dynamischer!«, stieß Dalmann aus, und dabei wurde ein winziges Stückchen Wachtelmousse auf den Teller seines

Beraters katapultiert. Keller blickte mit versteinerter Miene auf seine erst halb aufgegessene Vorspeise und legte Messer und Gabel parallel auf den Teller.

Dalmann hatte seinen leer und legte das Besteck ebenfalls ab. »Reden wir also von den konservativen. UBS, zum Beispiel.«

»Das waren Blue Chips. Kein Mensch …«

Dalmann unterbrach ihn: »Gehen sie runter? Gehen sie rauf?«

»Langfristig rauf.«

»Langfristig bin ich tot.«

In diesem Moment kam Huwyler an den Tisch. Bevor er den Mund aufmachen konnte, sagte Dalmann: »Sieht nicht nach Krise aus, hier drin.«

»Essen müssen die Leute immer«, erwiderte Huwyler. Nicht zum ersten Mal an diesem Abend.

»Und Qualität kennt keine Krise«, ergänzte Dalmann.

»Das sag ich auch immer«, sagte Huwyler grinsend.

»Ich weiß. Was kommt als nächster Gang?«

»Eine Überraschung, darum heißt das Menu ›Surprise‹.«

»Kommen Sie, sagen Sie schon. Ich hatte heute schon genug Überraschungen.«

Huwyler zögerte. »Bretonischer Hummer«, sagte er dann.

»Wie gemacht?«

»Das ist die Überraschung.«

»Sie wissen es nicht, hab ich recht?«

»Natürlich weiß ich es.«

»Deshalb haben Sie die Cloches abgeschafft, damit Sie sehen, was serviert wird.«

Huwyler ergriff die Chance zum Themawechsel. »Vermissen Sie die Cloches?«

»Ich fand, es hat das Essen aufgewertet.«

»Und ich fand, das haben wir nicht nötig.«

Huwyler wurde vom Kellner erlöst, der die Teller abräumte.

Auch wenn es Dalmann noch nicht ans Lebendige ging, so hatte er doch ernsthafte Probleme.

Viele seiner russischen Geschäftsfreunde, denen er hier Kontakte vermittelt und ein angenehmes Geschäftsklima geschaffen hatte, spürten die Krise und blieben aus.

Dann war da diese Sache mit Liechtenstein. Deutsche Steuerfahnder hatten einem Informanten die Bankdaten von Hunderten deutscher Staatsbürger abgekauft, die Konten bei der LGT Bank besaßen. Das hatte nicht nur negative Auswirkungen auf Dalmanns Kontaktvermittlungen nach Liechtenstein, es erhöhte auch den Druck auf das hiesige Bankgeheimnis und erschwerte so seine Vermittlungs- und Beratungstätigkeit.

Und das Thema Aktenvernichtung in der Atomschmuggelaffäre flackerte auch immer wieder auf. Jedes Mal mit dem Risiko, dass der Name Palucron und Dalmanns ehemalige Funktion als Verwaltungsrat dort in die Medien geriet.

Das alles wäre erträglicher gewesen, wenn nicht auch noch das Gesundheitliche hinzugekommen wäre. Er hatte sich zwar seit dem Herzinfarkt gut erholt, aber er war nicht mehr der Alte. Der Zwischenfall hatte ihn an seine Sterblichkeit erinnert und ihm ein wenig von seiner Lebensfreude genommen. Er tat zwar nach wie vor all die Dinge, die ihm sein Freund und Hausarzt Anton Hottinger schon immer verboten hatte, aber er tat sie nun mit schlechtem Gewissen.

Etwas, worunter er noch nie zuvor gelitten hatte, schon gar nicht in Bezug auf seinen Lebenswandel. Er hatte einmal gehört, dass die Laster, denen man mit schlechtem Gewissen fröne, viel ungesünder seien als die anderen.

Deshalb hatte er vor kurzem begonnen, anstatt an seinen Lastern systematisch an seinem Gewissen zu arbeiten. Bis jetzt hatte es noch keine spürbare Besserung gebracht.

22

Bis vor kurzem hatte Andrea Dagmars Schlafzimmer nicht in Beschlag genommen. Sie wollte sich die Möglichkeit einer Wohngemeinschaft offenhalten. Aber *Love Food* lief inzwischen so erfreulich, dass sie es sich leisten konnte, allein hier zu wohnen. Daher benutzte sie den Raum jetzt als Büro.

Es war ihr nicht ganz leichtgefallen, Dagmars letzte Spuren zu beseitigen: Die Reste der Klebestreifen für die Standbilder ihrer Lieblingsfilme, mit denen sie die Wand tapeziert hatte. Dagmar war ein Kinofreak. Sie liebte schwierige Studiofilme in unverständlichen Sprachen, besaß eine Sammlung schwedischer Stummfilme und war eine Kennerin des nachrevolutionären russischen Filmschaffens. Diese Vorliebe war die Ursache vieler Beziehungskrisen. Nicht nur, weil Andrea einen ganz anderen Filmgeschmack hatte, sondern vor allem deshalb, weil ihre Berufe ihnen wenig gemeinsame Freizeit erlaubten. Dagmar arbeitete als Dentalhygienikerin, und Andrea hatte keine Lust, die wenigen freien Abende jedes Mal mit ihrer Freundin bei einem Problemfilm zuzubringen.

Dagmars Leidenschaft war aber auch ein Teil der Faszination, die sie auf Andrea ausübte. Sie kleidete, schminkte und frisierte sich wie ein Stummfilmstar, rauchte, bevor sie gemeinsam das Rauchen aufgaben, mit einer langen Zigarettenspitze und richtete ihr Schlafzimmer ein wie eine Stargarderobe aus den zwanziger Jahren. Dass Andrea gerne das Glamouröse ihrer eigenen Erscheinung etwas betonte, war ein Überbleibsel aus ihrer Beziehung mit Dagmar.

Jetzt war der Raum frisch gestrichen und mit einem Bürokorpus, einem Schreibtisch mit Telefon und Desktop und einem verstellbaren Drehstuhl möbliert. Alles außer Telefon und Desktop stammte aus einem Secondhandladen in der Nähe von Maravans Wohnung.

Das Einzige, was jetzt noch an Dagmar erinnerte, war ein vergessenes Prisma aus Bergkristall, das an einer langen Schnur vor einem der beiden Fenster hing und manchmal die Strahlen der Morgensonne in ihre Spektralfarben brach und sie als farbige Lichtflecken ins Zimmer streute.

Andrea hätte kein Büro gebraucht, ein paar Telefonnummern, zwei Dossiers und ein Terminkalender hätten genügt für die Administration von *Love Food*. Aber es machte das Ganze professioneller. Mit einem Büro wurde *Love Food* zur Firma und ihre Arbeit zum Beruf.

Sie behielt das Zimmer auch deshalb nicht in Reserve, weil die wenigen Besucherinnen, die über Nacht blieben, bei ihr im Bett schliefen. Sie lebte als Single und hatte nicht vor, so bald wieder eine feste Beziehung einzugehen. Dafür, sich einsam zu fühlen, ließ ihr *Love Food* keine Zeit.

In diesem Büro saß sie und betrachtete die farbigen Lichtflecken, die über die Wände huschten, als Herr Mellinger, ihr allererster Gast, anrief. Sie war ein wenig überrascht. Es kam zwar öfter vor, dass Paare *Love Food* ein zweites Mal buchten. Aber bisher war alles über die Praxis von Esther

Dubois, der Therapeutin, gelaufen. Dass jemand sie direkt kontaktierte, war neu.

Es dauerte nicht lange, bis Andrea den Grund erfuhr.

Herr Mellinger räusperte sich ein wenig verlegen und kam dann zur Sache: »Machen Sie auch, ähm, diskrete Essen?«

»Wenn wir nicht diskret wären, könnten wir den Laden zumachen.«

»Klar, ich meine, ähm, auch diskret Frau Doktor Dubois gegenüber?«

»Ich verstehe nicht ganz.«

»Ich meine: Machen Sie auch solche Essen, ohne dass sie es erfährt?«

Andrea überlegte einen Moment. Dann beschloss sie, die Geschäftsbeziehung zu Esther – sie war mit zehn Prozent beteiligt – nicht leichtfertig aufs Spiel zu setzen. »Ich glaube, das wäre nicht fair. Und es könnte den Therapieerfolg gefährden.«

»Nicht im Rahmen der Therapie.« Mellinger klang jetzt etwas ungeduldig.

Und als Andrea immer noch nicht verstehen wollte, präzisierte er: »Nicht mit meiner Frau. Verstehen Sie?«

Andrea verstand. Dennoch, wenn Esther es erfuhr…

»Ich bezahle das Doppelte.«

Aber von wem sollte es Esther erfahren? Von Mellinger bestimmt nicht.

Sie sagte also zu und vereinbarte einen Termin.

Der Wohnraum der Dreizimmermaisonette lag im oberen Stock, zu dem eine enge Wendeltreppe führte. Er war vollgestopft mit rosarotem Kitsch: Kissen, Püppchen, Plüschtierchen, Porzellan-Nippes, Bildchen, Deckelchen, Wandbehängen, Federboas, Tutus, Glitter, Flimmer, Modeschmuck.

»Ich sammle Rosa«, hatte Alina erklärt, als sie Andrea in den Raum geführt hatte. Sie war eine kleine Blondine, ganz süß, wenn man den Typ mochte. Und Mellinger mochte ihn ganz offensichtlich. Die Wohnung war bestimmt nicht billig gewesen. Sie lag in einer guten Gegend, war neu und ihr Innenausbau teuer.

»Wollen wir uns nicht duzen? Du bist bestimmt nicht viel älter als ich«, schlug Alina vor.

Andrea willigte ein. Nach ihrer Schätzung war sie eher etwas jünger.

»Ich lass euch mal schalten und walten«, hatte Alina gesagt und sich für den Nachmittag verabschiedet. »Ich steh euch sowieso nur im Weg rum.«

Andrea und Maravan schleppten die runde Tischplatte, die Kissen und die Tücher die Wendeltreppe hinauf. Die Sachen stammten nicht mehr aus Maravans privatem Inventar, *Love Food* hatte sie angeschafft.

»Nicht ganz passend, fürchte ich«, sagte Andrea zu Maravan und zeigte auf die rosarote Bescherung.

»Im Gegenteil: Rosa ist bei uns Hindus die Farbe des Herz-Chakras. Grün und Rosa. Das Zentrum der Liebe, Anahata.«

Andrea machte sich an die Vorbereitung des Raumes, Maravan zog sich in die Küche zurück.

Später, als Andrea ihm zusah, wie er die knusprige mit der elastischen Folie aus Urd umwand – auch das etwas, bei dem er jedes Mal mehr Kunstfertigkeit entwickelte –, sagte er kopfschüttelnd, mehr zu sich als zu ihr: »Seltsam: so jung und schon diese Probleme.«

Andrea hatte ihn nicht über die besonderen Umstände dieses Auftrags und seiner Honorierung aufgeklärt. Sie sagte auch jetzt nichts, und falls es nicht nötig war, wollte sie es auch später nicht tun.

Er hätte es auch nicht erfahren, wäre diese Wendeltreppe nicht gewesen.

Andrea trug die Platte mit den Ghee-Sphären in den oberen Stock. Auf halbem Weg trat sie auf den Saum ihres Saris. Anstatt die Platte fallen zu lassen und sich am Geländer festzuhalten, versuchte sie, das Gleichgewicht ohne Hände wiederzuerlangen, und übertrat sich den Fuß.

Sie schaffte es zwar noch, den Gang zu servieren und in die Küche zurückzuhumpeln. Aber dann setzte sie sich auf einen Stuhl in der Küche und untersuchte ihr Fußgelenk. Es war schon ein wenig geschwollen. Maravan musste einspringen.

Er trug das Tablett mit Tee und Konfekt die Treppe hinauf und klopfte.

»Nur zu!«, rief eine Männerstimme.

Maravan betrat den Raum. Das Kerzenlicht verlieh dem Meer von Rosarot einen goldenen Glanz. In den Kissen räkelte sich Alina. Als sie merkte, dass es nicht Andrea war, verdeckte sie ihre Brüste mit dem Unterarm und stieß ein mehr amüsiertes als erschrockenes »Oh!« aus.

Der Mann saß mit dem Rücken zur Tür. Jetzt wandte er den Kopf und sagte: »He, he.« Auch sein Oberkörper war nackt.

Maravan erkannte ihn. Es war Herr Mellinger, der erste

Love-Food-Kunde. Einen Moment überlegte er, ob er wieder gehen und den beiden damit Zeit geben sollte, sich etwas anzuziehen.

»Lass dich nicht stören«, sagte Alina. »Wir sind schon ganz gespannt.«

Maravan stellte das Tablett auf die Tischplatte und räumte das Geschirr des letzten Gangs ab. Er gab sich Mühe, an den beiden vorbeizublicken, konnte aber dabei eine Herrenhose und einige rosa Wäschestücke nicht übersehen, die verstreut neben der Tafel lagen.

»Weshalb hast du nichts gesagt?«, fragte er Andrea in der Küche.

»Du hast diesmal nicht gefragt, ob sie verheiratet sind.«

»Weil ich dachte, es sei selbstverständlich.«

»Weshalb ist es so wichtig?«

»Wenn sie verheiratet sind, ist es etwas Normales. Jetzt ist es etwas anderes. Jetzt ist es unanständig.«

Andrea sah aus, als müsste sie sich zu einer Entscheidung durchringen. Dann sagte sie: »Darum ist es auch besser bezahlt. Wie alles Unanständige.«

23

Barack Obama hatte die Wahlen locker gewonnen. Ab nächstem Jahr würden die USA zum ersten Mal in ihrer Geschichte von einem farbigen Präsidenten regiert werden. Die Welt staunte, und Europa applaudierte fast noch frenetischer als das Land, das ihn gewählt hatte.

Nur in Dalmanns Kreisen, den nationalen und internationalen, war man skeptisch. Man hatte bei den vergangenen zwei Präsidentenwahlen für die Republikaner gezittert und es auch diesmal wieder getan. Deren Wirtschafts-, Außen- und vor allem Finanzpolitik waren voraussehbarer und kompatibler.

»Bad news«, hatte Dalmann geantwortet, als Schaeffer ihn mit der Bestätigung dessen weckte, was sich schon am späten Abend abgezeichnet hatte.

Die wirklich schlechten Nachrichten folgten aber ein paar Tage später: Die europäische Wirtschaft war erstmals hochoffiziell in die Rezession gerutscht. Das Bruttoinlandprodukt der Eurozone war zum zweiten Mal gesunken.

Für Dalmann das Signal, sich wieder vermehrt den Geschäften zuzuwenden, von denen er sich in den vergangenen Jahren nach und nach distanziert hatte.

In der Bar des Imperial saßen vier Herren bei ihren Drinks. Der Pianist spielte seine Evergreens, dezent, doch laut genug, um vertrauliche Gespräche an den Tischen zu ermöglichen.

Die Herren hatten im Huwyler gut gegessen und getrunken und genehmigten sich hier noch eine Nightcap. Bis zum Eintreffen der Damen.

Vier unauffällige Erscheinungen in dunklen Anzügen, zwei Europäer, ein Amerikaner und ein Asiate. Dieser mochte um die fünfzig sein und trug eine große runde Brille. Alle nannten ihn, wie es in Thailand üblich war, bei seinem Spitznamen. Seiner war Waen, Brille.

Sie unterhielten sich auf Englisch, einer mit thailändischem, zwei mit Schweizer und einer mit Südstaatenakzent.

Der Amerikaner hieß Steven X. Carlisle. Steve besaß eine kleine Firma in Memphis, die sich mit Import-Export befasste. Unter anderem war er als Vermittler tätig für den Kauf und Verkauf von neuen und gebrauchten Produkten verschiedener Waffenschmieden seines Landes. Auch die Firma von Waen mit Sitz in Bangkok war auf diesem Gebiet tätig.

Die beiden anderen Herren waren Eric Dalmann und Hermann Schaeffer, sein Mitarbeiter.

Es war das erste Mal, dass Steve und Waen sich begegneten. Dalmann hatte das Treffen arrangiert, und die beiden hatten sich auf Anhieb verstanden. Vor dem Essen hatte man in Dalmanns Büro seriös gearbeitet, und mit dem Resultat waren alle zufrieden.

Es ging um ein Geschäft, von dem Dalmann die Finger gelassen hätte, wenn die Zeiten besser gewesen wären. Aber in Anbetracht der – auch persönlichen – Finanzkrise und der Tatsache, dass das Geschäft quasi legal war, hatte sich Dalmann einverstanden erklärt, diese Vermittlerrolle zu übernehmen.

Die Handelsware bestand aus nicht kampfwertgesteigerten Panzerhaubitzen aus den fünfziger Jahren, die die Schweizer Armee ausgemustert hatte und denen die Verschrottung drohte. Waen hätte Abnehmer für das Material, das Problem war die Schweizer Gesetzgebung. Sie erlaubte zwar die Ausfuhr nach Thailand, aber nur gegen eine Nichtwiederausfuhr-Erklärung, deren Einhaltung von der Schweiz kontrolliert werden könnte.

Das Risiko, dass diese Kontrollen tatsächlich durchgeführt würden, war zwar nicht groß, aber angesichts der innenpolitischen Befindlichkeiten doch vorhanden. Waffenexporte in Konfliktländer waren zurzeit ein Thema, eine Volksabstimmung über ein Waffenausfuhrverbot stand bevor.

Nun hatte aber die Regierung vor ein paar Jahren eine Entscheidung zur Kriegsmaterialausfuhr getroffen, die dieses Problem löste: Ausgedientes Kriegsmaterial durfte ins Herstellerland zurückgehen, ohne dass eine Nichtwiederausfuhr-Erklärung verlangt wurde. Im Falle der Panzerhaubitze M-109 waren das die Vereinigten Staaten von Amerika.

Und hier kam Steve ins Spiel: Er würde die Ware für die Herstellerfirma zu einem symbolischen Betrag kaufen und als Produkte des Herstellerlandes an Waen liefern. Das war kein Problem, denn die USA waren der wichtigste Waffenlieferant Thailands.

Für den nächsten Vormittag hatte Schaeffer ein Meeting zwischen Carlisle, Dalmann und dem für die Liquidation der

Haubitzen zuständigen Beamten arrangiert. Mit anschließendem Lunch.

Waen würde dazustoßen, wenn der Beamte wieder gegangen war.

Der Barkellner begleitete zwei langbeinige Frauen in engen Cocktailkleidern an den Tisch. Die größere der beiden war schwarz. Ihr kurzgeschorenes Haar sah aus wie die enganliegende Badekappe einer Olympiaschwimmerin. Die vier Herren erhoben sich zur Begrüßung. Zwei von ihnen überließen den Damen ihre Stühle und verabschiedeten sich bis zum nächsten Tag.

24

Es war nur ein Anruf, aber ein folgenschwerer. Andrea war beim Einkaufen in der Wohnabteilung eines Warenhauses. Sie wählte Tücher aus, Kissen, Kerzenständer und ein paar andere Dekorationselemente. Nicht, weil *Love Food* diese Dinge dringend brauchte, sondern einfach, weil hier indische Woche war und die Geschäfte gut liefen.

Ihr Handy klingelte, und das Display zeigte einen Anruf von Esther an, der Therapeutin.

»Hallo, Esther!«, rief Andrea, übertrieben erfreut. »So *schön*, von dir zu hören!«

Esther war sachlich und kurz angebunden. »Meine Aufgabe ist es, bei Paaren Probleme zu lösen und nicht, welche zu verursachen. Deswegen beende ich ab sofort unsere Zusammenarbeit.«

»Ich versteh nicht.« Andreas Stimme war ernst und leise geworden.

»Seine Frau ist hinter Mellingers Affäre gekommen. Er hat euch ins Spiel gebracht. Wie konntest du nur.«

»Er hat nicht lockergelassen. Es tut mir leid.«

»Mir auch.«

Damit beendete Esther das Gespräch. Andrea legte die Sachen, die sie ausgesucht hatte, wieder an ihren Platz zurück.

Love Food war für die nächsten zwei Wochen zwar noch gut ausgelastet, aber es trafen tatsächlich keine neuen Buchungen mehr ein.

Esther hatte Ernst gemacht. Andrea hatte noch versucht, sie umzustimmen, aber es hatte nichts genützt. »Weißt du«, hatte Esther gesagt, »ich habe einen Ruf zu verlieren. Wenn *Love Food* so halbseiden wird, kann ich meine Patienten gleich in den Puff schicken.«

Andrea hatte Esther im Verdacht, dass sie froh über den Vorwand war, die Zusammenarbeit aufzukünden, und beging den Fehler, das zu äußern. »Klar«, hatte sie bemerkt, »du hast nichts davon, wenn die Patienten direkt zu uns kommen und danach nicht mehr zu dir.«

Falls noch eine winzige Chance bestanden hätte, Esther von ihrem Entschluss abzubringen, hatte Andrea sie mit dieser Bemerkung zunichtegemacht.

Maravan hatte sie nicht gleich über die Entwicklung unterrichtet. Er selbst fragte schließlich: »Haben wir weniger Anfragen, oder nimmst du nicht mehr alle an?«

Erst jetzt legte sie ein Geständnis ab.

Er hörte ruhig zu und sagte daraufhin: »Dann kann ich ja endlich mal wieder etwas anderes kochen.«

»Und wo finde ich die Kunden für normales Essen?«

Maravan antwortete: »Meine Essen sind nie normal.«

Andrea hatte recht. Ohne die erotische Komponente war *Love Food* einfach eine kleine Cateringfirma mit dem Handicap, dass sie ihre Tätigkeit schwarz ausübte und auf Mundpropaganda angewiesen war. Aber wer machte Mundpropaganda für eine Firma, die niemand kannte? Sie brauchten einen Anfang.

Andrea bemühte sich vergeblich um einen ersten Auftrag. Es war Maravan, der die naheliegende Idee hatte. »Warum machst du nicht einfach eine Einladung? Und wenn es allen geschmeckt hat, sagst du, dass wir das auch bei ihnen zu Hause machen können.«

Sie stellte eine Liste zusammen aus den sozial aktivsten, finanziell bestgestellten, experimentierfreudigsten und kommunikativsten Mitgliedern aus ihrem Bekanntenkreis und kam auf zwölf. Darunter kein einziger Mann.

Man schrieb den fünfzehnten November. In Washington trafen sich die zwanzig führenden Industrie- und Schwellenländer zum Weltfinanzgipfel und beschlossen eine Neuordnung der globalen Finanzmärkte. Die sri-lankische Armee setzte ihren Beschuss der Stadt Kilinochchi fort. Und der Schweizer Verteidigungsminister wurde von seiner eigenen Partei aus dem Amt gemobbt.

Andrea war dabei, das Esszimmer zu dekorieren und den Tisch zu decken. Sie hatten beschlossen, mit Besteck und nicht mehr am Boden zu essen. Auch ein wenig indische Hintergrundmusik hatte Maravan bewilligt. Nur gegen Räucherstäbchen hatte er sein Veto eingelegt.

Er stand in Andreas Küche und konnte endlich wieder einmal nach Herzenslust kochen. Er musste nicht auf die aphrodisische Wirkung der Speisen achten, sein Arsenal an Küchengeräten war gewachsen und setzte seiner Experimentierfreude kaum noch Grenzen. Seit zwei Tagen war er mit den Vorbereitungen beschäftigt.

Das Menü bestand aus seinen experimentellen Versionen klassischer indischer Gerichte:

Zimtcurrykaviar-Chapatis

In Gelbwurz marinierte Babysnapper mit Molee-Curry-Sabayon

Gefrorene Mangocurry-Espuma

Koteletts vom Milchlamm in Jardaloo-Essenz mit
Dörraprikosenpüree

Buchenholzgeräuchertes Tandoori-Stubenküken auf
Tomaten-Butter-Paprikagelee

Kulfi mit Mangoluft

Damit war es zwar etwas kleiner als der *Love-Food*-Klassiker, aber insofern aufwendiger, als bei jedem Gang kurz vor dem Servieren letzte Hand angelegt werden musste. Sechs Mal für zwölf Personen.

Maravan war nervös wie ein Läufer vor dem Start. Und dass die ebenfalls nervöse Andrea alle paar Minuten hereinkam, machte es auch nicht besser.

Im digitalen Wasserbad, einer Neuanschaffung von *Love Food,* garten bei exakt 65 Grad die Milchlammkoteletts, gemeinsam mit den Tandoori-Küken, einer anderen seiner Neuschöpfungen. Er war am Curry, das die Basis für den Molee-Sabayon bildete, die Zwiebeln, die er in seiner *tawa* im Kokosöl mit Chilis, Knoblauch und Ingwer anschwitzte, waren gerade honiggelb geworden, als Andrea wieder hereinkam.

»Dass du nicht erfrierst am offenen Fenster.«

Er antwortete nicht. Er hatte ihr schon zu oft erklärt, dass er nicht in einem Chaos von Gerüchen arbeiten konnte. Er musste seine Küche immer wieder durchlüften, damit er die

Düfte trennen und präzise arbeiten konnte. Seine Currys kochte er nicht nach Mengenangaben, er kochte sie nach seiner Nase.

Und diese Nase sagte ihm, dass genau jetzt der Moment gekommen war, Tomaten, Pfefferkörner, Nelke, Kardamom und Curryblätter hinzuzufügen.

»Wenn du mal einen Moment Zeit hast, wäre ich froh, wenn du kurz rüberkommen könntest.«

Er musste sie gereizt angesehen haben, denn sie sagte: »Nur kurz, bitte, ganz kurz.«

Sie wartete, bis er ihr ins Esszimmer folgte.

Die Sitzgruppe, die aus dem Raum ein Wohn-Ess-Zimmer gemacht hatte, hatten sie gemeinsam ins Büro gebracht, sonst hätte der Tisch für zwölf keinen Platz gehabt. Diesen und die Stühle hatte sie sich bei einem früheren Arbeitgeber geborgt, der am Stadtrand eine alternative Gartenwirtschaft betrieb. Jetzt war er mit verschiedenen indischen Tüchern bedeckt, die sie nun doch im Warenhaus mit der indischen Woche gekauft hatte. Über die ganze Länge lief ein Mittelstück aus zwei längsgefalteten weißen Tischtüchern. Darauf die zu einer Girlande arrangierten Orchideenrispen, wie man sie in Thai-Läden für wenig Geld kaufen konnte, unterbrochen durch Kerzenleuchter. Das Kerzenlichtkonzept hatten sie beibehalten.

»Und?«, fragte Andrea.

»Schön«, antwortete er.

»Nicht kitschig?«

»Kitschig?« Maravan kannte das Wort nicht. »Sehr schön«, bekräftigte er noch einmal und ging zurück in die Küche.

Für die Amuse-bouches blieb er bei den Minichapatis. Aber anstatt die Curryblätter-Zimt-Kokosöl-Essenz aus der

Pipette daraufzuträufeln, entfettete er sie, ließ sie in Calcium-chloridwasser zu Kaviarperlen gerinnen, rieb etwas Kokosfett darüber und schmückte damit die warmen Minichapatis.

Die Herstellung dieses falschen Kaviars musste er auf den letzten Moment hinausschieben, damit die Kügelchen nicht durchgelierten. Sie mussten innen flüssig sein und zwischen Zunge und Gaumen zerplatzen. Andrea kam schon wieder herein. Sie hatte ihr Telefon in der Hand und ein ungläubiges Lächeln auf dem Gesicht. »Das glaubst du jetzt nicht.«

Maravan arbeitete weiter, ohne aufzublicken.

»Da ruft einer an und sagt: ›Sie machen doch so Sexessen.‹«

»Was hast du gesagt?«

»Er sei falsch verbunden.«

»Gut.«

»›Ich bin doch mit *Love Food* verbunden?‹, hat er geantwortet.«

»Woher hatte er die Nummer?«

»Von dem Freund eines Freundes.«

»Nämlich?«

»Das tue nichts zur Sache, meinte er. ›Machen Sie jetzt Sexessen oder nicht?‹« Andrea sagte es mit tiefer Stimme in einem breiten, etwas ordinären Dialekt.

»Und dann?«

»Habe ich nein gesagt.«

»Siehst du seine Nummer auf dem Display?«

»Ja.«

»Dann schau doch im Internet nach, wer es war.«

»Geht nicht. Es ist eine Handynummer.«

Es dauerte über eine halbe Stunde, bis alle Gäste eingetroffen waren. Maravan hörte durch die geschlossene Küchentür die spitzen Wiedersehensschreie und das überdrehte Lachen der Ankommenden. Ab und zu brachte Andrea eine leere Champagnerflasche in die Küche und ging mit einer vollen wieder hinaus.

Endlich streckte sie den Kopf herein und sagte: »Los!«

Das war Maravans Startzeichen.

Fast drei Stunden später setzte er sich auf einen Küchenstuhl, zufrieden mit seiner Leistung und dem reibungslosen Ablauf der Speisenfolge. Da kam Andrea herein, strahlend und ein bisschen beschwipst, nahm ihn bei der Hand und führte ihn ins Esszimmer.

Dort saßen die zwölf Frauen stumm im schmeichelhaften Licht der Kerzen und wandten ihre Gesichter der Tür zu.

»Meine Damen, darf ich vorstellen: Meister Maravan!«, rief Andrea aus.

Der Jubel und Applaus, der dieser Vorstellung folgte, machten Maravan so verlegen, dass er ihn steif und ernst entgegennahm.

Andrea erhielt am nächsten Tag Anrufe, und am übernächsten Briefe von ihren begeisterten Gästen. Die meisten kündigten an, schon sehr bald, zwei sagten sogar sehr, sehr bald, die Dienste von *Love Food* in Anspruch nehmen zu wollen. In einem Fall gab es auch schon einen verbindlichen Termin: in zehn Tagen, am 27. November, neunzehn Uhr dreißig, vier Personen.

Der Erfolg war allerdings nötig. Für das Essen hatte *Love Food*, Champagner und Wein inbegriffen, über zweitausend Franken investiert. Weder Andrea noch Maravan hatten einen nennenswerten Betrag auf der hohen Kante. Sie hatten in Anbetracht der guten Geschäftslage etwas viel Geld ausgegeben. Und *Love Food* hatte in das eine oder andere Hightechküchengerät investiert, das sich die Firma in der heutigen Situation nicht geleistet hätte.

Sie waren auch gezwungen, die Preispolitik zu ändern. Die Ansätze für die nichttherapeutischen Essen mussten natürlich niedriger sein. Andrea hatte kalkuliert, dass sie diese Einbuße durch die höhere Anzahl Gäste ausgleichen würde. Einen Schnitt von sechs hatte sie errechnet. Da war die erste Reservierung für vier kein guter Start.

Als eine Woche nach dem Promotionsessen noch immer kein weiterer Auftrag eingegangen war, wurde Andrea nervös. Sie rief die Bekannte an, die »schon sehr, sehr bald« eine Buchung angekündigt hatte, und sagte: »Ich habe für dich in den nächsten zehn Tagen ein paar Daten offengehalten und wollte einfach sicher sein, dass du nichts geplant hast, bevor ich sie vergebe.«

»Ach«, sagte die Stimme am anderen Ende, »*so lieb,* dass du anrufst. Wir haben da ein paar Terminschwierigkeiten. Ich möchte nicht, dass du wegen mir etwas ablehnst. Weißt du, was? Vergib die Termine, und ich probier's, sobald wir den Überblick haben. Wenn es bei euch dann nicht geht, was mich nicht überraschen würde: selber schuld.«

Die anderen Kundinnen, die mit einem »sehr« weniger, aber immerhin »schon sehr bald« eine Buchung versprochen hatten, reagierten mit ähnlichen Ausflüchten auf Andreas Anruf.

25

Maravan kniete vor seinem Hausaltar. Seine Stirn berührte den Boden. Er betete zu Lakshmi für Ulagu.

Heute hatte ihn die Nachricht erreicht, dass Ulagu seit einem Tag verschwunden war. Am Morgen war er noch bei seinen Geschwistern gewesen, am Abend fehlte von ihm jede Spur.

Wenn im Norden Sri Lankas ein vierzehnjähriger Junge verschwand, war die erste Angst, dass er umgekommen, und die zweite, dass er Soldat geworden war. Freiwillig oder unfreiwillig, bei den Tamil Tigers oder bei denen, die sie zusammen mit der sri-lankischen Armee bekämpften, den Karuna-Rebellen.

Maravan betete dafür, dass es nicht so war. Dafür, dass er sich in diesem Moment, in dem er für ihn betete, bereits wieder wohlbehalten bei seiner Familie befand.

Aus der Küche ertönte die Melodie seines Handys. Er kümmerte sich nicht darum, schloss sein Gebet ab und begann mit verhaltener Stimme sein Mantra zu singen.

Als er geendet hatte, richtete er sich auf, faltete die Hände vor der Brust, verneigte sich und berührte die Stirn. Er stand auf und ging zurück in die Küche, zu seinen Vorbereitungen für das Essen von übermorgen, die er für das Gebet unterbrochen hatte.

Auf dem kalten Herd standen vier Eisentöpfe, jeder mit einem andersfarbigen Curry: Ein Lammcurry mit Joghurt für Hellbraun. Ein Fischcurry mit Kokosmilch für Gelb. Ein Gemüsecurry für Grün. Ein Hummercurry aus Goa für Orange.

Er wollte daraus vier Gelifikationen machen und jede davon mit ihrer Hauptzutat belegen: Einer rosa gegarten Scheibe Lammfilet auf die hellbraune, einem gedämpften Heilbuttbäckchen auf die gelbe, einer mit rosa Linsen gefüllten Okra für die grüne, einer Hummer-Rosette für die orangefarbene.

Er machte wieder Feuer unter den Töpfen und wartete abwesend, bis erneut die ersten Blasen stiegen.

Das Handy auf dem Arbeitskorpus fiel ihm ein. Ein entgangener Anruf, vermeldete es, und eine Textnachricht.

STOPP ESSEN ABGESAGT A

Maravan ging zum Herd und drehte das Gas ab. Es war ihm egal.

Auch am dritten Tag nach Ulagus Verschwinden gab es keine Spur.

Am vierten kamen die Tiger.

Maravan experimentierte in seiner Küche mit verschiedenen Gelifikationsdosierungen, als es klingelte. Vor der Wohnungstür standen zwei Landsleute. Einen kannte er. Er hieß Thevaram und war der LTTE-Mann, der ihm den Mothagam-Job für den Tempel vermittelt und dafür die Spende von tausend Franken eingestrichen hatte.

Der andere trug ein Aktenköfferchen. Thevaram stellte ihn als Rathinam vor. »Dürfen wir reinkommen?«

Maravan ließ sie widerstrebend herein.

Thevaram warf einen Blick in die Küche. »Gut eingerichtet. Das Geschäft scheint zu laufen.«

»Was kann ich für Sie tun?«, fragte Maravan.

»Einen Catering-Service haben Sie aufgezogen, hört man.« Der, den Thevaram als Rathinam vorgestellt hatte, sagte nichts, sah Maravan nur unverwandt an.

»Ich koche manchmal für Leute«, sagte Maravan. »Kochen ist mein Beruf.«

»Und mit Erfolg. Über sechstausend Franken nach Hause geschickt in den letzten Wochen, gratuliere!«

Es überraschte Maravan nicht, dass der Batticaloa-Basar diese Leute mit Details versorgte. »Meine Großtante ist sehr krank«, antwortete er nur.

»Und Ori das ganze Darlehen zurückbezahlt, gratuliere noch einmal!«

Ori also auch, dachte Maravan und wartete.

»Gestern war Mavirar«, fuhr Thevaram fort, »Tag der Helden.«

Maravan nickte.

»Wir wollten Ihnen die Rede von Velupillai Pirapaharan bringen.« Thevaram blickte zu seinem Begleiter. Dieser öffnete sein Aktenköfferchen und entnahm ihm einen Computerausdruck. Am Kopf der ersten Seite ein Porträt des untersetzten LTTE-Führers im Tarnanzug, darunter viel Text.

Maravan nahm das Papier entgegen. Die beiden gaben ihm die Hand.

»Noch einmal herzliche Glückwünsche zum Erfolg. Wir drücken die Daumen, dass die Behörden nichts von Ihrer lukrativen Tätigkeit erfahren. Sie wissen ja, wie stur die hier sind. Vor allem, wenn einer daneben noch stempelt.«

In der Tür sagte Rathinam zum ersten Mal etwas: »Lesen Sie die Rede. Vor allem den Schluss.«

Maravan hörte ihre Schritte im Treppenhaus und dann das gedämpfte Dingdong einer Türklingel eine Etage tiefer.

Der Schluss der Rede lautete: »An diesem historischen Scheideweg fordere ich die Tamilen auf, an welchem Ort der Welt sie auch immer leben mögen, fest und entschlossen ihre Stimme zu erheben zur Unterstützung des Freiheitskampfes ihrer Brüder und Schwestern in Tamil Eelam. Ich fordere sie von ganzem Herzen auf, unsere Freiheitsbewegung zu stärken und fortzufahren mit ihren Spenden und Hilfen. Bei dieser Gelegenheit möchte ich auch unserer tamilischen Jugend, die außerhalb unserer Heimat lebt, meine Zuneigung und mein Lob aussprechen für die wichtige und engagierte Rolle, die sie spielt, indem sie aktiv zur Befreiung unserer Nation beiträgt.

Lasst uns alle den festen und unumstößlichen Entschluss fassen, uneingeschränkt dem Pfad unserer Helden zu folgen, die sich im Kampf um Freiheit und Gerechtigkeit geopfert haben und so Teil unserer Geschichte und unseres Volkes geworden sind.«

Maravan ging in die Küche, warf das Papier in den Müll und wusch sich Gesicht und Hände besonders gründlich. Vor dem Wohnzimmer zog er die Schuhe aus, kniete vor den Hausaltar, zündete den Docht der Deepam an und betete inbrünstig dafür, dass Ulagu nicht dem Pfad der Helden folgen möge.

26

Andrea saß in ihrem Rattansessel im Wintergarten und fror. Sie trug dicke Wollsocken und hatte die Beine angezogen, damit der Kaschmirschal bis über die Fußspitzen reichte. Der Schal war ein Geschenk von Liliane, Dagmars Vorgängerin. Sie hatten sich im Sulawesi kennengelernt, einem Szenerestaurant, das mit internationaler Fusionküche eine kurze Hochblüte erlebt hatte und wieder von der Bildfläche verschwunden war. Liliane war Analystin bei einer Großbank und Stammgast im Sulawesi. Andrea hatte ihren Tisch am ersten Abend ihres Arbeitsantritts bedient und ein bisschen geflirtet. Als sie weit nach Mitternacht das Restaurant verließ, hatte Liliane sie in ihrem roten Porsche Boxster erwartet und gefragt, ob sie sie nach Hause fahren dürfe. »Zu wem nach Hause?«, hatte Andrea gefragt.

Das war lange her, und der Kaschmirschal hatte ein paar Mottenlöcher, über die sich Andrea jedes Mal ärgerte, wenn sie ihn aus dem Schrank holte.

Der Novemberföhn rüttelte an den klapprigen Fenstern, der Durchzug bewegte die Zimmerpalmen. Sie hatte einen Elektro-Ofen in die Mitte des Raumes gestellt, denn der einzige Radiator war nur lauwarm. Er müsste entlüftet werden, aber Andrea wusste nicht, wie. Das hatte immer Dagmar gemacht.

Der Elektro-Ofen würde die Stromrechnung in die Höhe treiben, aber das war ihr egal. Sie weigerte sich zu akzeptieren, dass sie den Wintergarten ausgerechnet im Winter nicht benutzen konnte.

Sie legte die ausgelesene Zeitung beiseite und tat etwas, das sie seit Wochen nicht mehr getan hatte: Sie nahm sich den Bund mit den Stellenanzeigen vor, den sie sonst unbesehen mit der übrigen Werbung weggeschmissen hatte.

Bis zum Jahresende hatte *Love Food* ganze drei Buchungen. Zwei als Resultat ihres Promotionsessens und eine von einem von Esthers Patientenpaaren, das sich direkt an sie gewandt hatte. Und das im Dezember, der kulinarischen Hochsaison.

Selbst wenn noch eine oder zwei Reservierungen dazukamen – fürs Überleben von *Love Food* reichte es nicht. Sie sah zwei Möglichkeiten: stempeln, wie Maravan. Oder eben: die Stellenanzeigen. Vielleicht fand sie einen Job, bei dem sie am Abend freihatte, damit sie für *Love Food* zur Verfügung stand, wenn sie gebucht waren. Sie hatte die Hoffnung nicht aufgegeben, dass Esther Dubois sich wieder melden könnte oder jemand anders aus ihrer Zunft. Sie hing nach wie vor an der Idee – ihrer Idee – eines aphrodisischen Caterings und hoffte, dass Maravans Aufenthaltsstatus es bald erlauben würde, *Love Food* ganz offiziell zu betreiben.

Sie hätte es ihm gegenüber unfair gefunden, so schnell aufzugeben. Sie fühlte sich verantwortlich für seine Situation. Ohne sie würde er jetzt wohl noch immer bei Huwyler arbeiten. Und ihr Fehler war es schließlich auch, dass die Aufträge von Esther Dubois ausblieben.

Sie ließ den Stellenanzeiger auf den Boden fallen, zog den

Schal bis unters Kinn und wandte sich in Gedanken wieder der Sanierung von *Love Food* zu.

Aber es war ein überraschender Anruf von Maravan, der die Lösung brachte.

Am Tag zuvor hatte Maravan am Stehtisch einer Imbissbude im Hauptbahnhof gestanden. Er trug Wollmütze und Schal und nippte an seinem Tee. Vor ihm lag eine gefaltete ungelesene Sonntagszeitung, in die er einen Briefumschlag mit dreitausend Franken in großen Noten gesteckt hatte. Es war fast alles, was ihm vom *Love-Food*-Einkommen übriggeblieben war.

Gestern hatte er erfahren, dass seine Schwester einen Brief von Ulagu erhalten hatte. Darin hatte er geschrieben, dass er sich dem Kampf für Freiheit und Gerechtigkeit verschrieben und den Kämpfern der LTTE angeschlossen habe. Es sei seine Schrift, hatte die Schwester gesagt, aber nicht seine Sprache.

Er sah Thevaram kommen. Er bahnte sich durch die Reisenden, Wartenden und Müßiggänger eines sonntäglichen Bahnhofs seinen Weg, neben ihm der schweigsame Rathinam.

Sie begrüßten ihn und stellten sich zu ihm ans Tischchen. Keiner der beiden machte Anstalten, sich am Stand ein Getränk zu holen.

Maravan deutete auf die Zeitung. Thevaram zog sie zu sich heran, hob sie etwas an, ertastete mit einer Hand den Umschlag und zählte, ohne hinzusehen, die Noten. Dann hob er anerkennend die Brauen und sagte: »Ihre Brüder und Schwestern in der Heimat werden es Ihnen danken.«

Maravan nahm einen Schluck Tee. »Vielleicht können sie auch etwas für mich tun.«

»Sie kämpfen für Sie«, erwiderte Thevaram.

»Ich habe einen Neffen. Er hat sich den Kämpfern ange-schlossen. Er ist noch keine fünfzehn.«

»Es gibt viele tapfere junge Männer unter unseren Brü-dern.«

»Er ist kein junger Mann. Er ist ein Kind.«

Thevaram tauschte einen Blick mit Rathinam.

»Ich werde den Kampf noch mehr unterstützen.«

Wieder tauschten die beiden Blicke. »Wie heißt er?«, fragte da plötzlich Rathinam.

Maravan gab ihm den Namen, Rathinam notierte ihn in ein Notizbuch.

»Danke«, sagte Maravan.

»Bis jetzt habe ich nur seinen Namen notiert«, antwortete Rathinam.

Dieses Treffen hatte zu Maravans Entschluss geführt, Andrea anzurufen.

Er war sich zwar nicht sicher, ob Thevaram und Rathi-nam auf Ulagus Schicksal Einfluss nehmen konnten, aber er wusste, dass der Arm der LTTE lang war. Er hatte von Asyl-bewerbern gehört, deren Spendebereitschaft von den Befrei-ungstigern mit kaum verhohlenen Drohungen gegen die zu Hause gebliebenen Angehörigen gefördert wurde. Wenn sie in der Lage waren, über diese Distanz das Leben von Menschen zu bedrohen, lag es vielleicht auch in ihrer Macht, es zu retten.

Maravan hatte keine Wahl. Die Chance, und sei sie noch so klein, dass die beiden etwas für Ulagu tun konnten, musste er ergreifen. Und das kostete Geld. Mehr, als er jetzt verdiente.

Im kalten Wohnzimmer roch es nach Heizöl. Maravan hatte lange gebraucht, um den Ölofen anzuzünden. Jetzt kniete er fröstelnd barfuß und im Sarong vor dem Hausaltar und machte seine Puja. Trotz der Kälte nahm er sich mehr Zeit dafür als sonst. Er betete für Ulagu und für sich, damit er die richtige Entscheidung traf.

Als er aufstand, stellte er fest, dass der Ofen ausgegangen und der Boden der Brennkammer von Öl überschwemmt war. Er machte sich an die verhasste Arbeit, das Öl mit Haushaltspapier aufzusaugen. Als er es endlich geschafft hatte und der Ofen wieder brannte, stanken Maravan und die ganze Wohnung nach Öl. Er öffnete die Fenster, duschte lange, zog sich warm an, machte Tee und schloss die Fenster.

Maravan zog den Stuhl vom Computer weg und zum Ofen hin. In seiner Lederjacke, die Teetasse dicht vor dem Oberkörper, saß er im schwachen Licht der Deepam, die noch immer vor dem Altar flackerte, und dachte nach.

Kein Zweifel, es war gegen seine Kultur, gegen seine Religion, gegen seine Erziehung und gegen seine Überzeugung. Aber er befand sich nicht in Sri Lanka. Er war im Exil. Da konnte man nicht leben wie zu Hause.

Wie viele Frauen der Diaspora gingen zur Arbeit, obwohl es doch ihre Aufgabe wäre, den Haushalt zu führen, die Kinder zu erziehen und die Traditionen und religiösen Bräuche zu pflegen und weiterzugeben? Aber hier mussten sie Geld dazuverdienen. Das Leben hier zwang sie dazu.

Wie viele Asylbewerber waren gezwungen, Arbeiten zu verrichten, die nur den untersten Kasten zustanden, Kochhilfen, Putzhilfen, Pflegehilfen? Die meisten, denn das Leben hier zwang sie dazu.

Wie viele Hindus der Diaspora mussten den Sonntag zum heiligen Tag der Woche machen, obwohl es doch eigentlich der Freitag war? Alle, das Leben hier zwang sie dazu.

Weshalb sollte also er, Maravan, nicht auch etwas tun, das zu Hause gegen Kultur, Tradition und Anstand verstoßen würde, wenn ihn das Leben im Exil dazu zwang?

Er ging zum Telefon und wählte Andreas Nummer.

»Wie sieht es aus?«, war Maravans erste Frage, als Andrea sich meldete.

Sie zögerte einen Moment mit der Antwort. »Ehrlich gesagt, ziemlich mies. Nach wie vor nur drei Bestellungen.«

Eine Weile war es still am anderen Ende. Dann sagte Maravan: »Ich glaube, ich würde es jetzt doch machen.«

»Was?«

»Die schmutzigen Sachen.«

Andrea verstand sofort, fragte aber: »Welche schmutzigen Sachen?«

Maravan zögerte. »Wenn wieder mal einer anruft und so – Sexessen will. Von mir aus kannst du zusagen.«

»Ach das. Okay, ich werde es mir merken. Und sonst?«

»Sonst nichts.«

Sobald Maravan aufgelegt hatte, suchte sie die Nummer des Anrufers heraus, die sie sich damals für alle Fälle notiert hatte.

27

Das Appartement im Falkengässchen befand sich im vierten Stock, mitten in der Altstadt in einem aufwendig restaurierten Haus aus dem siebzehnten Jahrhundert, wenn man der Aufschrift über der Tür glauben durfte. Ein neuer, lautloser Aufzug hatte sie heraufgebracht. Das Wohnzimmer und die Küche nahmen die ganze Etage ein. Die Dachschräge reichte bis in den Giebel und öffnete sich auf eine Dachterrasse, von der aus man die Ziegeldächer und die Kirchtürme der Altstadt sehen konnte.

Durch die Wand zum Nachbarhaus führte eine Tür. Dahinter lagen zwei große Schlafzimmer mit je einer Sitzgruppe und einem luxuriösen Bad. Alles war neu und teuer, aber mit schlechtem Geschmack eingerichtet. Viel Marmor und vergoldete Armaturen, hochflorige Teppiche, zweifelhafte Antiquitäten und Chromstahlmöbel, Schalen mit getrockneten und parfümierten Blütenblättern.

Die Wohnung erinnerte Andrea an eine Hotelsuite. Sie sah nicht aus, als lebte jemand darin.

Als sie den Mann anrief, der damals nach den »Sexessen« gefragt hatte, meldete er sich mit einem barschen »Ja!«. Er hieß Rohrer und war gleich zur Sache gekommen. Sie – er ging nicht darauf ein, wer »sie« waren – organisierten ab und zu private Diners zur Entspannung. Die Gäste waren Leute, die Wert auf Diskretion legten. Falls sie glaube, dass sie so etwas bieten könne, würde er ein Testessen arrangieren. Je nach Ergebnis würde dieses weitere Aufträge nach sich ziehen.

Bereits am nächsten Tag traf sich Andrea mit Rohrer, um die Örtlichkeiten zu besichtigen. Er war ein kurzgeschorener Mann Ende dreißig, der sie mit professionellem Blick musterte. Sie war einen Kopf größer als er, in dem engen Lift zum Appartement roch sie seine Mischung aus Schweiß und Paco Rabanne.

Sie befand die Lokalität für geeignet und den vorgeschlagenen Termin in vier Tagen für – sie konsultierte umständlich ihren Terminkalender – machbar.

Das Essen wurde im Schlafzimmer serviert. Die Sitzgruppe war entfernt worden, und Andrea hatte mit Tüchern und Kissen die übliche Tafel gebaut. Inklusive Fingerbowlen aus Messing. Denn ab sofort wurde wieder von Hand gegessen.

Maravan arbeitete zum ersten Mal mit einer hohen Kochhaube. Andrea hatte darauf bestanden, und es steckte zurzeit nicht viel Widerspruchsgeist in ihm.

Das Essen war für eine Dame und einen Herrn bestimmt. Rohrer würde sich verabschieden, sobald die Gäste eingetroffen waren. Aber Andrea und Maravan sollten nach dem letzten Gang bleiben, bis sie gerufen würden.

Er kochte sein Standardmenü. Mit der üblichen Sorgfalt, aber ohne die übliche Leidenschaft, wie Andrea fand.

Der Mann war Rohrers Chef. Er war Anfang fünfzig und etwas zu gepflegt, trug einen Blazer mit Goldknöpfen zu einer grauen Gabardinehose, ein blau-weiß gestreiftes Hemd, dessen weißer hoher Kragen von einer goldenen Nadel zusammengehalten wurde. Sie bildete einen Steg unter dem Knoten der gelben Krawatte.

Er hatte grüne Augen und rötliches halblanges, nach hinten gegeltes Haar. Andrea fielen seine Nägel auf. Sie waren sorgfältig manikürt und poliert.

Er warf einen Blick in die Küche, begrüßte Andrea und Maravan und stellte sich als Kull vor. Kull, René.

Seine Begleitung sah sie erst, als sie den beiden den Champagner brachte. Sie saß vor dem Schminktisch und wandte Andrea den schmalen, tief dekolletierten Rücken zu. Ihr Haar war millimeterkurz geschnitten und verlief im Nacken zu einem Keil. Ihre Haut war von einem tiefen Ebenholz, das matt im Licht von Andreas Kerzenmeer glänzte.

Als sie sich umwandte, sah Andrea eine runde Stirn, wie sie Frauen aus Äthiopien oder dem Sudan haben. Ihre vollen Lippen waren rot geschminkt und verzogen sich jetzt zu einem überraschten, interessierten Lächeln.

Andrea strahlte zurück. Sie hatte schon lange keine so schöne Frau mehr gesehen. Sie hieß Makeda. Makeda gab sich mit solcher Lust und Freude dem Essen hin, dass Andrea zweifelte, ob sie eine Professionelle war. Kull dagegen wahrte die Contenance und öffnete nicht einmal den Kragen, der ihn schon bei der Ankunft zu ersticken drohte.

Als die Tempelglocke nach dem Konfekt für eine Weile verstummte, lauschte Andrea unruhig auf die Geräusche, die aus dem Zimmer drangen. Da kam Kull in die Küche.

»Es ist natürlich vor allem das Wissen, dass es sich um ein erotisches Menü handelt, das diese Wirkung ausübt. Plus das ganze Drum und Dran, die Kerzen und dass man mit den Händen isst. Aber tun Sie da noch etwas rein?« Kulls Wangen waren etwas gerötet, doch sein oberster Kragenknopf war nach wie vor geschlossen.

»Ich tue nichts rein«, erklärte Maravan. »Alles, woraus es besteht, macht es aus.«

»Und was ist es?«

»Das verstehen Sie doch, Herr Kull«, warf Andrea dazwischen, »dass dies unser Berufsgeheimnis ist?«

Kull nickte. »Sind Sie auch sonst diskret?«, fragte er nach einer Pause.

28

Von da an kochte *Love Food* regelmäßig für Kull. Der Schauplatz war immer die Wohnung im Falkengässchen. Nur die Gäste wechselten. Vor allem die Herren.

René Kull betrieb einen Escort-Service für besonders anspruchsvolle, meist internationale Kundschaft. Herren, deren Geschäfte sie an den Finanzplatz führten oder an den Hauptsitz des Weltfußballverbands oder die, kurz vor den Festtagen in den Bergen mit der Familie, einfach einen Zwischenhalt machten. Sie legten großen Wert auf Diskretion, und nicht selten waren sie begleitet von wortkargen kräftigen Männern, die im Wohnzimmer ihre mitgebrachten Sandwichs verzehrten.

Kull bezahlte anstandslos den Preis, den Andrea versuchsweise festgelegt hatte: zweitausend plus Getränke.

Andrea hatte noch nie mit diesem Milieu zu tun gehabt und war fasziniert. Sie kam rasch mit den Frauen ins Gespräch, die meistens vor ihren Kunden eintrafen und sich die Wartezeit im Salon bei einem Drink und ein paar Zigaretten vertrieben. Sie waren schön, trugen Prêt-à-porter und teuren Schmuck und behandelten sie als eine der ihren. Sie unterhielt sich gerne mit ihnen. Sie besaßen Humor und sprachen über ihren Beruf mit einer ironischen Distanz, die Andrea zum Lachen brachte.

Die Frauen liebten diese Termine wegen des Essens. Und, wie eine Brasilianerin einräumte, weil dann sogar das, was danach kam, ein kleines bisschen Spaß machte.

Mit den Männern hatte sie kaum Kontakt. Sie kamen meistens in Begleitung von Rohrer an, Kulls Faktotum, der sie direkt ins vorbereitete Zimmer führte und danach wieder verschwand. Wenn Andrea dann die Speisen auftrug, war ihre Aufmerksamkeit ganz auf die Frau gerichtet, mit der sie aßen.

Einmal wurde Andrea zu Maravan in die Küche verbannt. Schon vor der Ankunft des Gastes herrschte viel Unruhe im Falkengässchen. Mehrere Bodyguards untersuchten die Wohnung, einer nahm in der Küche Stellung, und nachdem der Geheimnisvolle an der geschlossenen Küchentür vorbei ins Zimmer geschleust worden war, kam ein weiterer Bodyguard und erklärte, dass er die Bedienung übernehme. Andrea habe lediglich die Aufgabe, ihm die Gänge zu erklären. Jedes Mal, wenn er einen serviert hatte, übte er mit ihr bis zum Erklingen der Tempelglocke die Ansage des nächsten.

»Ich würde zu gerne wissen, wer das war«, sagte Andrea, als sie mit Maravan im Lift hinunterfuhr.

»Ich lieber nicht«, gab Maravan zurück.

Nicht das Anrüchige seiner Arbeit war es, das Maravan zu schaffen machte, es war die Rolle, die ihm dabei zugewiesen war.

Bei den therapeutischen Paaren war er mit dem Respekt behandelt worden, den man einem Arzt oder einem anderen Spezialisten entgegenbringt, der in der Lage ist, einem zu helfen. Und bei den wenigen normalen Caterings war er gefeiert worden wie ein Star.

Hier wurde er überhaupt nicht beachtet. Da konnte er einen noch so hohen Kochhut tragen, er wurde übersehen. Er bekam die Gäste kaum zu Gesicht, und nie brachte Andrea, wenn sie das Geschirr des letzten Gangs zurückbrachte, ein Kompliment an den Koch mit in die Küche.

Als Küchenhilfe war Maravan es gewohnt, ein Schattendasein zu führen. Aber hier war es etwas anderes: Die Gäste kamen wegen seiner Kreationen. Was immer sie bei ihnen auslösten, verdankten sie ihm und seiner Kunst. Kurz: Der Künstler in Maravan fühlte sich vernachlässigt. Und was fast schlimmer war, auch der Mann.

Seine Beziehung zu Andrea entwickelte sich nicht so, wie er sich das gewünscht hatte. Er hatte gehofft, dass das fast tägliche Beisammensein, der enge Kontakt und das Verschwörerische ihrer Zusammenarbeit sie einander näherbringen würde. Das tat es zwar, aber auf eine kameradschaftliche, fast geschwisterliche Art. Nichts von der Erotik ihrer Tätigkeit färbte auf ihr eigenes Verhältnis ab.

Aber während ihre Beziehung zu Maravan nicht über eine herzliche Kollegialität hinausging, pflegte sie mit den Frauen, die für Kull arbeiteten, eine große Vertraulichkeit. Sie duzten sich, fielen einander schon bei der zweiten Begegnung in die Arme wie lang getrennte Freundinnen und verbrachten die Zeit, bis ihre Freier – Maravan benutzte das Wort Andrea gegenüber mit Absicht – kamen, schwatzend und rauchend und lachend in den weißen Sofas. Vor allem eine hatte es ihr angetan: eine große Äthiopierin namens Makeda. Auf sie war er, wenn er ehrlich war, eifersüchtig.

Makeda war als Zwölfjährige mit ihrer Mutter und ihrer älteren Schwester nach England geflohen. Sie gehörten der Bevölkerungsgruppe der Oromo an, ihr Vater hatte sich deren Befreiungsbewegung angeschlossen, der Oromo Liberation Front. Nach dem Sturz der Derg-Regierung saß er als OLF-Vertreter im Übergangsparlament, aber nach den Wahlen trat die OLF aus der Regierung aus und stellte sich gegen die Regierungspartei.

Eines frühen Morgens erschienen Soldaten in Makedas Elternhaus, stellten alles auf den Kopf und nahmen den Vater mit. Das war das letzte Mal, dass sie ihn sah. Ihre Mutter versuchte hartnäckig, seinen Aufenthaltsort herauszufinden, und dank früheren Beziehungen gelang ihr das auch. Sogar zu einem Besuch im Gefängnis reichten ihre Beziehungen. Stumm und mit geröteten Augen kam sie von diesem zurück. Zwei Tage später überquerten Mutter, Schwester und Makeda in einem klapprigen Landrover die kenianische Grenze. Damit waren die Gefälligkeiten, die ihre Mutter von den alten Beziehungen beanspruchen konnte, erschöpft. Sie flogen nach London und baten um Asyl. Vom Vater hatten sie nie mehr etwas gehört.

Mit sechzehn war Makeda vom Scout einer Modelagentur entdeckt worden. »Die neue Naomi Campbell«, hatte er sie genannt. Gegen den Widerstand ihrer Mutter machte sie ein paar Castings, lief auf ein paar Modeschauen mit und wurde für ein paar Magazine fotografiert. Auf den Durchbruch wartete sie vergebens.

Während der Mailänder Modewoche überschritt sie zum ersten Mal den schmalen Grat vom Nachwuchsmodel zum Callgirl. Sie fühlte sich einsam und nahm den Einkäufer einer

Boutiquekette mit ins Zimmer. Als sie am nächsten Morgen erwachte, war er weg. Auf dem Nachttisch lagen fünfhundert Euro. »Da wurde mir klar, dass mein erster Liebhaber auch gleich mein erster Freier gewesen war«, erzählte Makeda mit einem sarkastischen Lachen.

Als sie sich eingestehen musste, dass sie es als Model nicht weit bringen würde, ging sie zurück zu ihrer Familie und in die Schule. Aber sie hatte sich an einen freieren und aufwendigeren Lebensstil gewöhnt. Zu Hause war es ihr zu eng, die Ansichten der Mutter waren ihr zu borniert. Es kam bald zum Streit. Makeda zog aus, diesmal endgültig.

Wieder entdeckte sie ein Scout, aber diesmal war es der eines Escort-Service. Makeda wurde Callgirl. Und in diesem Beruf war sie um einiges erfolgreicher als auf dem Laufsteg.

Vor etwas weniger als einem Jahr hatte sie Kull kennengelernt. Er warb sie ab, und sie folgte ihm in die Schweiz. Da war sie nun und fühlte sich einsam.

Das alles erzählte sie im Halbdunkel von Andreas Schlafzimmer. Sie hatten sich beim Warten auf einen Gast für den nächsten Tag verabredet, waren trotz der Kälte am See spazieren gegangen und in Andreas Bett gelandet, als wäre es der natürliche Lauf der Dinge.

Maravans Eifersucht war also nicht unberechtigt. Andrea war verliebt.

Schon bald nach ihrem letzten Besuch standen Thevaram und Rathinam wieder vor Maravans Wohnung. Sie brachten Neuigkeiten von Ulagu. Er habe sich, so behaupteten sie, für die Black Tigers gemeldet, eine Eliteeinheit für Selbstmordattentäter. Die Aufnahmebedingungen seien allerdings sehr streng, die Chancen, dass er abgelehnt werde, stünden gut. Wenn Maravan wolle, könnten sie versuchen, diese über ihre Kanäle etwas zu verbessern.

Maravan versprach eine weitere Spende von zweitausend Franken.

Nach dem Besuch ließ er seiner Schwester über den Batticaloa-Basar die Nachricht zukommen, er habe in besagter Angelegenheit erste Fortschritte gemacht.

Im Dezember war der Huwyler normalerweise ausgebucht. Auch die beiden Säle waren fast jeden Abend besetzt. Aber diesmal hatten ein paar der treuesten Firmen abgesagt, die sonst immer ihre Management-Weihnachtsessen dort abhielten. Huwyler war davon überzeugt, dass sie die Krise entweder als Vorwand nahmen oder sich aus ästhetischen Gründen zu dieser Maßnahme entschlossen: Es sah einfach nicht so gut aus, wenn man auf Krise machte und trotzdem im Huwyler tafelte.

Wie dem auch sei, für Huwyler kam es auf dasselbe heraus. Das Restaurant war merklich lockerer besetzt als sonst um diese Jahreszeit.

Deswegen kümmerte er sich besonders um Staffels Tisch. Er war mit zwölf Personen besetzt, seinem Topmanagement mit – eine besondere Rarität dieser Tage – Gattinnen.

Staffel hatte auch allen Grund zu feiern. Er war von der Finanzpresse in der Sparte »neue Technologien« einstimmig zum Manager des Jahres gewählt worden. Und die Firma, die er leitete, die Kugag, hatte so gut abgeschlossen, dass sie sich diese kleine Extravaganz auch imagemäßig leisten konnte.

Einzig bei der Auswahl des Menüs hätte er ein bisschen großzügiger sein können. Huwyler hatte das Degustationsmenü vorgeschlagen, aber Staffel hatte sich für einen simplen Sechsgänger entschieden. Auch bei den Weinen war er im Mittelfeld geblieben. In diesen Zeiten wurden eben die Spießer Manager des Jahres.

Dafür war ein anderer Gast alles andere als spießig: Dalmann, der Herzinfarkt. Beim ersten Mal, als er sich wieder im Restaurant zeigte, frisch aus der Rehabilitation, keinen Monat nach dem Zwischenfall, war Huwyler erschrocken. Weniger über die Unverfrorenheit, nach diesem peinlichen Vorfall überhaupt wieder hier aufzutauchen, als über die Möglichkeit, dass sich dieser wiederholen könnte. Dalmann hielt sich nämlich weder beim Essen noch beim Trinken zurück und bestellte sogar eine Zigarre zum Cognac.

Inzwischen war Dalmann aber wieder ein gerngesehener Gast geworden. Eine Art Symbol der Normalität.

Auch an diesem Abend war er hier. Und zwar in Begleitung von Dr. Neller, Wirtschaftsanwalt und, wie die beiden zu vorgerückter Stunde immer häufiger betonten, Jugend- und Pfadfinderfreund. Sie aßen das Surprise.

Dalmann zog ein Tannenzweiglein aus dem Gesteck mit der dunkelblauen Christbaumkugel und hielt es über die Kerze. Er liebte den Duft von angesengten Tannennadeln. Überhaupt Weihnachten. Es machte ihn auf angenehme Weise sentimental. Besonders an einem Abend wie heute, nach einem guten Essen mit einem alten Freund. Das Restaurant nicht zu voll, nicht zu leer, nicht zu laut, nicht zu still. Der Rauch der Bahia kühl, der Armagnac weich und das Gespräch vertraut.

»Hast du mal wieder Kulls Dienste in Anspruch genommen?«, erkundigte sich Neller gerade.

Dalmann lächelte. »Ich muss auf mein Herz aufpassen, das weißt du doch.«

»Klar. Das vergesse ich immer, wenn ich dich so sehe.«

»Warum? Sollte ich?«

»Ich will dich nicht in Gefahr bringen. Aber falls du es tust: Er bietet jetzt so etwas mit Essen an.«

»Essen tu ich lieber hier.«

»Ein sehr spezielles Essen. Erotisch.«

Dalmann sah ihn fragend an und zog an seiner Zigarre.

»Er hat einen Inder oder so, der kocht, und eine scharfe Mieze, die serviert. Kennst du übrigens, hat mal kurz hier bedient, schwarz, groß, alle Haare auf eine Seite.«

»Die arbeitet jetzt für Kull?«

»Nur im Service.«

»Und sorgt für das Erotische?«

»Nein, das tut das Essen. Habe es erst auch nicht geglaubt. Aber es stimmt. Das Essen macht dich ganz anders.«

»Wie anders?«

»Nicht einfach scharf da«, Neller deutete vage nach unten. »Auch. Aber mehr da.« Er tippte an seine hohe, schweißglänzende Stirn.

»Du meinst, du bekommst eine Erektion im Kopf?« Dalmann lachte, aber Neller schien ernsthaft darüber nachzudenken.

»Ja, so kann man es sagen. Und das Beste: Die Frauen törnt es offenbar auch an. Man hat den Eindruck, es macht ihnen tatsächlich Spaß.«

»Die tun immer so, dafür werden die bezahlt.«

Neller schüttelte den Kopf. »Glaub einem alten Hasen. Ich merke den Unterschied. Das ist echt. Vielleicht nicht ganz, aber ein wenig schon.«

Dalmann kaute seinen Bissen nachdenklich. Dann wischte er sich den Mund und fragte: »Glaubst du, die tun was rein?«

»Sie sagen, nein. Es seien die Rezepte. Und die Ambiance. So Kissen und Kerzen. Man sitzt am Boden und isst mit der Hand.«

»Und was isst man?«

»Scharfe Sachen eben. Scharf und süß. So eine Art ayurvedische Molekularküche. Seltsam. Aber hervorragend. Absoluter Geheimtipp. Nicht ganz billig, aber echt mal was anderes.«

»Und bestimmt keine Drogen oder Chemie?«

»Ich habe mich jedenfalls am nächsten Morgen hervorragend gefühlt. Und – das unter Herren – schon lange nicht mehr so gut gevögelt.«

»Wie gesagt, mein Herz.«

Neller hob beide Hände. »Ich hab's nur erzählt, Eric, nur erzählt.«

Dalmann hatte nicht vor, den Tipp seines Freundes auszuprobieren. Aber wenn er mal für jemanden etwas ganz Spezielles brauchte, würde er sich gerne daran erinnern.

Sie wechselten das Thema und verplauderten sich ein wenig. Als Huwyler sie mit einem Schirm zum Taxi brachte, lag Schnee auf der Einfahrt. Und es schneite noch immer still in großen schweren Flocken.

An jenem Abend, als sie im Huwyler den Jahresabschluss und den Manager des Jahres feierten, war Dalmann an den Tisch gekommen, hatte Staffel gratuliert und gesagt: »Dank Ihnen habe ich eine Wette gewonnen.«

»Eine Wette?«, hatte Staffel gefragt.

»Ich habe gewettet, dass Sie es werden.«

»Da haben Sie aber einiges riskiert, ich hoffe, der Einsatz war nicht zu hoch.«

»Sechs Flaschen 97er Cheval Blanc, immerhin. Aber Risiko war keines dabei. Guten Appetit, meine Damen und Herren, genießen Sie den Abend, Sie haben ihn verdient.«

»Das ist doch der, der letztes Mal schon kam und mehr wusste als ich«, hatte Staffels Frau ihrem Mann zugeraunt, kaum war Dalmann zurück an seinen Tisch gegangen. »Weißt du jetzt, wer er ist?«

Staffel hatte sich erkundigt, aber viel hatte er nicht zu berichten: Dalmann war ein Anwalt, der aber nicht als Anwalt arbeitete. Er saß in verschiedenen Verwaltungsräten und betätigte sich als Berater und Vermittler. Er schuf Geschäftskontakte, brachte Leute zusammen, sprang auch schon einmal ein, wenn es darum ging, informell eine Personalposition neu zu besetzen, und war offenbar auch bei den Medien so gut vernetzt, dass er sich, wenn nötig, gewisse Informationsvorsprünge verschaffen konnte.

Staffel sollte Dalmann bald besser kennenlernen.

29

Das Jahr ging zu Ende, schwer zu sagen, was überwog: die Erleichterung darüber oder die Sorge, was das nächste bringen würde.

Die internationale Börsenbilanz war verheerend: Die Schweizer Börse schloss ihr schlechtestes Jahr seit 1974 ab, der Dax war um vierzig Prozent eingebrochen, der Dow Jones hatte über ein Drittel verloren, der Nikkei verzeichnete ähnliche Verluste, die Börse in Shanghai war um fünfundsechzig Prozent abgestürzt, und Russland hatte das alles in den Schatten gestellt mit einem Leitindexeinbruch um zweiundsiebzig Prozent.

Besonders Letzteres machte sich auf Kulls Geschäftsgebiet bemerkbar. Die Russen waren in den letzten Jahren gute Kunden gewesen. Sein Team hatte über die Festtage jeweils einen großen Teil der Tätigkeit nach St. Moritz verlagert und musste durch externe Mitarbeiterinnen erweitert werden. Wie er aus den Vorbestellungen schloss, würde das in diesem Jahr nur in reduziertem Umfang nötig sein.

Die *Love-Food*-Sache allerdings hatte sich so gut bewährt, dass er sie auch im Engadin anbieten wollte. Er hatte das Duo vorsorglich für ein paar Tage gebucht.

Für Dalmann waren die Festtage in St. Moritz der wichtigste Geschäftsevent des Jahres. Dort bot sich die Gelegenheit, Leute zu treffen, mit denen das ganze Jahr über kein persönlicher Austausch möglich gewesen war. Er konnte alte Kontakte auffrischen und neue knüpfen. Die vielen gesellschaftlichen Ereignisse boten Gelegenheit, sich in ungezwungenem, entspanntem Rahmen zu treffen, sich privat näherzukommen und eine Basis für neue Geschäfte oder für die Fortsetzung der alten zu bilden.

Hier oben war die Krise zwar ebenfalls zu spüren, aber es war so, wie Dalmann vermutet hatte: Die guten Gäste kamen auch dieses Jahr. Die Krise besaß zudem den Vorteil, dass sie die Spreu vom Weizen trennte.

Er wohnte wie immer in der Chesa Clara in einem Fünfzimmerappartement im obersten Stock. Ein befreundeter Zahnarzt hatte das Haus Anfang der neunziger Jahre gebaut, und seither war Dalmann dort über die Festtage Dauermieter. Die Chesa Clara war ein Fixposten in seinem Jahresbudget. Eine zwar hohe Ausgabe, aber eine, die sich bisher immer bezahlt gemacht hatte. Er hoffte, auch diesmal.

Die Wohnung war ein wenig übermöbliert und mit alten Nussbaumtüren und Arventäfelung ausgestattet, die man aus verschiedenen alten Häusern zusammengesucht hatte. Sie war geräumig genug für Dalmann und zwei Gäste und besaß ein kleines Personalappartement, das Lourdes bewohnte, die auch in diesen Tagen seinen Haushalt machte und das Frühstück zubereitete. Kochen musste sie nicht, denn er aß immer auswärts und machte keine Essenseinladungen. Außer seinem legendären Katerfrühstück am Neujahrstag. Open House ab elf Uhr bis zur Dämmerung.

Sportlich betätigte er sich kaum mehr. Er war früher einmal ein hervorragender Skifahrer gewesen, aber jetzt stand er nur noch auf den Skiern, um zu den Bergrestaurants zu gelangen, die man als Fußgänger nicht erreichen konnte. Sonst zog er leichte Wanderungen zu kulinarischen Zielen vor. Oder Pferdeschlittenfahrten zu ebensolchen.

Maravan war zum ersten Mal in den Bergen. Er war während der ganzen Fahrt in Andreas vollgepacktem Kombi wortkarg und skeptisch auf dem Beifahrersitz gesessen, und als ringsherum die Hügel höher und schroffer wurden, die Straßen enger und schneegesäumt, als es gar zu schneien begann, bereute er es, dass er in dieses Abenteuer eingewilligt hatte.

Am Ziel ihrer Fahrt hatte er enttäuscht festgestellt, dass sie wieder in einer Stadt angekommen waren, nicht schöner als die, die sie verlassen hatten, nur kleiner und kälter und zwischen Bergen und mit mehr Schnee.

Auch dort, wo sie untergebracht waren, sah es nicht viel besser aus als in der Theodorstraße. Jeder in einem winzigen Studio in einem Wohnblock mit Sicht auf einen anderen Wohnblock.

Doch kurz nach ihrer Ankunft klopfte Andrea an seine Tür und überredete ihn zu einem Ausflug. Sie fuhren weiter durch das Tal, Richtung Süden.

In einer Ortschaft namens Maloja stiegen sie aus. »Wenn wir hier weiterfahren würden, würdest du in einer knappen Stunde Palmen sehen.«

»Dann lass uns weiterfahren«, bat er, halb im Ernst.

Andrea lachte und ging voraus.

Der Weg wurde bald eng und war von hohen Schneewänden begrenzt. Maravan hatte Mühe, Andrea zu folgen. Er trug klobige Stiefel aus Gummi und Nylon, mit denen er keinen Halt fand. Er hatte sie in dem gleichen billigen Warenhaus gekauft, wo er alle Dinge besorgte, die er nicht für seine Küche benötigte. Seine Hosen waren zu eng, er konnte sie nicht über die Schäfte fallen lassen, sondern musste sie in die Stiefel stopfen, was bestimmt lächerlich aussah. Genau konnte er es nicht sagen, in seiner Bleibe gab es keinen Spiegel, in dem er auch die Füße sehen konnte.

Die Tannen, die den Weg säumten, waren schwer beladen mit Schnee. Ab und zu fiel etwas davon herunter. Dann rieselte es noch eine Weile weiß glitzernd vom um seine Last erleichterten Ast.

Alles, was er hörte, war das Knarzen ihrer Schuhe. Als Andrea einmal stehenblieb und auf ihn wartete, blieb er auch stehen. Da erst hörte er die Stille.

Es war eine Stille, die alles verschlang. Eine Stille, die mit jeder Sekunde mächtiger wurde.

Noch nie war ihm bewusst geworden, wie unbarmherzig sein ganzes Leben mit Lärm ausgefüllt war. Dem Geschwätz seiner Familie, dem Hupen des Verkehrs, dem Wind in den Palmen, der Brandung des Indischen Ozeans, den Detonationen des Bürgerkriegs, dem Geschepper in den Küchen, dem Singsang der Tempel, dem Schrillen der Trams, dem Brummen des Verkehrs, dem Geschwätz seiner Gedanken.

Nun plötzlich diese Stille. Wie ein Kleinod. Wie ein Luxusartikel, auf den Leute wie er keinen Anspruch hatten.

»Was ist?«, rief Andrea. »Kommst du?«

»Psst!«, machte er und hielt den Zeigefinger an die Lippen.

Aber die Stille war weg, geflüchtet wie ein scheues Tier.

Andrea machte sich Vorwürfe, dass sie Maravan hier her-aufgeschleppt hatte. Sie sah ihm an, wie unwohl er sich fühlte. Er benahm sich im Schnee wie eine Katze im Regen.

Er passte auch nicht in die Landschaft. Wenn sie daran dachte, wie anmutig er sich in seinem Sarong bewegte und wie elegant in seiner langen Schürze und dem weißen Koch-schiffchen auf dem Kopf. Hier, in seiner unförmigen Wind-jacke, der tief über die Ohren gezogenen Wollmütze und den billigen Schneestiefeln war er seiner Würde beraubt wie ein Zootier seiner Freiheit.

Was ihr am meisten weh tat: Er war sich dessen bewusst. Er ertrug es mit der Resignation, mit der er alles trug, seit er sich entschlossen hatte, auch bei den, wie er es nannte, schmutzigen Sachen mitzumachen.

Sie machte sich auch nichts vor, was seine Gefühle ihr ge-genüber betraf. Je länger sie zusammenarbeiteten, desto kla-rer war ihr geworden, dass er in sie verliebt war. Er hatte das, was sie für sich »den Zwischenfall« nannte, ernster genom-men, als sie dachte. Sie spürte, dass er die Hoffnung nicht aufgegeben hatte, sie ein weiteres Mal herumzukriegen, viel-leicht sogar ganz.

Sobald sie sich darüber klargeworden war, hatte sie be-gonnen, auf Distanz zu gehen. Sie hatte bewusst die freund-schaftlichen Vertraulichkeiten unterlassen, damit er sie nicht missverstand. Sie behandelte ihn unverbindlich freundlich und spürte, dass ihm das zwar weh tat, dass aber die Klar-heit, die es schaffte, ihrer Zusammenarbeit guttat.

Aber seit Makeda hatte sich ihr Verhältnis wieder kompliziert. Maravan zeigte alle Symptome von Eifersucht. Das tat ihr zwar leid, aber sie sah keine Möglichkeit, ihm zu helfen.

Im Gegenteil: Ihr selbst ging es nämlich ausgesprochen gut, denn Makeda war auch hier. Sie wohnte mit den anderen Frauen, die für Kull arbeiteten, in einem Appartementhaus ganz in der Nähe. Sie hatten sich vorgenommen, so viel Zeit wie möglich zusammen zu verbringen.

Maravan wusste das. Um ihn etwas aufzumuntern, hatte sie ihn, gleich nachdem sie ihre Koffer ausgepackt hatte, auf diesen Ausflug mitgenommen.

Maravan war zurückgefallen und stand seit einer Weile reglos in der Märchenlandschaft. Sie hatte ihn gerufen, aber er hatte sie unwirsch zum Schweigen aufgefordert. Er verharrte dort, als lausche er auf etwas. Andrea lauschte auch, aber sie hörte nichts.

Endlich setzte er sich in Bewegung und kam auf sie zu. Als er sie erreicht hatte, lächelte er.

»Schön«, sagte er.

30

Zwei von Dalmanns Stärken wirkten zusammen und sorgten dafür, dass sich die Investition Chesa Clara schon nach ein paar Tagen bezahlt machte: Glück und ein Gedächtnis für Gesichter.

Es war ein Winter wie schon lange nicht mehr: kalt, weiß-blau und mit einer Schneemenge, wie man sie hier oben um diese Jahreszeit noch nie gesehen hatte.

Dalmann saß auf der Sonnenterrasse eines Bergrestaurants tief hinten in einem Tal. Er war in Begleitung von Rolf Schär, ebenjenem befreundeten Zahnarzt, der ihm die Wohnung vermietete. Geschäftlich eine nicht sehr effiziente Paarung, aber auch nicht ganz nutzlos, denn Dalmann wusste, dass Schär an dieser Lage und in der Spitzensaison viel lukrativer vermieten könnte. Deswegen hatte er es sich zur Pflicht gemacht, mindestens einmal während seines Aufenthalts etwas Zeit mit ihm zu verbringen.

Sie saßen also gemütlich auf ihrer Bank an der Holzfassade des Restaurants, hielten ihre von Sonnencreme glänzenden Gesichter in die Wintersonne, tranken eine Flasche Veltliner und pickten von der Bündnerplatte vor ihnen auf dem Tisch. Ab und zu sagte einer etwas, meistens das, was ihm gerade durch den Kopf ging, wie es ältere Leute tun, die sich schon lange kennen und sich nichts vorzumachen brauchen.

Sie sahen Kindern zu, die außerhalb der Terrasse schlittelten, und Schär sagte gerade: »Wenn man klein ist, kommt einem der Schnee noch viel höher vor.« Da wurde Dalmanns Aufmerksamkeit von einer Gruppe Neuankömmlinge abgelenkt. Vier Männer um die fünfzig von arabischem Aussehen. Sie wurden an den Nebentisch gebracht, der lange als Einziger mit einem Reserviert-Schild auf seine Gäste gewartet hatte.

Einen von ihnen erkannte Dalmann, als dieser kurz die Sonnenbrille abnahm und einen Blick auf die anderen Gäste warf: die rechte Hand von Jafar Fajahat, dem Mann, dem die Palucron damals ebenfalls bei den Transaktionen behilflich gewesen war. Um fast zehn Jahre älter, seit er ihn zuletzt gesehen hatte, aber eindeutig derselbe.

Nach dem Rücktritt von Musharraf war es Dalmann nicht mehr gelungen, Fajahat zu kontaktieren, und er hatte damit gerechnet, dass dieser dem Machtwechsel zum Opfer gefallen war. Aber sein Assistent hatte offenbar überlebt, sonst könnte er es sich nicht leisten, hier zu sein.

Wenn er sich bloß an seinen Namen erinnern könnte. Khalid, Khalil, Khalig oder so. Dalmann widerstand dem Impuls, ihn anzusprechen. Wer weiß, wer die anderen drei waren.

Aber er suchte seinen Blick – und fand ihn nach kurzer Zeit. Der Mann nahm die Brille ab, sah ihn fragend an, und als Dalmann nickte und lächelte, stand er auf und begrüßte ihn auf Englisch. »Herr Dalmann? Wie schön Sie zu sehen, erinnern Sie sich? Kazi Razzaq.«

»Selbstverständlich erinnere ich mich.« Dalmann vermied es noch immer, Jafar Fajahat zu erwähnen.

Razzaq stellte seine drei Begleiter vor, mit Namen, die sich Dalmann nicht zu merken versuchte, und er machte sie mit seinem Tischpartner bekannt. Danach entstand das kurze Schweigen, das solchen Vorstellungen folgte.

Dalmann unterbrach es. »Bleiben Sie ein paar Tage?«, erkundigte er sich.

Die vier Herren nickten.

»Schön, dann können wir einmal etwas Gemeinsames unternehmen. In welchem Hotel wohnen Sie?«

Die vier Herren tauschten Blicke aus.

»Wissen Sie, was? Ich gebe Ihnen meine Karte. Da ist meine Handynummer drauf. Sie rufen mich an, und wir machen etwas aus. Es würde mich sehr freuen.«

Dalmann überreichte Razzaq sein Kärtchen, in der Hoffnung, dieser würde sich verpflichtet fühlen, ihm seines zu geben. Aber der steckte es nur dankend ein und wandte sich dem Trachtenmädchen zu, das die Bestellungen aufnehmen wollte.

Doch Razzaq rief noch am selben Abend an. Sie verabredeten sich in der Bar eines der großen Fünfsternehotels, die auf den See hinunterblickten. Dalmann kannte den Barkeeper und hatte sein Stammtischchen in einer ruhigen Nische nicht allzu nahe beim Piano.

Er war ein wenig zu früh, nippte an einem Campari Soda und knabberte von den ofenwarmen Salzmandeln. Es war die Zeit zwischen Après-Ski und Apéro, Dalmanns Lieblingszeit. Die meisten Hotelgäste waren in ihren Zimmern, erholten sich vom Tag und machten sich frisch für den Abend. Der Pianist spielte die leisen sentimentalen Sachen, die Kellner hatten Zeit für einen kurzen Schwatz.

Razzaq kam pünktlich und bestellte eine Cola. Er gehörte zu den Muslimen, die auch im Ausland keinen Alkohol tranken.

Jetzt, unter vier Augen, erkundigte sich Dalmann als Erstes nach Jafar Fajahat.

»Er arbeitet nicht mehr. Er genießt die Früchte seiner Arbeit und seine Enkel. Fünfzehn hat er.«

Sie tauschten ein paar Erinnerungen, und Dalmann ließ das Gespräch langsam versiegen, um seinem Gast Gelegenheit zu geben, auf sein Anliegen zu kommen. Dieser machte keine großen Umstände.

»Sie hatten uns doch damals ab und zu Damen vermittelt.«

Dalmann korrigierte ihn sofort: »Das ist nicht mein Gebiet. Ich hatte Ihnen damals jemanden vermittelt, der Ihnen möglicherweise ab und zu Damen vermittelt hat.«

Razzaq überging die Richtigstellung. »Wäre das auch hier machbar?«

Dalmann lehnte sich im kleinen Polstersessel zurück und tat, als müsste er überlegen. Dann sagte er: »Ich werde sehen, was sich da machen lässt. Für wann sollte das sein?«

»Morgen, übermorgen. Wir sind noch sechs Tage hier.«

Dalmann nahm es zur Kenntnis. Damit hatte er sich die Berechtigung erworben, seinerseits Fragen zu stellen. »Sind Sie immer noch auf dem Gebiet Sicherheit und Verteidigung tätig?«, wollte er wissen. Als Razzaq dies bejahte, erkundigte er sich einfühlsam: »Bereitet Ihnen der Strategiewechsel unserer Regierung große Kopfschmerzen?«

»Er ist nicht nur ungerecht und kurzsichtig, er ist auch sehr schlecht für die Sicherheitslage. Und fürs Geschäft.«

Pakistan war im laufenden Jahr mit hundertzehn Millionen Franken der größte Waffenabnehmer der Schweiz. Aber zurzeit war die Schweizer Regierung zurückhaltend mit neuen Bewilligungen.

»Der öffentliche Druck ist momentan groß. Eine Volksabstimmung über ein Waffenexportverbot steht kurz bevor. Wenn es gescheitert ist, und es wird ohne Frage scheitern, wird sich die Lage entspannen.«

Und dann kam Dalmann auf die ausgedienten Schützenpanzer M113 zu sprechen und die völlig legale Möglichkeit, diese via USA zu importieren. Er ließ auch die Rolle, die er bei einem solchen Geschäft spielen könnte, nicht unerwähnt.

Den Abend verbrachte Dalmann beim Empfang eines Auktionshauses, das die schönsten Stücke seiner bevorstehenden New Yorker Expressionistenauktion präsentierte. Anschließend aß er in einer kleinen, sehr internationalen Runde ein Käsefondue in einem ganz einfachen Restaurant. Ein gemütlicher Anlass mit alter Tradition. Wer auch nur eine einzige Silbe über Geschäftliches sprach, musste zur Strafe eine Flasche Wein spendieren. Sich während des Essens für einen späteren Zeitpunkt zu solchen Gesprächen zu verabreden war hingegen erlaubt.

Kazi Razzaqs Anliegen hatte Dalmann an Schaeffer delegiert. Er selbst kannte zwar Kull, würde sich aber unter keinen Umständen mit ihm sehen lassen.

Schaeffer hatte er für den nächsten Morgen auf zehn Uhr bestellt. Er empfing ihn im Morgenrock beim Frühstück.

Sein Mitarbeiter hatte natürlich schon gefrühstückt und bestellte bei Lourdes seinen Tee und seinen Apfel, den er wieder mit dieser nervenaufreibenden Sorgfalt schälte.

»Bin gleich so weit«, sagte Dalmann, »muss nur noch kurz Blut verdünnen, Blutplättchen trennen, Herzrhythmus regulieren, Blutdruck, Cholesterin und Harnsäurespiegel senken.«

Schaeffer nutzte die Zeit, in der sein Chef angewidert seine Kollektion Medikamente mit Orangensaft runterspülte, um mit weit zurückgelegtem Kopf in jedes Auge Tropfen zu träufeln.

»Und?«, fragte Dalmann.

Schaeffer tupfte sich mit einem zusammengefalteten Taschentuch die Augen ab. »Durchaus machbar, meint er.«

»Auch das mit dem pakistanischen Menü?«

»Auch das.«

Dalmann hatte Schaeffer beauftragt, herauszufinden, ob Kull auch ein normales pakistanisches Menü für fünf Personen anbiete, das an einem normalen Tisch mit Besteck gegessen würde. Für den erotischen Teil könnten ja dann die Damen sorgen, die zum Dessert dazustießen und mit denen man sich anschließend ins Hotel zurückzog. Er wollte Geschäfte machen, keine Orgien. Er betrieb schließlich keinen Puff.

»Und terminlich?«

»Übermorgen sei das Catering noch frei. Aber wir müssten uns vor Mittag entscheiden.«

Dalmann beförderte den Dotter seines Spiegeleis, den er intakt vom Eiweiß getrennt hatte, auf seinen Toast. Den gebratenen Speck ließ er aus gesundheitlichen Gründen weg. Jedes zweite Mal, knallhart.

»Entschieden«, sagte er und schob den Happen in den Mund.

31

Und so kam es, dass Maravan, der Tamile, nichtsahnend für Razzaq, den Pakistani, ein Essen zubereitete, bei dem ein Geschäft eingefädelt wurde, das die sri-lankische Armee über ein paar Umwege mit ausgedienten Schweizer Schützenpanzern versorgte.

Mit einem klassischen pakistanischen Menü wollte der Auftraggeber seine Gäste überraschen. Maravan erlaubte sich, dem noch ein paar Überraschungen hinzuzufügen.

Das Arha Dal, das klassische Linsengericht, interpretierte er als Ring aus Dal Risotto und richtete es mit Korianderluft und Zitronenschaum an.

Das Nihari, ein sechs Stunden lang auf kleinstem Feuer gekochtes Rindscurry, bereitete er mit etwas Gelatine als Nihari-Praliné zu und kombinierte sie mit Zwiebelemulsion und Zwiebelchips auf Reispüree.

Das Huhn für das Biryani war vakuumiert und bei Niedrigtemperatur gegart und in der scharfen Palmzuckerkruste aus der Biryani-Gewürzmischung serviert. Angerichtet mit Pfefferminzluft und Zimteis.

Froh über die Abwechslung, arbeitete Maravan konzentriert in der schlecht ausgestatteten, aber mit viel Granit und künstlich gealtertem Holz aufgepeppten Küche.

Ein gewisser Schaeffer, ein hagerer, steifer Mann, hatte sie empfangen und, so gut er sich auskannte, eingewiesen. Er hatte sich für den Nachmittag verabschiedet. Frau Lourdes stehe zur Verfügung. Der Gastgeber werde auf sieben Uhr erwartet, die Gäste um halb acht.

Das Essen war für fünf Personen bestellt worden, das Dessert für zehn. Es würden, wie Kull sich ausgedrückt hatte, zum Dessert fünf Damen dazustoßen. Dieses sollte aus dem für das *Love Menu* üblichen Konfekt bestehen. »Also den gelierten Spargel-Ghee-Penissen und den glasierten Kichererbsen-Ingwer-Pfeffer-Muschis«, hatte Andrea präzisiert, als sie die Bestellung notierte. »Und den Eislutschern aus Lakritze-Honig-Ghee.«

Kurz nach sieben kam Andrea in die Küche. »Weißt du, wer der Gastgeber ist? Dalmann.«

Der Name sagte Maravan nichts.

»Dalmann vom Huwyler. Der immer etwas anzügliche Alte von Tisch eins.«

Er schüttelte den Kopf. »Vielleicht, wenn ich ihn sehe.«

Aber Maravan bekam Dalmann an diesem Abend so wenig zu Gesicht wie die anderen Gäste.

Um halb zehn klingelte es. Maravan hörte Gelächter und Stimmengewirr. Die Damen waren zum Dessert eingetroffen.

Andrea kam in die Küche und schloss rasch die Tür hinter sich.

»Rat mal.«

»Makeda?«

Andrea nickte. Von da an war sie wortkarg.

Kurz nach dem Dessert verabschiedeten sich die Herren mit ihren Damen. Auch Maravan und Andrea machten Feierabend. An der Garderobe hing nur noch ein Mantel. Andrea erkannte ihn. Er gehörte Makeda.

Für die Silvesternacht des Jahres 2008 hatte niemand *Love Food* gebucht. Maravan hatte in der Kochnische seines Studios auf der einzigen Herdplatte ein klassisches Kodzhi Kari gekocht, ein Hühnercurry, wie Nangay es ihm schon als kleinem Jungen beigebracht hatte, mit den klassischen Zutaten plus etwas mehr Bockshornkleesamen. Und in die Gewürzmischung aus gemahlenen Fenchelsamen, Kardamomkörnern und Nelken, die er am Schluss über das gekochte Gericht streute, bevor er es mit Zitronensaft abschmeckte, gab er eine Extradosis Zimt, wie es seine Lehrmeisterin stets getan hatte.

Andrea war Strohwitwe, wie sie es nannte. Makeda war gebucht. Sie hatte sich vor einer Stunde von ihr trennen müssen. Makeda trug ein hochgeschlossenes langes schwarzes Kleid, und der Gedanke, dass sie die Nacht mit einem dieser alten reichen Säcke verbringen würde, von denen es hier oben wimmelte, trieb sie in den Wahnsinn.

Andrea hatte die Getränke beigesteuert für die Silvesterparty der einsamen Herzen. Zwei Flaschen Champagner für sich, zwei Flaschen Mineralwasser für Maravan. Mit Kohlensäure.

Sie saß auf dem einzigen Sessel des Raumes, Maravan auf dem Bett. Zwischen ihnen das runde Clubtischchen.

Es war kalt im Zimmer. Maravan hatte in seiner Manie, dass es im Raum nicht nach Essen riechen durfte, bis kurz vor ihrer Ankunft das Fenster geöffnet gehabt. Draußen waren es bestimmt fünfzehn Grad unter null. Sie hatte ihn um sein Federbett bitten müssen, das sie jetzt wie eine Stola über den Schultern trug.

Sie aßen mit der Hand, wie beim ersten Mal. Das Curry schmeckte wie etwas aus ihrer Jugend. Dabei hatte sie in ihrer Jugend nie Curry gegessen. Außer dem Tellergericht einer Restaurantkette, das sich »Riz Colonial« nannte, ein Reisring mit Hühnergeschnetzeltem an einer gelben Sauce mit viel Sahne und Dosenfrüchten.

Sie erzählte es Maravan.

»Vielleicht ist es der Zimt«, meinte er. »Es ist viel Zimt drin.«

Genau, es war der Zimt. Milchreis mit Zucker und Zimt, eines der Lieblingsgerichte ihrer Kindheit. Und das Weihnachtsgebäck. Und die Lebkuchen. »Ist heute bei euch auch Silvester?«

»Früher in Colombo, vor dem Krieg, feierten wir alle die religiösen Feste von allen. Die der Hindus, Buddhisten, Moslems und Christen. Jedes Mal war schulfrei. In der Silvesternacht waren wir alle auf der Straße und machten Feuerwerk.«

»Schön. Glaubst du, es wird wieder einmal so?«

Maravan überlegte lange. »Nein«, entschied er schließlich. »Nie wird etwas wieder, wie es einmal war.«

Andrea dachte darüber nach. »Stimmt«, sagte sie. »Aber manchmal wird es auch schöner.«

»Diese Erfahrung habe ich noch nie gemacht.«

»Ist es jetzt nicht schöner als im Huwyler?«

Maravan hob die Schultern. »Die Arbeit schon. Dafür sind die Sorgen größer.« Und er erzählte ihr von Ulagu, seinem Lieblingsneffen, der Kindersoldat geworden war.

»Und da kann man nichts machen?«, fragte Andrea, als er geendet hatte.

»Doch, ich mache ja etwas. Aber ob es hilft …«

»Warum hast du keine Frau?«, fragte Andrea nach einer Pause.

Maravan lächelte sie vielsagend an und schwieg.

Andrea begriff. »Nein, Maravan, schlag es dir aus dem Kopf. Ich bin vergeben.«

»An eine, die mit Männern schläft.«

»Für Geld.«

»Noch schlimmer.«

Andrea wurde wütend. »Du tust ja auch Dinge für Geld, die du sonst nie tun würdest.«

Maravan machte eine Kopfbewegung zwischen Nicken und Kopfschütteln.

»Ich weiß nie, was das bedeutet bei euch. Ja oder nein?«

»Nein sagen ist bei uns nicht höflich.«

»Nicht ganz einfach für ein Mädchen.« Sie lachte auf. »Und trotzdem hast du keine Freundin.«

Maravan blieb ernst. »Bei uns sind es die Eltern, die die Ehen arrangieren.«

»Im einundzwanzigsten Jahrhundert? Du nimmst mich auf den Arm.«

Maravan zuckte mit den Schultern.

»Und das lasst ihr euch gefallen?«

»Es funktioniert nicht schlecht.«

Andrea schüttelte ungläubig den Kopf. »Und warum hat man für dich noch keine arrangiert?«

»Ich habe keine Eltern und keine Familie hier. Niemanden, der bezeugen kann, dass ich nicht geschieden bin oder uneheliche Kinder habe oder einen unmoralischen Lebenswandel führe oder in der richtigen Kaste bin.«

»Ich dachte, die Kasten seien abgeschafft?«

»Schon. Aber du musst in der richtigen abgeschafften Kaste sein.«

»In welcher abgeschafften bist du?«

»Das fragt man nicht.«

»Und wie weiß man es dann?«

»Man fragt jemand anderen.«

Andrea lachte und wechselte das Thema. »Wollen wir raus, das Feuerwerk anschauen?«

Maravan schüttelte den Kopf. »Ich habe Angst vor Explosionen.«

Es hatte wieder zu schneien begonnen. Die Raketen verglühten und zerbarsten und verglitzerten hinter einem Flockenschleier, der sich nur da und dort etwas grün oder rot oder gelb verfärbte.

Die Kirchenglocken läuteten das neue Jahr ein, von dem man nichts wusste, als dass es eine Sekunde länger dauern würde als das vergangene.

Dalmann feierte in einem der Hotelpaläste und ging jetzt an der Seite von Schelbert, einem Investor aus Norddeutschland, durch die laute Lobby voller Dekolletés, Minis und Stilettos.

»Scheißmode, diese Saison«, seufzte Schelbert. »Wie erkenne ich jetzt die Nutten?«

»Es sind die, die nicht danach aussehen.«

32

Schon sehr bald sah Andrea Herrn Schaeffer wieder.

Sie waren bei den letzten Vorbereitungen für ein *Love Menu* für vier Personen im Falkengässchen. Bald würden die Gäste eintreffen. Sie wollte gerade die Kerzen anzünden und musste feststellen, dass ihr Feuerzeug kein Gas mehr hatte und die Schachtel Streichhölzer, die für diese Fälle bereitlag, fehlte.

Die Küche hatte keinen Gasherd, in den Schubladen waren keine Streichhölzer und kein Feuerzeug. Sie sah in den Möbeln der anderen Räume nach und fand nichts.

»Ich geh rasch in die Bar gegenüber«, sagte sie zu Maravan, warf sich den Mantel über den Sari, fuhr mit dem Aufzug hinunter, überquerte das Gässchen und besorgte sich beim Barmann ein Briefchen Streichhölzer. Als sie aus der Bar trat, sah sie die beiden kommen, über eine Viertelstunde zu früh. Sie rannte zum Hauseingang und schaffte es vor ihnen. Der Lift war noch unten. Sie fuhr hinauf, warf den Mantel auf einen Küchenstuhl und bat Maravan, die Gäste hereinzulassen, während sie die Kerzen anzündete.

Einen der beiden hatte sie erkannt: Schaeffer, Dalmanns Mädchen für alles. Auch der andere war ihr bekannt vorgekommen.

Als die Kerzen brannten und der Mann sie mit starkem

holländischem Akzent begrüßte, wusste sie, woher sie ihn kannte – aus dem Huwyler. Mit Dalmann. Schaeffer hatte ihm den Weg gezeigt und war nicht mit heraufgekommen.

Der Holländer versicherte sich, dass er der Erste war, ließ sich den Raum zeigen, in dem gegessen wurde, stieß einen anerkennenden Pfiff aus und bestand darauf, den anderen Gast im Wohnzimmer zu erwarten.

Dieser traf noch vor den Damen ein. Auch ihn hatte sie schon einmal im Huwyler gesehen. Er war ein etwas fülliger Endvierziger mit Igelfrisur. Er trug einen dunkelblauen Businessanzug mit etwas zu kurzen Hosen und schien verlegen.

»Jetzt bin ich aber gespannt«, sagte er mehrmals, während sie die beiden ins Zimmer führte. Wie Esther Dubois damals beim ersten Testessen.

Staffel hätte problemlos absagen können und bereute es jetzt, es nicht getan zu haben. Er fühlte sich wie bei der ersten Zigarette mit fünfzehn. Seine Eltern wollten ihm zehntausend Franken geben, wenn er bis zwanzig nicht rauchte. Bis heute war er davon überzeugt, dass es diese Abmachung war, die ihn damals hatte schwach werden lassen. Es war ohne Folgen geblieben, sie hatten es nie erfahren. Auch die anderen Male nicht. Und die Zehntausend hatte er während seines Ingenieurstudiums vernünftig investiert, in Hard- und Software.

Noch ein weiteres Mal hatte er sich so gefühlt: in Denver, vor etwa acht Jahren. Er hatte kein Spießer sein wollen und war mitgegangen in einen Club mit Table-Dance. Dort hatte er wohl zu viel getrunken und war morgens um fünf in seinem Hotelzimmer erwacht neben einer unechten Blondine, deren Parfum er nur mit einer Expressreinigung aus seinem Anzug herausbekommen hatte.

Auch das war ohne Folgen geblieben. Béatrice hatte es nie erfahren.

Bei dem hier würde er ebenfalls dafür sorgen, dass es so verlief.

Dalmann hatte sich bereits kurz nach der zweiten Begegnung im Huwyler gemeldet. Er hatte gesagt, er sei ein Freund von van Genderen, und der sei zufällig dieser Tage im Land und würde ihn gerne persönlich kennenlernen.

Staffel wusste natürlich, wer van Genderen war. Die Nummer zwei von hoogteco, einem großen Zulieferer auf dem Gebiet der erneuerbaren Energien. Ein informelles Treffen mit diesem großen holländischen Konkurrenten konnte nicht schaden.

Man hatte sich also zu einem Drink in Dalmanns schönem Haus mit Seeblick getroffen, sich sympathisch gefunden und für den nächsten Abend zu einem Nachtessen zu zweit verabredet.

Sie hatten hervorragend japanisch gegessen, kaum ein Wort über das Geschäft gesprochen und viel gelacht. Van Genderen besaß ein so unerschöpfliches Repertoire von Witzen, wie er es seit Hofer, einem Dienstkameraden in der Rekrutenschule, bei niemandem mehr angetroffen hatte.

Über die mit fortschreitender Stunde immer schlüpfrigeren Anekdoten waren sie dann auf die generell schlüpfrigen Sachen zu sprechen gekommen. Und so war diese Verabredung zu einem, wie es van Genderen nannte, »in jeder Beziehung scharfen Essen« zustande gekommen.

Jetzt, wo ihm in einer luxuriösen Altstadtwohnung von einer hübschen, Schweizerdeutsch sprechenden Inderin – oder war sie keine? – Champagner serviert wurde, war ihm schon etwas mulmig zumute. Aber etwas kribbelig auch.

Er würde mitmachen, bis es ihm zu bunt wurde, und dann stopp. So konnte ihm nichts passieren.

Dass Makeda mit von der Partie war, war diesmal keine Überraschung. Sie hatte es ihr gesagt.

Kurz nach Neujahr hatten sie ihren ersten Streit gehabt. Andrea hatte gesagt: »Bitte hör auf damit, ich verdiene genug für zwei.«

Makeda hatte einen Lachanfall bekommen. »Ich glaube, ich höre nicht richtig«, hatte sie geseufzt, als er vorbei war.

»Warum?« Andrea war beleidigt.

»Dass ich das ausgerechnet von dir zu hören bekomme. Das ist sonst ein Männerspruch. Komm, ich rette dich vor diesem Leben, und du ziehst zu mir und kochst mein Essen und wäschst meine Socken. Ich glaube, du spinnst.«

»Ich meine es ernst.«

»Du verdienst genug für zwei? Und was ist mit den anderen vierzehn? Meiner Familie in Addis Abeba?«

Sie hatten das Thema begraben, aber Andrea fragte immer, was sie heute für einen Job habe. Sie hatte herausgefunden, dass es ihr weniger ausmachte, wenn sie es wusste. Sie brachte es so auf eine andere Ebene. Eine professionelle.

Bei den *Love Dinners* war es allerdings nicht so einfach. Andrea wusste aus eigener Erfahrung, wie sinnlich sie machten. Sie konnte sich nicht vorstellen, dass Makeda dabei die professionelle Distanz wahren würde. Aber darüber konnte sie mit ihr nicht reden. Sie hatte ihr, so viel sie einander auch anvertrauten, von dieser Episode noch nie erzählt.

Wenige Tage nach dem Essen für Staffel und van Genderen meldeten sich Thevaram und Rathinam. Sie hätten Neuigkeiten, ließen sie Maravan wissen und fragten, ob sie vorbeikommen könnten.

Bisher hatte jedes Treffen mit den beiden Geld gekostet. Also holte er tausend Franken hinter dem Altar von Lakshmi hervor und wartete auf das Klingeln.

Die Neuigkeit war ein Auftrag. Maravan sollte für die TCA, die Tamil Cultural Association, das Pongal-Menü kochen.

Pongal war das tamilische Erntedankfest. Ein wichtiges Fest und ein schöner Auftrag.

Thevaram schlug ein Honorar von tausend Franken vor, die Maravan natürlich der guten Sache spenden sollte. Verdienen könnte er dann an den Folgeaufträgen, die ohne Zweifel daraus entstehen würden.

Maravan hatte die Nase so voll von seiner anrüchigen Tätigkeit – Sexkoch hatte ihn kürzlich ein Kunde genannt –, und die Verlockung, ein normales tamilisches Festessen für normale tamilische Landsleute zu kochen, war so groß, dass er einwilligte.

»Und Ulagu? Wisst ihr etwas?«

Thevaram und Rathinam wechselten einen Blick. »Ach ja«, sagte Rathinam, »er wurde abgelehnt.«

»Als Kämpfer?« Maravan schoss das Blut in den Kopf.

»Nein, aber als Black Tiger.«

Als die beiden gegangen waren, steckte Maravan den Tausender wieder hinter den Altar.

Auf einem Gaskocher in einem neuen Tontopf, um den frischer Gelbwurz und Ingwer geschnürt war, kochten Reis und Linsen, Palmzucker und Milch. Die Familien saßen im Halbkreis davor. Alle trugen neue Kleider, die blumengeschmückten Frauen und Mädchen bunte Saris oder Punjabis.

Plötzlich kochte das Gericht über, floss schäumend über den Topfrand und ließ die blauen Gasflammen gelb aufflackern.

»Pongalo Pongal!«, riefen die Gäste.

Maravan hatte den Milchreis zubereitet, aber an der Überkoch-Zeremonie konnte er nicht teilnehmen. Er war seit gestern in der Küche des Gemeindezentrums beschäftigt.

Der tamilische Kulturverein hatte dort einen Saal gemietet und dekoriert. Ein paar Frauen waren von der Vereinsleitung abdelegiert, Maravan zu helfen. Sie taten es ehrenamtlich, aber ohne großes Engagement. Maravan hatte angesichts der vielen Gäste auch Gnanam aufgeboten, den Landsmann, der über ihm in der Mansarde wohnte und als Küchengehilfe arbeitete. Er brauchte jemanden mit Erfahrung und nahm dafür in Kauf, ihn aus der eigenen Tasche bezahlen zu müssen.

Das Lüftungssystem der Küche funktionierte schlecht, und der Raum besaß keine Fenster. Es roch intensiv nach Linsen, Reis, Ghee, Chili, Kardamom, Zimt und dem für viele Pongalrezepte unvermeidlichen Hing, diesem seltsamen Kraut, das erst in der Pfanne seinen widerlichen Geruch verlor und deshalb auch Teufelsscheiße genannt wurde.

Maravan kochte vier klassische vegetarische Pongal-
gerichte:

Avial, eine Paste aus zwei verschiedenen Sorten Linsen und
Kokosnuss mit Hing und gemischten Gemüsen. Zitronen-
reis mit Linsen, Senfsamen, Gelbwurz und Hing. *Parangik-
kai Pulikulambu*, ein scharfes, süßsaures Kürbisgericht mit
Zwiebeln, Tomaten und viel Tamarinde. *Sarkkarai Pongal*,
einen Milchreis mit Mandeln und Cashews, Linsen, Safran
und Kardamom.

Er war gerade dabei, Mandeln und Cashewnüsse in einer
schweren Eisenpfanne zu rösten, als jemand seine Schulter
berührte. Maravan wandte den Kopf mit der etwas übertrie-
benen Hast, die anzeigen sollte, wie sehr er beschäftigt war
und wie ungelegen ihm die Störung kam.

Neben ihm stand Sandana. »Kann ich helfen?«

Er überlegte kurz, dann überreichte er ihr seinen Koch-
löffel. »Immer bewegen, nichts darf schwarz werden, wenn
alles goldgelb ist, kommt es in diese Schüssel und … ähm …
dann rufst du mich.«

Er eilte zur nächsten Helferin am nächsten Topf, prüfte,
ob alles in Ordnung war, gab ein paar Anweisungen und eilte
weiter zur nächsten.

Als Kind hatte er einmal in einem Zirkus eine chinesische
Artistin gesehen, die Teller auf der Spitze von elastischen Stä-
ben kreisen ließ. Zuerst einen, dann zwei und immer mehr,
bis es zwanzig waren oder dreißig, er war damals noch nicht
so gut im Zählen. Sie hatte alle Hände voll zu tun, die Teller
am Rotieren zu halten, rannte zwischen den tanzenden Stä-
ben hin und her und schaffte es immer im letzten Moment,
einen taumelnden Teller vor dem Absturz zu bewahren.

So kam er sich jetzt vor als einziger Koch inmitten von einem Dutzend Pfannen, deren Inhalte jederzeit das Gleichgewicht verlieren konnten.

Bei Sandana allerdings blieb er jeweils etwas länger.

33

Pongal ist ein fröhliches Fest. Die Menschen freuen sich auf einen Neubeginn und lassen die Vergangenheit hinter sich. Aber hier, im Zweckbau des Gemeindezentrums an diesem kalten, stürmischen vierzehnten Januar 2009 war wenig von der Unbeschwertheit und Zuversicht zu spüren, die sonst zu diesem Fest gehören.

Fast alle Anwesenden hatten Familie oder Freunde, um die sie bangen mussten. Die sri-lankische Armee stand vor Mullaitivu, die LTTE wehrte sich erbittert, und die Zivilbevölkerung versuchte vergeblich zu fliehen.

Viele Festbesucher hatten schon lange keinen Kontakt mehr mit ihren Angehörigen gehabt. Es war stiller im Saal als in früheren Jahren. Die Mienen waren ernster und die Gebete inbrünstiger.

Auch Maravan war ohne Nachricht von seiner Familie. Es ging das Gerücht, dass der Laden in Jaffna, über den der Batticaloa-Basar den Kontakt aufrechterhielt und Geld überwies, nach einer Razzia geschlossen worden war. Es wäre nicht das erste Mal, bisher konnte er dank etwas Schmiergeld immer wieder seine Tätigkeit aufnehmen. Aber es hatte jedes Mal ein paar Tage gedauert.

Maravan saß an einem der langen, mit weißen Papierbahnen bedeckten Tische. Er war nur noch zur Hälfte besetzt, die Tischdekoration war verrutscht und lückenhaft. Ein paar der Gäste, die schon gegangen waren, hatten Blumen mitgenommen.

Der Grund, weshalb Maravan noch hier war, saß zwei Tische weiter, umgeben von Eltern, Tanten, Onkeln, Geschwistern und Freunden. Sandana sah immer wieder zu ihm herüber, aber sie gab ihm kein Zeichen, er solle sich zu ihnen gesellen.

Schon mehrmals war er drauf und dran gewesen, einfach hinüberzugehen und zu fragen, wie das Essen geschmeckt habe. Schließlich war er der Koch. Köche tun das.

Und dann? Nachdem sie gesagt hätten: Gut, danke der Nachfrage, und ihn nicht einluden, Platz zu nehmen? Die Vorstellung, wie er dann wie bestellt und nicht abgeholt neben dem Tisch stehen und nach einem würdevollen Abgang suchen würde, hielt ihn an seinem Tisch, der immer leerer wurde.

Er bemerkte, dass an Sandanas Tisch ein Streit entstanden war, ein wütender Wortwechsel zwischen ihr und ihren Eltern. Sandanas kaum gebogene Brauen bildeten mit dem Punkt über dem Nasenrücken eine durchgehende Linie.

Jetzt stand sie auf und kam, ohne auf die Zurufe ihrer Eltern zu achten, auf seinen Tisch zu.

»Nicht hinüberschauen«, sagte sie und setzte sich neben ihn.

Ihr Pottu, der Punkt auf der Stirn, war immer noch aufgeworfen durch die Falten, die der Ärger hatte entstehen lassen.

»Streit?«, fragte Maravan.

»Streit der Kulturen.« Sie versuchte zu lachen.

»Verstehe.«

»Erzählen Sie mir etwas. Sie sollen nicht meinen, wir hätten uns nichts zu sagen.«

»Was soll ich erzählen?« Maravan merkte, wie blöd die Frage war, und fügte hinzu: »Ich bin nicht so gut im Erzählen.«

»In was sind Sie gut?«

»Im Kochen.«

»Dann erzählen Sie vom Kochen.«

»Als ich das erste Mal sah, wie meine Großtante *Aalanggai Puttu* machte, war ich vielleicht fünf. Sie verwandelte Reis und Linsen in Mehl, geriebene Kokosnuss in Milch und alles in einen Teig und diesen in viele kleine Kugeln, die sie mit Dampf und Kokosmilch und Palmzucker in süße falsche Banyanfeigen verwandelte. Damals lernte ich, dass Kochen nichts anderes ist als Verwandeln. Kaltes in Warmes, Hartes in Weiches, Saures in Süßes. Deswegen bin ich Koch geworden. Weil mich das Verwandeln fasziniert.«

»Sie sind ein wunderbarer Koch.«

»Das heute war nichts. Ich möchte weitergehen. Das Verwandelte weiterverwandeln. Das Weiche, zu dem das Harte verwandelt ist, in etwas Knuspriges. Oder in etwas Schaumiges. Oder in etwas Schmelzendes. Verstehen Sie? Ich will« – er suchte nach den richtigen Worten –, »ich will aus dem Vertrauten etwas Neues machen. Aus dem Erwarteten etwas Überraschendes.« Er war selber erstaunt über seinen Redefluss. Und vor allem über dessen Inhalt. Noch nie hatte er es so ausdrücken können.

»Wir gehen jetzt«, sagte eine Stimme hinter ihnen. Sie gehörte Sandanas Vater, der unbemerkt an ihren Tisch getreten war.

»Vater, das ist Maravan. Er hat heute für uns alle gekocht. Maravan, das ist mein Vater, Mahit.«

Maravan stand auf und wollte dem Mann die Hand geben. Aber der übersah sie und wiederholte: »Wir gehen jetzt.«

»Gut. Ich komme später nach.«

»Nein. Sie kommen jetzt mit.«

»Ich bin zweiundzwanzig.«

»Sie kommen mit.«

Maravan sah, wie Sandana mit sich kämpfte. Schließlich hob sie die Schultern, ließ sie fallen und sagte: »Auf ein anderes Mal.« Und folgte ihrem Vater.

Maravan übte Drinks. Die Kunden für das *Love Menu* begnügten sich nicht immer mit Champagner und Wein. Sie fragten nach Cocktails und Aperitifs. Maravans Ehrgeiz ließ es nicht zu, einfach Camparis oder Bloody Marys zu servieren.

Gerade mixte er dicke Kokosmilch mit Crushed Ice, Arrack, Ginger Ale, weißem Tee, Xanthan und Guran. Er würde die pastellgelbe Masse zwölf Stunden bei minus zwanzig Grad gefrieren und dann auf Porzellanlöffeln mit etwas Knallbrause als elektrisches Arrack-Konfekt servieren. Andrea würde, wie für alles Alkoholische, das Versuchskaninchen sein.

Es klingelte. Maravan sah auf die Uhr: fast halb elf Uhr abends. Er sah durch den Spion – niemand. Er nahm den Hörer der veralteten Gegensprechanlage und rief: »Ja?«

Durch das statische Rauschen und Knacken vernahm er eine Frauenstimme. Aber er verstand nicht, was sie sagte.

»Lauter, bitte!«, rief er. Jetzt verstand er ein Wort, das »Andrea« heißen konnte. Andrea? Um diese Zeit? Ohne Voranmeldung?

Er drückte auf den Türöffner und wartete auf der Schwelle. Er hörte rasche leichte Schritte auf der Treppe. Und dann sah er seinen späten Gast: Sandana.

Sie war westlich gekleidet, Jeans, Pullover und die Steppjacke, die er von ihrer ersten Begegnung her kannte. Die traditionelle Kleidung stand ihr besser, fand er.

Er bat sie herein. Jetzt erst bemerkte er, dass sie eine Reisetasche trug. Sie stellte sie ab und begrüßte ihn mit drei Schweizer Küsschen. Es sollte ganz selbstverständlich wirken, aber es geriet ihr etwas ungelenk.

»Kann ich hier übernachten?«, war ihre erste Frage.

Er musste so überrascht ausgesehen haben, dass sie hinzufügte: »Auf der Couch oder auf dem Boden, ganz egal.«

Maravan kannte sich aus mit tamilischen Hindufamilien und sah eine Lawine von Konsequenzen auf sich zudonnern. »Weshalb schlafen Sie nicht zu Hause?«

»Ich bin ausgezogen.«

»Ich gebe Ihnen Geld für ein Hotel.«

»Geld habe ich selbst.«

Maravan fiel ein, dass sie ihm erzählt hatte, sie arbeite in einem Reisezentrum der Bahn.

Sandana sah ihn flehend an. »Sie müssen nicht mit mir schlafen.«

Er lächelte. »Gott sei Dank!«

Sandana blieb ernst. »Aber Sie müssen sagen, Sie hätten.«

Er half ihr aus der Jacke und führte sie in die Küche. »Lassen Sie mich das hier beenden, dann erzählen Sie mir alles.« Er schaltete den Mixer wieder ein, ließ ihn noch ein paar Augenblicke laufen und füllte den Inhalt in eine flexible Form.

»Sind Sie am Verwandeln?«

»Ja. Kokosschnaps in Schnapskokos.«

Zum ersten Mal lächelte sie ein wenig.

Maravan stellte die Form in den Tiefkühler und führte Sandana in sein Wohnzimmer. Als er die Tür öffnete, flackerte die Flamme der Deepam im Durchzug. Maravan schloss das Fenster.

»Setzen Sie sich doch. Möchten Sie Tee? Ich wollte mir gerade einen machen.«

»Dann nehme ich auch einen.« Sie faltete die Hände vor dem Gesicht, verneigte sich kurz vor Lakshmi und setzte sich auf eines der Kissen.

Als Maravan mit dem Tee aus der Küche kam, saß Sandana noch genau so da, wie er sie verlassen hatte. Er setzte sich und hörte sich ihre Geschichte an. Er hätte sie erraten können:

Sandanas Eltern hatten sich vor einiger Zeit mit den Eltern eines jungen Mannes namens Padmakar – sie waren Vaishyas, wie sie – geeinigt, dass die beiden jungen Leute heiraten sollten. Die Kaste stimmte, das Vorleben und auch das Horoskop. Aber Sandana wollte nicht. Nun, da die Vermählung näherrückte, war der Streit darüber eskaliert. Bei der Auseinandersetzung, die Maravan an Pongal von weitem beobachtet hatte, war es um dieses Thema gegangen. Und das heute Abend war der Höhepunkt des Dramas. Sie hatte ein paar Sachen gepackt und war gegangen. Ihre Mutter hatte geweint, ihr Vater hatte immer wieder gesagt:

»Wenn du jetzt gehst, brauchst du nie mehr zurückzukommen.«

»Und jetzt?«, hatte Maravan am Ende des Berichts gefragt. Da hatte sie zu weinen begonnen. Er hatte dem eine kurze Zeit zugesehen, dann hatte er sich neben sie gesetzt und den Arm um sie gelegt.

Er hätte sie gerne geküsst, aber die Probleme, die sich daraus ergeben würden, waren durch die letzten Informationen nicht weniger bedrohlich geworden: Sie war eine Vaishya, er ein Shudra. Vergiss es.

Sie hatte aufgehört zu weinen, wischte die Tränen weg und maulte: »Dabei war ich noch nie in meinem Leben in Sri Lanka.«

»Seien Sie froh.«

Sie sah ihn erstaunt an.

»So haben Sie kein Heimweh.«

»Haben Sie?«

»Immer. Mal mehr, mal weniger. Aber nie gar keines.«

»Ist es wirklich so schön?«

»Wenn Sie auf den schmalen Straßen ins Landesinnere reisen, fahren Sie wie durch ein einziges großes Dorf. Die Straßen sind von Bäumen gesäumt, in ihrem Schatten sehen Sie die Häuser stehen, sehr geheimnisvoll, sehr geborgen. Manchmal ein Paddyfeld, dann wieder Bäume und Häuser. Manchmal eine Schulklasse in weißen Uniformen. Und wieder Häuser. Sie werden manchmal zahlreicher und dann wieder seltener, aber sie reißen nie ab. Wenn Sie denken, das war jetzt das letzte, kommt schon wieder das erste. Ein einziger bewohnter fruchtbarer tropischer Park.«

»Hören Sie auf. Ich bekomme Heimweh.«

Sandana schlief in Maravans Bett, bewacht von seinen Curry-bäumchen. Er selbst hatte sich aus den Kissen seines Essplatzes ein Bett gemacht. Sie hatten sich einen kameradschaftlichen Gutenachtkuss gegeben und waren keusch und bedauernd lange wach gelegen.

Am nächsten Morgen schreckte Maravan aus einem kurzen tiefen Schlaf. Die Tür zu seinem Schlafzimmer stand offen, das Bett war gemacht. Auf der Bettdecke lag ein Zettel. »Danke für alles – S.« Und eine Handynummer.

Die Reisetasche war noch da.

Maravan schaltete den Computer ein und ging ins Internet. Er konsultierte jetzt regelmäßig die Internetseiten der LTTE und die der sri-lankischen Regierung. Beiden war nicht zu trauen, aber zusammen mit den westlichen Medien und den Berichten der internationalen Organisationen konnte er sich ein ungefähres Bild über die Situation machen.

Die sri-lankischen Streitkräfte hatten Mullaitivu eingenommen und rückten weiter nach Norden vor. Die Tamil Tigers würden bald eingekesselt sein und mit ihnen nach Schätzungen der Hilfswerke etwa zweihundertfünfzigtausend Zivilisten. Beide Seiten beschuldigten sich, die Zivilbevölkerung als Schutzschild zu missbrauchen. In den hiesigen Medien war wenig oder nichts über die sich anbahnende humanitäre Katastrophe zu lesen.

Trotz dieser chaotischen Zustände hatte die Verbindungsstelle des Batticaloa-Basar wieder zu funktionieren begonnen. Noch während er vor dem Bildschirm saß, bekam Maravan einen Anruf des Basars. Er solle am nächsten Tag um elf Uhr vormittags die übliche Nummer anrufen. Seine Schwester wolle mit ihm sprechen.

Maravan machte sich auf schlechte Nachrichten gefasst.

Nach dem Frühstück wählte er Sandanas Nummer. Sie meldete sich nach langem Läuten.

»Ich kann jetzt nicht, ich habe Kunden«, sagte sie. »Ich ruf Sie in der Pause an.«

»Wann ist die Pause?«, fragte er. Aber sie hatte schon aufgelegt.

Also wartete er. Wartete und dachte an die Reisetasche, die neben seiner Matratze auf dem Boden lag, als gehöre sie von nun an da hin.

Was hatte Sandana vor? Wollte sie den Skandal wagen und bei ihm einziehen? Und: Wollte er das? Er kannte solche Fälle. Von Mädchen, die hier geboren und aufgewachsen waren und sich weigerten, sich den Traditionen und Gepflogenheiten einer Kultur und eines Landes zu fügen, die ihnen fremd waren. Sie nahmen den Bruch mit der Familie in Kauf und zogen mit dem Mann zusammen, den sie liebten.

Meistens waren es Männer von hier. Aber auch in Fällen, wo eine Tamilin ohne den Segen ihrer Eltern mit einem Tamilen lebte, gar einem aus der falschen Kaste, wurde das Paar aus den Familien und der Gemeinschaft ausgestoßen.

Würde er das wollen? Würde er mit einer Frau leben wollen, die aus der Gemeinschaft ausgeschlossen war? Sie müssten den vielen religiösen und gesellschaftlichen Anlässen fernbleiben oder es in Kauf nehmen, dass sie dort geschnitten wurden. Könnte er das?

Wenn er die Frau lieben würde, könnte er es.

Er sah Sandana vor sich. Rebellisch und resigniert, wie beim Pongal. Entschlossen und verunsichert wie gestern. Mit ihrem leichten Schweizer Akzent, wenn sie Tamil sprach. In ihren Jeans und dem Pullover, die so falsch aussahen an ihr.

Doch, er könnte es.

Endlich rief sie zurück.

»Sie hätten mich wecken sollen. Ich hätte Ihnen Egghoppers gemacht.«

»Ich hab reingeschaut, aber Sie haben tief geschlafen.«

Sie plauderten, wie Verliebte nach der ersten Liebesnacht.

Plötzlich sagte sie: »Ich muss aufhören, die Pause ist vorbei. Sind Sie über Mittag zu Hause? Ich möchte die Tasche holen. Ich kann zu einer Arbeitskollegin ziehen.«

34

Die Zeit, die Maravan vom Inhaber des Batticaloa-Basar genannt bekommen hatte, lag ungünstig für den Terminkalender von *Love Food*: elf Uhr vormittags.

Sie hatten einen Auftrag am Falkengässchen, und Maravan sollte um diese Zeit eigentlich in der Küche stehen und mitten in den Vorbereitungen stecken. Es hatte ihm einiges an Organisation abverlangt, und einiges an Flexibilität von Andrea, damit er jetzt pünktlich mit Kopfhörer und Notizblock vor seinem Computer sitzen konnte, mit klopfendem Herzen und fahrigen Händen.

Er wählte die Nummer, die Verbindung klappte auf Anhieb. Die Stimme des Ladenbesitzers meldete sich, Maravan nannte seinen Namen, und ein paar Sekunden später sagte die tränenerstickte Stimme seiner älteren Schwester: »Maravan?«

»Ist etwas mit Ulagu?«, fragte er.

Er hörte Schluchzen und wartete.

»Nangay«, brachte sie heraus.

Nein, dachte er, nein, nicht Nangay. »Was ist mit ihr?«

»Sie ist tot«, stammelte sie. Dann wieder nur Schluchzen.

Maravan verbarg das Gesicht in den Händen und schwieg. Schwieg, bis er die Stimme seiner Schwester hörte, jetzt klarer und gefasster. »Bruder? Sind Sie da?«

»Wie?«, fragte er.

»Das Herz. Sie lebte, und eine Sekunde später war sie tot.«

»Aber ihr Herz war doch stark.«

Nach einer Pause sagte Maravans Schwester: »Ihr Herz war schwach. Sie hatte einen Infarkt vor zwei Jahren.«

»Das hätte sie mir doch gesagt!«

»Sie wollte nicht, dass Sie es erfahren.«

»Weshalb nicht?«

»Sie hatte Angst, Sie würden zurückkommen.«

Als Maravan das Gespräch beendet hatte, ging er ins Schlafzimmer, nahm Nangays Foto von der Wand und stellte es vor den Hausaltar. Dann kniete er nieder und machte eine Andacht für Nangay. Er fragte sich, ob sie wohl recht gehabt hätte. Wäre er zurückgegangen, wenn er von ihrem Infarkt erfahren hätte?

Wahrscheinlich nicht.

An diesem Abend variierte Maravan das *Love Menu*. Er kochte alle Gänge genau so, wie sie ihm Nangay damals durchgegeben hatte.

Das Püree aus in gezuckerter Milch eingelegten Urd-Linsen bereitete er nicht als »Mann und Frau« zu, sondern trocknete sie portionenweise im Backofen.

Die Mischung aus Safran, Milch und Mandeln servierte er einfach als warmes Getränk. Und aus dem Safranghee machte er eine Paste, die man mit heißer Milch einnahm.

Er benutzte weder Rotationsverdampfer noch Gelifikation, verfremdete weder Texturen noch Aromen.

Das Essen heute Abend war eine Hommage an die Frau,

der er alles zu verdanken hatte. Er wollte, wenigstens heute, ihre Kunst nicht missbrauchen für etwas, das sie nie gebilligt hätte.

Die ganze Zeit über lagen Curryblätter und Zimt im heißen Kokosöl und erfüllten die ganze Wohnung mit dem Duft seiner Jugend. Zum Andenken an Nangay.

Andrea hatte sofort bemerkt, dass etwas nicht stimmte. Maravan war während der Vorbereitungszeit lange ausgeblieben. Als er endlich kam, roch nach kurzer Zeit die ganze Wohnung intensiver nach Curry als seine manisch gelüfteten Küchen je zuvor. Und was sie servierte, hatte nichts mit dem *Love Menu* zu tun, das sie kannte.

Gleich zu Beginn hatte sie eine Bemerkung über die Veränderungen gemacht und einen wütenden Blick eingefangen. »So oder nichts«, hatte er nur hervorgestoßen, und dann den ganzen Nachmittag und Abend nur noch das für den Servierablauf Nötigste gesprochen.

Der Kunde – ein Stammgast – war sichtlich enttäuscht, als sie den Gruß aus der Küche brachte. Es waren ein Löffelchen mit einer dunklen Paste neben einem Schnapsglas heißer Milch, die sie als »Urd-Linsen in heißer Milch« ankündigen musste. Aber die Frau, die er dazubestellt hatte, war neu und so begeistert, dass er sich nichts anmerken ließ.

Kurz bevor sie die Wohnung verließ – Maravan war fast ohne Abschied längst gegangen –, kam der Kunde in ein Frottiertuch gehüllt aus dem Zimmer, steckte ihr drei Zweihunderternoten zu und grinste: »Zuerst dachte ich, das sei die alternative Version des Menüs. Aber ich muss sagen: noch geiler. Kompliment an den Koch.«

35

Wieder hatte Maravan über zwei Stunden im Wartezimmer von Dr. Kerner verbracht. Die zerlesenen
Zeitungen, die herumlagen, hatten alle das gleiche Titel-
thema: die bevorstehende Vereidigung des ersten schwarzen
Präsidenten der USA, Barack Hussein Obama.

Das Ereignis war auch das Hauptgesprächsthema unter
den Wartenden. Die Tamilen erhofften sich von ihm eine weniger regierungsfreundliche Sri-Lanka-Politik. Die Iraker
einen baldigen Abzug der amerikanischen Truppen aus ihrer
Heimat. Und die Afrikaner mehr Engagement in Simbabwe
und Darfur.

Maravan beteiligte sich nicht am Gespräch. Er hatte andere Sorgen.

Als er endlich ins Sprechzimmer gebeten wurde, sah
Dr. Kerner von Maravans Patientenkarte auf und fragte:
»Wie geht's der Großtante?«

»Sie ist tot.«

»Tut mir leid. Sie haben Ihr Bestes getan. Was führt Sie zu
mir?«

»Es geht nicht um mich, es geht um die Großtante. Das
letzte Mal hatten Sie mich gefragt, ob ihr Herz in Ordnung
sei. Weshalb?«

»Bei gewissen Kreislaufproblemen hätte sie das Minirin

nicht nehmen dürfen. Es wirkt als Blutgerinnungsmittel. Es hebt die Wirkung von Blutverflüssigern auf und könnte so zu einem Schlaganfall oder Herzinfarkt führen. Woran ist sie gestorben?«

»Herzinfarkt.«

»Und jetzt befürchten Sie, das Medikament könnte schuld daran gewesen sein. Nicht sehr wahrscheinlich. Da müsste sie schon eine Vorgeschichte mit Kreislaufproblemen gehabt haben.«

»Sie hatte einen Herzinfarkt. Vor zwei Jahren.«

Dr. Kerner sah ihn nun doch etwas erschrocken an.

»Das hätten Sie mir sagen müssen.«

»Ich wusste es nicht. Sie hat es für sich behalten.«

Gegen Ende Januar sorgte eine kleine Meldung aus der Wirtschaft für Verwunderung in der Fachwelt. So sehr, dass ihr auch in der normalen Tagespresse etwas Platz eingeräumt wurde:

Die Kugag, die Firma, die mit Produkten auf dem Gebiet der erneuerbaren Energien der Wirtschaftskrise trotzte, hatte bekanntgegeben, dass sie mit hoogteco, einem holländischen Unternehmen, ein Joint Venture eingegangen war.

Die hoogteco war der wichtigste Zulieferer Europas für die Sonnen- und Windenergie. Und der größte Konkurrent der Kugag.

Wer wusste – und einige der Kommentatoren wussten es –, wie rasend die Entwicklung auf diesem Gebiet voranschritt und wie sensibel das technische Wissen der Branche war, wunderte sich über diesen Schritt. Denn er war ohne Know-how-Austausch nicht denkbar.

Die Experten stellten offen die Frage, was diese Kooperation der kleineren, aber dynamischeren Kugag bringe. Ihre Forschungsabteilung galt als eine der weltweit führenden, ihre Produktionskapazität war vor kurzem zukunftsgerichtet ausgebaut worden, ihre Auftragsbücher waren voll, und die Analysten wussten von einigen erfolgversprechenden Produktneuerungen in der Pipeline.

Auch imagemäßig hatte die Kugag keine Probleme. Ihr CEO war vor kurzem in der Sparte »neue Technologien« zum Manager des Jahres gewählt worden.

Wenn jemand von diesem Deal profitierte, konnte es nur die hoogteco sein.

Der CEO der Kugag, Hans Staffel, sonst ein guter Kommunikator, fiel diesmal durch eine stümperhafte Informationspolitik auf. Es war die hoogteco gewesen, die mit der Meldung an die Öffentlichkeit gegangen war. Die Kugag verweigerte zuerst jeden Kommentar, ließ dann verlauten, die Sache sei noch nicht spruchreif, und hinkte dann mit einem spröden Kommuniqué hinterher, das die Meldung der Holländer voll und ganz bestätigte.

Am Montag wurde die Kugag von der Börse abgestraft. Die hoogteco hingegen startete hervorragend in die Woche.

Eine Firmensprecherin der Kugag – das Unternehmen hatte, wohl auf Anraten seiner Kommunikationsberater, eine Firmensprecherin engagiert – spielte die Sache herunter und bezeichnete den Deal als ganz normale, eng begrenzte unternehmerische Maßnahme. Aus einer Position der Stärke heraus.

Einer der Kommentatoren zweifelte an dieser Stärke und spekulierte über mögliche finanzielle Engpässe, die durch Spekulationen auf dem amerikanischen Subprime-Markt verursacht sein könnten.

Ein anderer fragte sich, weshalb der Verwaltungsrat diesen Schritt nicht verhindert habe. Oder ob Staffel hier nicht seine Kompetenzen überschritten habe.

Vom CEO selbst, der doch sonst das Licht der Öffentlichkeit nicht scheute, war keine Stellungnahme zu bekommen.

37

Maravan war jetzt an den Abenden meistens beschäftigt. Aber über Mittag konnte er die Vorbereitungen kurz unterbrechen. Dann traf er sich mit Sandana. Er wartete auf sie vor dem Reisezentrum, und dann gingen sie in ein Café, ein Restaurant oder eine Imbissstube beim Bahnhof.

Sie nutzten die knappe Stunde, um einander von sich und ihrem Leben zu erzählen.

Einmal fragte sie: »Wenn wir jetzt in Sri Lanka wären, was täten wir dann?«

»Sie meinen jetzt? Genau jetzt?«

Sandana nickte. »Mittags um halb eins.«

»Ortszeit?«

»Ortszeit.«

»Es wäre heiß, aber es würde nicht regnen.«

»Also: Was tun wir?«

»Wir sind am Strand. Unter den Palmen in der Meeresbrise ist es etwas kühler. Das Meer ist ruhig. Im Februar ist es meistens ruhig.«

»Sind wir allein?«

»Weit und breit kein Mensch zu sehen.«

»Warum sind wir im Schatten und nicht im Wasser?«

»Wir haben keine Badeanzüge. Nur unsere Sarongs.«

»Damit kann man auch ins Wasser.«

»Dann werden sie durchsichtig.«

»Würde Sie das stören?«

»An Ihnen nicht.«

»Dann lassen Sie uns reingehen.«

Ein anderes Mal erzählte Maravan ihr von seiner Angst um Ulagu. Und von Nangay. Was sie ihm bedeutet hatte. Und dass er sich an ihrem Tod mitschuldig fühlte.

»Sagten Sie nicht, sie wäre ausgetrocknet ohne das Medikament?«

Maravan nickte.

»Und hat Ihre Schwester nicht gesagt: ›Sie lebte – und eine Sekunde später war sie tot‹?«

So kamen sie sich näher. Sie berührten sich kaum, aber sie gaben sich jetzt immer die ortsüblichen, doch in ihrer Kultur anstößigen Begrüßungs- und Abschiedsküsschen.

Sie wohnte noch immer in Wohngemeinschaft mit ihrer Kollegin, einer gemütlichen Berneroberländerin, die er einmal getroffen hatte, als die beiden gleichzeitig das Reisezentrum verließen. Mit ihren Eltern hatte Sandana keinen Kontakt.

An einem Abend im Februar – Maravan hatte im Falkengässchen gekocht und früh Feierabend machen können, saß er vor dem Bildschirm und surfte in den Webseiten. Die Nachrichten aus seiner Heimat wurden immer deprimierender.

Die Armee hatte eine Sicherheitszone für Flüchtlinge festgelegt, die sie jetzt, nach übereinstimmenden Berichten der LTTE und verschiedener Hilfsorganisationen, bombardierte. Es gab viele Tote unter den Zivilisten. Wer konnte, floh aus dem Kampfgebiet und wurde sofort in Flüchtlingslagern interniert. Viele sagten, der Sieg der Regierungstruppen stünde unmittelbar bevor. Maravan und die meisten seiner Landsleute wussten, dass ein Sieg nicht der Weg zum Frieden war.

Kurz nach dreiundzwanzig Uhr klingelte es Sturm.

Durch den Spion sah er einen Tamilen in mittleren Jahren. »Was wollen Sie?«, fragte Maravan, als der Mann einen Moment von der Klingel abließ.

»Aufmachen!«, befahl der Mann.

»Wer sind Sie?«

»Der Vater. Macht sofort auf, oder ich trete die Tür ein.«

Maravan öffnete. Jetzt erkannte er Sandanas Vater, der ungestüm in die Wohnung drang.

»Wo ist sie?«

»Wenn Sie Sandana meinen: Sie ist nicht hier.«

»Natürlich ist sie hier.«

Maravan lud ihn mit einer Handbewegung ein, sich umzuschauen. Mahit durchsuchte jedes Zimmer, ging ins Bad, sogar den Balkon ließ er nicht aus.

»Wo ist sie?«, fragte er drohend.

»Wahrscheinlich zu Hause.«

»Zu Hause ist sie schon lange nicht mehr!«

»Ich glaube, sie wohnt bei einer Freundin.«

»Ha! Freundin! Sie wohnt hier!«

»Hat sie das gesagt?«

»Wir sprechen nicht mehr miteinander!« Er schrie es fast. Dann wurde er plötzlich ruhig und wiederholte in normaler

Lautstärke, verwundert, als werde er sich dessen erst jetzt bewusst: »Wir sprechen nicht mehr miteinander.«

Maravan sah, wie dem Mann die Tränen in die Augen schossen. Er legte ihm die Hand auf die Schulter. Der schüttelte sie wütend ab.

»Setzen Sie sich. Ich mach Ihnen einen Tee.« Er deutete auf den Stuhl vor seinem Monitor. Mahit setzte sich folgsam, verbarg das Gesicht in den Händen und schluchzte leise vor sich hin.

Als Maravan den Tee brachte, hatte sich Sandanas Vater erholt. Er bedankte sich und trank in kleinen Schlucken.

»Warum lässt sie uns im Glauben, sie wohne hier, und wohnt bei einer Freundin?«

»Sie will den Mann nicht heiraten, den Sie für sie ausgesucht haben.«

Mahit schüttelte ratlos den Kopf. »Er ist doch ein guter Mann. Meine Frau und ich haben lange gesucht. Wir haben es uns nicht leichtgemacht.«

»Die Mädchen hier wollen ihre Männer selbst aussuchen.«

Mahit brauste wieder auf: »Sie ist kein Mädchen von hier!«

»Aber auch keines von dort.«

Der Vater nickte, und wieder kamen die Tränen. Diesmal versuchte er nicht, sie wegzuwischen. »Dieser Scheißkrieg. Dieser verdammte Scheißkrieg«, schluchzte er.

Als er sich beruhigt hatte, trank er die Tasse leer, entschuldigte sich und ging.

38

Maravan war nicht mehr so bei der Sache wie früher. Fast jeden Mittag, während er sich sonst ausschließlich auf die Essensvorbereitungen konzentriert hatte, ging er für eine Stunde weg. »Einen Happen essen«, wie er sagte.

Wenn er zurückkam, war er meistens gut aufgelegt, was er seit dem Abend, als er die Menüvariante gekocht hatte, lange Zeit nicht gewesen war.

Der Kunde von damals hatte kurz darauf noch einmal das gleiche Menü und eine andere Frau bestellt, aber Maravan hatte sich strikt geweigert. »Dafür ist das nicht gedacht«, hatte er Andrea geantwortet.

»Aber es habe wunderbar funktioniert, sagt der Kunde.«

»Das war nicht die Absicht«, lautete die Antwort. Und damit war das Thema für ihn abgeschlossen.

Er wollte Andrea nicht erklären, was es damit auf sich hatte, und sie hatte auch nicht nachgebohrt. Es war ein heikles Thema. Sie wollte ihn nicht verstimmen. Sie war froh, dass er so gut drauf war in letzter Zeit.

Nur durch einen Zufall kam sie hinter den Grund für sein verändertes Verhalten: Sie hatte Makeda, die in Genf eine Buchung für den Teilnehmer einer UNO-Konferenz hatte, zum Bahnhof gebracht. Nach der Abfahrt des Zuges ging sie in eine Sandwichbar in der Bahnhofshalle. Und dort sah sie ihn.

Maravan saß an einem Tischchen mit einer hübschen Tamilin. Sie hatten nur Augen und Ohren füreinander.

Andrea zögerte einen Moment, aber entschloss sich dann doch, die Idylle zu stören. Sie trat an den Tisch und sagte: »Ich störe ungern.«

Das Mädchen sah zuerst sie und dann Maravan fragend an. Dem hatte es die Sprache verschlagen.

Andrea stellte sich vor. »Ich bin Andrea, Maravans Geschäftspartnerin.« Sie streckte die Hand aus, und die junge Frau ergriff sie mit einem erleichterten Lächeln. »Und ich bin Sandana.« Sie sprach Dialekt ohne die Spur eines Akzents.

Maravan bat sie nicht, sich zu setzen, und daher verabschiedete sie sich rasch wieder, »bis nachher« zu Maravan, »hat mich gefreut« zu Sandana.

Später, im Falkengässchen, sagte sie: »Warum führst du die Arme nicht in ein besseres Restaurant?«

»Sie arbeitet im Reisezentrum und hat nur eine kurze Mittagspause.«

Andrea lächelte. »Jetzt wird mir vieles klar: verliebt.«

Maravan sah nicht von seiner Arbeit auf. Er schüttelte nur den Kopf und murmelte: »Bin ich nicht.«

»Sie schon«, gab Andrea zurück.

Am nächsten Morgen sorgte eine weitere Wirtschaftsmeldung im Zusammenhang mit der Kugag für Aufsehen: Hans Staffel, immerhin einer der Manager des Jahres, war mit sofortiger Wirkung freigestellt worden. »Wegen unterschiedlicher Auffassungen in Bezug auf die strategische Ausrichtung des Unternehmens.« Für die Kommentatoren war die Sache klar: Die Entlassung stand in Zusammenhang mit dem undurchsichtigen Entschluss des CEOs, mit einem der größten Konkurrenten ein Joint Venture einzugehen.

»Schau! Den kennen wir«, sagte Makeda und zeigte Andrea das offizielle Porträt, das Staffel in besseren Zeiten bei einem nicht ganz billigen Fotografen für den Geschäftsbericht hatte anfertigen lassen. Sie lagen im Bett. Andrea blätterte die Zeitungen durch, die sie gekauft hatte, als sie die Frühstücks-Croissants holte. Makeda sah ihr dabei zu, sie las kein Deutsch.

»Was ist mit ihm?«, fragte Makeda.

Andrea las den Text. »Rausgeschmissen.«

»Ich dachte, der sei so genial?«

»Hat irgendeinen Mist gebaut mit einer holländischen Firma.«

»Der, mit dem er damals ins Falkengässchen kam, das war doch einer?«

»Was?«

»Holländer.«

Maravan las die Zeitung aus einem anderen Grund: Über zehntausend seiner Landsleute hatten vor dem UNO-Gebäude in Genf demonstriert. Sie forderten ein sofortiges Ende der Militäroffensive.

Die Nachrichten aus Sri Lanka waren in den letzten Tagen immer dramatischer geworden. Das von der LTTE besetzte Gebiet war auf eine Enklave von knapp hundertfünfzig Quadratkilometer zusammengeschrumpft, in deren Mitte die Ortschaft Puthukkudiyiruppu lag. Kilinochchi, der Elephant Pass, die Hafenstädte Mullaitivu und Chalai waren in den Händen der Regierung. Nach Schätzungen des Roten Kreuzes waren zusammen mit den etwa zehntausend LTTE-Kämpfern zweihundertfünfzigtausend Menschen eingekesselt, die immer wieder unter Beschuss gerieten.

Während in Genf demonstriert wurde, feierte in Colombo die Regierung den einundsechzigsten Unabhängigkeitstag von Sri Lanka mit einer Militärparade. »Ich bin überzeugt, dass die Tamil Tigers in wenigen Tagen komplett geschlagen sein werden«, verkündete Präsident Mahinda Rajapakse. Er appellierte an alle Sri Lanker, die das Land wegen des Krieges verlassen hatten, zurückzukehren.

Die Regierung hatte nicht sehr echt wirkende Fotos veröffentlicht von einem zweistöckigen komfortablen Bunker, den der tamilische Kommandant Prabhakaran bewohnt und nun fluchtartig verlassen hätte. Es ging das Gerücht, er habe das Land verlassen.

Erst als er die Zeitung weglegte, sah Maravan das Bild des Mannes, den er letzten Monat in die Wohnung im Falkengässchen einlassen musste, weil Andrea Streichhölzer besorgte und der Gast zu früh gekommen war. Er las nur die Bildunterschrift: »Gefeuert: Manager des Jahres Hans Staffel.«

Später am Vormittag, sie lagen immer noch im Bett, sagte Makeda unvermittelt: »Der hat ihn fotografiert.«

»Wer?«

»Der Holländer. Als der Rausgeschmissene mit Cécile ins Nebenzimmer ging. Nach einer Weile stand der Holländer auf, holte etwas aus seinem Jackett, öffnete leise die Tür und blieb, bis ihn Cécile rausschickte.«

»Woher weißt du, dass er fotografiert hat?«

»Cécile hat gerufen: ›Ça suffit! Fotografieren kostet extra!‹«

39

Love Food kochte zur Abwechslung wieder einmal für ein Ehepaar. Die Kunden kamen noch aus dem Stamm von Esther Dubois, der Sexualtherapeutin. Ein etwas kunstgewerblerisches Paar Mitte vierzig, das sehr ernsthaft an seiner Beziehung arbeitete. Andrea hatte keine Ahnung, woher sie ihre Adresse hatten. Sie vermutete, dass sie von Esther Dubois' Patienten durch Mundpropaganda weitergegeben wurden, denn es kam immer wieder vor, dass sich Kunden aus diesem Umfeld meldeten.

Sie wohnten in einem Einfamilienhaus mit Gemüsegarten, und die Frau hatte sich von Maravan versichern lassen, dass er nur Zutaten aus biologischem Anbau verwende. Er hatte das bestätigt, obwohl er nicht für alle molekularen Texturgeber die Hand ins Feuer legen konnte.

Während der Vorbereitungen sagte Andrea: »Hast du gehört, dieser Staffel wurde entlassen.«

»Die Krise macht vor keinem halt.«

»Makeda sagt, der Holländer habe ihn beim Bumsen fotografiert.«

»Ich will nicht wissen, was die dort drinnen tun.«

»Verstehst du nicht? Der hat ihn beim Bumsen fotografiert und mit den Fotos unter Druck gesetzt. Er soll plötzlich sehr seltsame Geschäftsentscheidungen getroffen und mit einer Konkurrenzfirma gemeinsame Sache gemacht haben.«

Auch dafür hatte Maravan nur ein Schulterzucken übrig.

»Und rate mal, was die Konkurrenten für Landsleute sind.«

»Holländer?«, riet Maravan.

Maravan war nicht der einzige Verliebte in diesen Tagen. Auch Dalmann hatte, zum ersten Mal seit – er wusste nicht wie vielen – Jahren, sein krankes Herz verloren. Es befand sich jetzt im Besitz von einer, die damit nicht viel anfangen konnte: Makeda, Callgirl aus Äthiopien und ständige Begleiterin von Andrea, Geschäftsführerin von *Love Food*.

Er buchte sie mehrmals pro Woche. Nicht, weil sein sexueller Appetit so unstillbar und seine sexuelle Leistungsfähigkeit so groß waren, in dieser Hinsicht spürte Dalmann sein Alter, sein Herz und den täglichen Medikamentencocktail. Nein, er fühlte sich einfach wohl in ihrer Gesellschaft. Er mochte ihren Sinn für Humor und ihre manchmal undurchschaubare Ironie. Und vor allem: Er konnte sich nicht sattsehen an ihr.

So leistete er sich für viel Geld eine fast spießige Beziehung, verbrachte viel Zeit mit Makeda in seinem Haus, sah mit ihr fern und spielte stundenlang und chancenlos Backgammon gegen sie.

Nie verlangte sie von ihm, dass er sich mit ihr in der Öffentlichkeit zeige, wie andere Freundinnen aus der Vergangenheit. Nie ließ sie den geringsten Zweifel entstehen, dass ihre Beziehung rein geschäftlicher Natur war.

Das hatte ihm am Anfang gefallen, aber mit der Zeit begann es ihn zu stören. Er begann sie zu fragen, ob sie ihn denn auch ein bisschen möge, und sie gab ihm jedes Mal die gleiche Antwort: »Ein bisschen mögen? I absolutely worship you.«

Diese Unverbindlichkeit hatte dazu geführt, dass er sie beschenkte. Mit einem Perlencollier, einem dazupassenden Perlenarmband und einer nachtschwarzen Nerzstola.

Es ging so weit, dass er sich eines Tages mit ihr im Huwyler zeigte.

Makeda aß sich durch das große Surprise, als esse sie jeden Tag so. Und sie blieb die ganze Zeit beim Champagner, was dem Koch in Fritz Huwyler weh tat, aber den Geschäftsmann in ihm freute. Denn Dalmann trank trotzdem Weine nach dem Aperitif und überließ deren Wahl dem Sommelier.

In der Küche hatte es sich blitzartig herumgesprochen, dass Dalmann heute in spektakulärer Begleitung hier sei. Die ganze Brigade, einer nach dem anderen, spähte von der Essensausgabe zu seinem Tisch hinüber und gab dann seine Einschätzung bekannt. Tänzerin, Model oder Nutte.

Makeda war eine Extravaganz, die sich Dalmann genau genommen nicht leisten konnte. Die Aktien der größten Bank, in die sein vermeintlich sicher angelegtes Geld investiert war, hatten sich noch keineswegs erholt. Im Gegenteil. Gerade hatte das vom Staat gestützte Geldhaus für das vergangene Jahr einen Verlust von zwanzig Milliarden Franken bekanntgegeben. Ein Verlust, der einmalig war in der Wirtschaftsgeschichte des Landes. Die Kunden hatten zweihundertsechsundzwanzig Milliarden abgezogen, die Aktie hatte in dieser Zeit fast zwei Drittel ihres Wertes verloren. Und die amerikanischen Steuerbehörden drohten damit, der Bank die

Lizenz zu entziehen, wenn sie ihnen nicht die Daten von ein paar hundert der Steuerhinterziehung verdächtigten US-Bürgern auslieferten. Ohne Lizenz in den USA konnte die größte Schweizer Bank den Laden schließen.

Dafür hatte sich die Sache mit Staffel und van Genderen erfreulich entwickelt. Das neue Management versuchte zwar auf Druck der Anteilseigner verzweifelt, den Deal zwischen der Kugag und der hoogteco rückgängig zu machen. Ihm konnte es egal sein, die Provision war überwiesen, und zwar auf die richtige Bank.

Er staunte, wie schnell van Genderen den armen Staffel herumgekriegt hatte, keine Ahnung, wie ihm das gelungen war. Aber ein paar Vermutungen, die hatte er schon. Das Gerücht, Staffels Frau habe die Scheidung eingereicht, welches die aus dem Salzburgischen stammende Klatschkolumnistin der großen Tageszeitung in ihrer immer etwas hilflos anmutenden wöchentlichen Kolumne streute, deutete in diese Richtung. Auch das nicht Dalmanns Problem.

Auch auf einem anderen Gebiet ließ sich die Vermittlungs- und Beratungstätigkeit erfreulich gut an. Nämlich die für seine thailändischen und pakistanischen Kontakte, Waen und Razzaq. Beide hatten sich mit Carlisle geeinigt, die Produkte waren an die USA verkauft und nach Thailand und Pakistan geliefert worden. Dass sie immer noch dort waren, bezweifelte Dalmann. Die thailändische Lieferung war wohl auf inoffiziellem Weg im Golf von Bengalen auf Schiffe der LTTE umgeladen, die pakistanische wahrscheinlich hochoffiziell nach Colombo verschifft worden.

Das alles lag natürlich außerhalb von Dalmanns Zuständigkeit. Er hatte nur, und dies ganz legal, seine guten Dienste zur Verfügung gestellt und dafür eine angemessene Kommission entgegengenommen. Wenn er es nicht getan hätte, hätte es ein anderer getan. Auch dieser Betrag war übrigens auf dem Konto einer kleineren, aber solideren Bank als der anfangs erwähnten deponiert.

Nebeneinkünfte, die ihn nicht reich machten, aber die immerhin seine Extravaganzen nicht ganz so unvernünftig erscheinen ließen.

40

Gegen neun Uhr abends flogen zwei Kleinflugzeuge aus dem Norden Richtung Colombo. In ihren Cockpits saßen die beiden Black Air Tigers Col. Rooban und Lt. Col. Siriththiran. Sie waren von einer Straße im eingekesselten Kampfgebiet gestartet. Rooban hatte einen Brief zurückgelassen, in dem er die Jugend beschwor, sich den Befreiungstigern anzuschließen.

Kurz vor der Hauptstadt trennten sie sich. Eine der Maschinen flog Richtung Luftwaffenstützpunkt Katunayake, das Ziel des anderen war das Luftwaffenkommando mitten in Colombo.

Um zwanzig nach neun wurde Colombo verdunkelt. Ein paar Sirenen waren zu hören.

Maravan befand sich gerade in einem tamilischen Lebensmittelgeschäft, als die Nachricht eintraf. Aus dem Hinterzimmer drang plötzlich Gejohle und Applaus. Der Inhaber kam in den Verkaufsraum gerannt und brüllte: »Wir haben Katunayake und Colombo bombardiert! Nichts ist verloren!«

Maravan hatte Sali-Reis, Langpfeffer und Palmzucker gekauft und wartete bei der Kasse, bis er zahlen konnte. Aber Kunden und Personal schwatzten wild durcheinander. Katunayake und Colombo! Bombardiert! Und die Armee sagt immer, die Tiger seien besiegt! Nichts ist verloren!

Maravan ging zum Ladeninhaber. »Total geschlagen, hat Rajapakse gesagt, total geschlagen!«, rief dieser mit sich überschlagender Stimme.

»Kann ich bitte bezahlen?«, sagte Maravan.

»Und Prabhakaran habe das Land verlassen! Keine Spur. Im Internet ist ein Foto von ihm mit den beiden Piloten! Ha!«

»Kann ich bitte bezahlen?«

»Freust du dich denn nicht?«

»Ich freue mich dann, wenn Frieden ist.«

Am nächsten Tag experimentierte Maravan bis spät in die Nacht mit Zimtrauch für seinen Smoker. Als er wieder einmal frische kalte Luft durch die Küchenbalkontür hereinließ, hörte er Jubel und Applaus über ihm. Er trat auf den Balkon und sah zum Fenster hinauf.

Auf dem Küchenbalkon der Wohnung neben ihm stand Murugan, der Familienvater, der seine Zigaretten auf dem Balkon rauchen musste, und sah ebenfalls hinauf.

»Noch ein Luftangriff?«, fragte Maravan.

»Slumdog Millionaire.«

»Slumdog Millionaire?«

»Ein Film über einen Jungen aus Mumbai, der in den Slums wohnt und in einer Fernsehshow eine Million gewinnt. Räumt Oscars ab wie verrückt. Und jedes Mal jubeln die Ratnams.«

»Die Ratnams sind doch keine Inder?«

»Mehr Inder als Schweizer, wie wir alle.«

Weder die Ereignisse in und um Sri Lanka noch die Oscar-verleihung beschäftigten Dalmann. Er war ein Mann der Wirtschaft, und die lieferte weiß Gott genug Grund für Aufregung.

Seine Bank, für deren Genesung er jeden Abend Stoß-gebete zum Himmel sandte, hatte bei der Regierung um Er-laubnis gebettelt, die Kundendaten von dreihundert amerika-nischen Bürgern herauszugeben, denen Steuerhinterziehung vorgeworfen wurde. Das war der letzte Nagel am Sarg des Bankgeheimnisses.

Saab, der schwedische Autobauer, der der angeschlagenen General Motors gehörte, war pleite. Nicht, dass ihn das über-raschte, er hatte nie viel übrig gehabt für diese fahrbaren Understatements für Intellektuelle, aber dass die Regierung es zugelassen hatte, gab ihm zu denken.

Deutschland hatte ein Konjunkturprogramm von fünfzig Milliarden Euro verabschiedet und die Neuverschuldung des Staates auf Rekordwerte geschraubt.

Und jetzt das:

Schaeffer klingelte ihn aus dem Bett, in dem er gerne noch ein wenig in Makedas Parfum geschwelgt hätte.

Er ließ ihn eine Stunde warten und kam dann geduscht, rasiert und etwas zu wohlriechend ins Frühstückszimmer, wo sein Mitarbeiter vor einem Tee und zwei Apfelschalen-girlanden saß.

»Was gibt's so Dringendes«, sagte Dalmann zur Begrü-ßung. Er ahnte, dass es keine Lappalie war.

»Die Waffenausfuhrgegner.«

»Was gehen die mich an?«

»Sie haben Waen ausfindig gemacht.«

»Und?«

»Sie haben einen Tipp bekommen, dass er die in die USA zurückgeschickten Panzerhaubitzen gekauft hat.«

»Daran ist nichts Illegales, das weißt du so gut wie ich.«

»Aber sie haben herausgefunden, dass er an die Tamil Tigers liefert.«

»Das ist sein Problem.«

»Schön, dass du es so entspannt siehst.«

»Du nicht?«

»Sie werden es in ihrem Blättchen veröffentlichen, und irgendeine Spürnase unter unseren Journalistenfreunden wird herumbuddeln, und da ist es nicht auszuschließen, dass jemand auf dich stößt.«

»Im Zusammenhang mit Waen?«

»Im Zusammenhang mit Carlisle. Du hast ja bei seinem Kauf vermittelt.«

»Von mir aus.« Dalmann klang unbekümmert. Aber sie beide wussten, dass er es sich nicht leisten konnte, im Zusammenhang mit einem solchen Geschäft genannt zu werden.

Schaeffer erhob sich. »Ich wollte dich nur warnen.«

»Halt, nicht so hastig.«

Schaeffer setzte sich wieder.

»Was können wir tun?«

»Nicht viel.«

»Und das wenige?«

Schaeffer tat, als müsste er lange überlegen. »Wir könnten vielleicht dafür sorgen, dass in dieser Sache ein Medium federführend wird, auf das wir ein wenig Einfluss nehmen können.«

Dalmann nickte. Es gab nur ein solches Medium. »Und wie willst du das anstellen?«

»Ich gebe denen den Tipp mit Carlisle. Unter der Bedingung, dass die dich raushalten.«

Der Mann war gut. Nervte, aber war gut. »Und wie willst du verhindern, dass ein anderer Journalist recherchiert?«

»Journalisten recherchieren nicht in den Enthüllungsstorys ihrer Kollegen herum. Die schreiben sie ab.«

Schaeffer verabschiedete sich, und Dalmann machte sich einigermaßen beruhigt über sein Frühstück her.

41

Kurz vor elf Uhr vormittags drückte Andrea auf die Klingel mit dem Initial M. in dem Appartementhaus, in dem Makeda wohnte. Sie hatte die ganze Nacht vergeblich auf sie gewartet. Makeda hatte zwar gesagt, dass sie von Dalmann gebucht war, aber normalerweise dauerte das nicht die ganze Nacht.

Sie hatten auch abgemacht, dass nie eine auf die andere wartete, nie eine fest mit der anderen rechnete. Es sollte immer eine freudige Überraschung bleiben, wenn sie einander besuchten. Aber es gab zwischen ihnen, wie zwischen allen Verliebten, viele Abmachungen. Und wie alle Verliebten hielten sie sich manchmal nicht daran.

Keine Fragen stellen war so eine. Sie wollten Geheimnisse voreinander haben. Keine großen, keine wichtigen. Einfach solche, die nichts mit der anderen zu tun hatten.

Doch Andrea schaffte es nicht immer. Sie fragte nicht direkt, aber es kam schon vor, dass sie mehr zu sich als zu Makeda sagte: »Ich möchte ja nicht wissen, was du wieder die halbe Nacht getrieben hast.«

Nie beantwortete Makeda eine dieser rhetorischen Fragen. Sie richtete auch nie eine an Andrea.

In der Gegensprechanlage ertönte Makedas schläfrige Stimme. »Jaaa?«

»Ich bin's, Andrea.«

Makeda drückte auf den Türöffner, und als der Lift im Vierten ankam, erwartete sie sie in der Tür.

Andrea begrüßte sie mit einem flüchtigen Kuss und trat ein.

»Coffee?«, fragte Makeda.

Andrea war wütend gewesen, aber jetzt, wo sie ihre Freundin sah, so schön, so graziös, so entspannt, verflog der Ärger. »Also gut«, sagte sie und erwiderte ihr Lächeln.

Makeda machte zwei Espressi, stellte sie auf das kleine Tischchen zwischen den Polstersesseln, setzte sich Andrea gegenüber und schlug die Beine übereinander. »Dalmann«, sagte sie mit einer wegwerfenden Handbewegung.

»Ein bisschen viel« – Andrea imitierte die Handbewegung – »Dalmann, finde ich.«

»Er zahlt gut und strengt nicht an«, antwortete Makeda.

»Er ist ein widerlicher alter Sack mit undurchsichtigen Geschäften. Er hat den Abend mit dem Holländer und dem Manager organisiert, bei dem fotografiert wurde.«

»Woher weißt du das?«

»Der Holländer wurde von Dalmanns Handlanger begleitet.«

»Schaeffer? Ach, das ist ja interessant.«

»Ich weiß, es ist gegen die Abmachung: Aber mir stinkt es, dass du so viel Zeit mit Dalmann verbringst. Er widert mich an.«

»Es ist mein Beruf, Zeit mit Männern zu verbringen, von denen andere Frauen angewidert sind.«

»Es gibt genügend andere.«

»Er ist ein guter Kunde von Kull. Gut fürs Geschäft, sagt er.«

Andrea machte ein unglückliches Gesicht. »Ach, Makeda«, seufzte sie. »Es ist so schwer.«

Makeda hatte ein Erbarmen. »Ich habe noch nie mit ihm gebumst.«

Andrea wartete, dass sie weitersprach.

»Er kann nicht. Er ist herzkrank. Er frisst tausend Tabletten am Tag. Und säuft dazu.«

»Was macht ihr denn?«

»Verbotene Frage.«

»Ich weiß. Also, was?«

»Reden. Essen. Fernsehen. Wie ein altes Ehepaar.«

»Und das ist alles?«

Makeda lachte. »Manchmal will er zuschauen, wie ich mich ausziehe. Und ich muss so tun, als würde ich es nicht bemerken. Er ist ein Voyeur.«

»Widerlich.«

»Ach, komm. Leicht verdientes Geld.«

Andrea stand auf, ging zu Makeda und küsste sie leidenschaftlich.

Die Wochenzeitschrift *Freitag* hatte die Meldung der Waffenexportgegner aufgenommen und unter dem Aufmacher »Die Schrott-Connection« den Handel mit den ausgemusterten Panzerhaubitzen enthüllt.

Neben Fotos von den Panzern und einer Grafik vom Golf von Bengalen mit vielen Schiffen und Pfeilen befanden sich an prominenter Stelle des Berichts zwei Kästchen mit Fotos von dem amerikanischen Geschäftsmann Carlisle und seinem thailändischen Gegenpart Waen. Die Informationen über die beiden waren spärlich, aber so viel erfuhr man: Carlisle hatte die Panzer im Namen der Herstellerfirma ganz legal von der für die Verschrottung oder Rückführung ins Herstellerland zuständigen Behörde zu einem Spottpreis erworben und via USA mit bestimmt gewaltigem Gewinn an den Thailänder Waen verkauft. Der die Ware in seine Heimat weiterbefördert hatte.

Dort verlor sich die Spur der M109, aber die Vermutung lag nahe, dass sie weiterverkauft und auf eines der als »schwimmende Warenhäuser« bezeichneten Schiffe verladen wurden, die im Golf von Bengalen ihre Kunden bedienten. Bis zum Fall der Hafenstädte Mullaitivu und Chalai vor kurzem waren die Abnehmer vorwiegend die LTTE gewesen.

Dalmann legte den *Freitag* befriedigt neben den Frühstücksteller und nahm sich die Tageszeitung vor. Am Tag zuvor, kurz vor der ersten Turnstunde, war in St. Gallen das Dach einer Turnhalle unter der Schneelast eingebrochen. Niemand wurde verletzt.

Sandana saß am Schalter zwölf. Andrea hatte sie in ihrer Uniformbluse und dem dazugehörenden biederen Schal erst auf den zweiten Blick erkannt.

Auf den Stühlen des Reisecenters saßen die Wartenden mit ihrer Nummer in der Hand und sahen jedes Mal auf, wenn der Summer ertönte und eine der Nummern auf der Anzeigetafel eine Ziffer weiter sprang.

Andrea hatte mehrere, nicht aufeinanderfolgende Nummern gezogen für den Fall, dass sie an einen falschen Schalter zitiert wurde.

Dass sie hier war, hatte sie wieder mal ihrer Eigenschaft zuzuschreiben, sich in das Leben anderer Leute einzumischen. Makeda wollte für sie an einem freien Abend äthiopisch kochen und hatte beiläufig erwähnt, man könne ja auch Maravan und seine Freundin dazu einladen.

Andrea hatte die Idee gefallen, war sich aber fast sicher, dass Maravan ablehnen würde. Erstens, weil er sich nach wie vor weigerte, Sandana als seine Freundin zu bezeichnen. Zweitens, weil er Andreas Verhältnis mit Makeda nur deshalb nicht missbilligte, weil er es ignorierte.

Die Lage in seiner Heimat bedrückte Maravan. Aber Andrea vermutete, dass auch in seiner Beziehung zu Sandana nicht alles glatt lief. Und sein Beruf als »Sexkoch«, wie er es manchmal bitter nannte, machte ihn auch nicht glücklich.

Ein Abendessen zu viert würde vielleicht helfen, das Arbeitsklima zu verbessern.

Sie war also hier, um Maravan zuvorzukommen. Sie wollte Sandana einladen und ihn dann vor vollendete Tatsachen stellen.

Gleich die erste ihrer Nummern war für Schalter zwölf. Sandana erkannte sie, erinnerte sich sogar an ihren Namen. »Was kann ich für Sie tun?«

»Etwas Privates«, sagte Andrea. »Meine Freundin kocht morgen äthiopisch, ich möchte Sie und Maravan gerne dazu einladen.«

Sandana war etwas verwirrt.

»Bitte kommen Sie.«

»Will Maravan denn auch, dass ich komme?«

Andrea zögerte keine Sekunde. »Ja.«

»Dann komme ich gerne.«

»Wir freuen uns alle.«

Die Ausläufer des Sturmtiefs »Emma« waren am Nachmittag über das Land gezogen. Noch immer ließen ab und zu Böen die Kerzen in Andreas zugiger Wohnung flackern. Sie saßen um den Esstisch herum, Makeda und Andrea rauchten, Sandana und Maravan tranken Tee. Sie waren in der behaglichen Stimmung, in die ein gutes Essen einen versetzt.

Es war eine elegante Gesellschaft, die sich in dieser Sturmnacht zusammengefunden hatte. Makeda trug einen bodenlangen bestickten Tibeb, Sandana einen hellblauen Sari, Andrea ein tief ausgeschnittenes Abendkleid, und Maravan hatte alle mit Anzug und Krawatte überrascht.

Als Andrea ihn eingeladen hatte, hatte er, ohne zu zögern, abgelehnt.

»Schade«, hatte Andrea gesagt, »Sandana kommt auch.«

»Das kann ich mir nicht vorstellen. Sandana ist ein anständiges tamilisches Mädchen.«

Andrea lächelte. »Dann wäre es vielleicht klüger, du begleitest sie.«

Bis jetzt hatte er es nicht bereut, dass er gekommen war. Das Essen hatte ihm geschmeckt. Es war gar nicht so anders als das in seiner Heimat. Auch scharf, auch mit Zwiebeln, Knoblauch, Ingwer, Kardamom, Nelken, Gelbwurz, Bockshornklee, Kreuzkümmel, Chili, Muskatnuss und Zimt zubereitet.

Mit Ghee wurde auch gekocht. Nur hieß er Niter Kibeh und war gewürzt.

Und man aß ebenfalls ohne Besteck. Sogar ohne Geschirr. Der Tisch, der mit weißem Papier bespannt war, war ausgelegt mit Injeras, großen Sauerteigfladen aus Teff, einer Hirsesorte, die fast nur noch in Äthiopien angebaut wurde. Die Speisen lagen direkt auf den Fladen, von denen die Gäste Stücke abrissen und darin ihre Bissen einrollten, als drehten sie sich große, essbare Joints.

»Bei uns machen wir manchmal eine einzige Injera, so groß wie ein Tischtuch. Aber mit den hiesigen Kochherden geht das ja nicht«, hatte Makeda erklärt.

Auch die Gesellschaft war angenehm. Keine von Maravans Befürchtungen war eingetroffen. Sandana war nicht schockiert, weder von der Tatsache, dass die Gastgeberinnen ein Paar waren, noch von Makedas Beruf, der nicht lange ein Geheimnis blieb. Die drei Frauen begegneten sich ganz unbefangen, wie alte Freundinnen. Maravan entspannte sich.

Sandanas vorurteilslose Art hatte auch ihm geholfen, seine Vorbehalte gegenüber Makeda abzulegen. Und das Essen hatte seinen Teil dazu beigetragen. Wer so kochte, konnte nicht ganz schlecht sein.

Doch irgendwann kamen die Frauen auf ein Thema zu sprechen, das Maravans Entspanntheit störte.

»Maravan sagt, dass bei euch die Eltern entscheiden, wen ihr heiratet?« Es war Andrea, die die Frage gestellt hatte.

»Leider«, seufzte Sandana.

»Und wie finden die Eltern den Richtigen?«, fragte Makeda.

»Über Verwandte, Bekannte, manchmal über spezialisierte Agenturen, manchmal übers Internet. Und wenn sie einen gefunden haben, der in Frage kommt, dann muss noch das Horoskop stimmen und die Kaste und so weiter.«

»Und die Liebe?«

»Die Liebe gilt als unzuverlässige Ehestifterin.«

»Und ihr beide?«, fragte Makeda.

Sandana sah Maravan an, der den Tisch vor sich studierte. Sie schüttelte den Kopf.

Ein Windstoß rüttelte am Fenster und blähte den Vorhang ein wenig.

»Hier kannst du doch heiraten, wen du willst«, stellte Andrea fest.

»Schon. Wenn es dir egal ist, dass du deine Familie in Verruf bringst und die Heiratsaussichten deiner Geschwister ruinierst.« Nach einer kurzen Pause fügte Sandana hinzu: »Und deinen Eltern das Herz brichst.«

»Und das eigene Herz?«, fragte Andrea.

»Kommt an zweiter Stelle.«

Eine kurze Zeit war nur das ferne Schlagen eines Fensterladens zu hören, mit dem die Böen ihren Unfug trieben. Dann fragte Makeda: »Und du? Wie kommt es, dass du von zu Hause ausziehen konntest?«

Jetzt senkte auch Sandana die Augen. Leise sagte sie: »Bei mir kommt das Herz nicht an zweiter Stelle.«

In die verlegene Stille sagte Makeda aufmunternd: »Man muss ja nicht verheiratet sein, um miteinander ins Bett zu gehen.«

»Dann lässt du dich aber besser nicht erwischen. Das ist genauso schlimm, wie zwischen verschiedenen Kasten zu heiraten. Es bringt Schande über die ganze Familie. Auch über die, die in Sri Lanka geblieben ist.« Nach einer kurzen Pause fügte Sandana bitter hinzu: »Aber wenn es dort so weitergeht, ist bald niemand mehr übrig, über den man Schande bringen könnte.«

»Noch etwas Tee oder sonst etwas?«, erkundigte sich Andrea aufgeräumt.

Maravan sah Sandana fragend an. Wenn sie ja gesagt hätte, hätte er auch noch einen genommen.

Aber Sandana sagte weder ja noch nein. Sie sagte etwas Unerwartetes: »Man schreibt nichts über diesen Krieg, man bringt nichts im Fernsehen über diesen Krieg, die Politiker reden nicht über diesen Krieg, und als Tischgespräch ist er offenbar auch nicht geeignet, dieser Krieg!«

Sandana hatte sich in ihrem Stuhl aufgerichtet und ihre schönen Brauen zusammengezogen. Maravan legte die Hand auf ihre Schulter, und Andrea machte ein schuldbewusstes Gesicht.

»Es ist ein Dritte-Welt-Krieg«, sagte Makeda. »Ich wurde auch von einem Drittweltkrieg vertrieben, der totgeschwiegen wurde. Dritte-Welt-Kriege sind nun mal kein Thema für die Erste Welt.«

»Aber ein Geschäft schon.« Sandana griff nach der Handtasche, die an ihrer Stuhllehne hing, wühlte kurz darin und brachte ein gefaltetes Papier zum Vorschein. Es war der Bericht über »Die Schrott-Connection«, den sie aus dem *Freitag* herausgerissen hatte.

»Hier.« Sie hielt Andrea die Seiten hin. »Man verkauft seine schrottreifen Panzer auf Umwegen nach Sri Lanka. Aber den Leuten, die vor diesem Krieg hierherflüchten, glaubt man nicht, dass sie in Gefahr sind.«

Andrea begann den Bericht zu lesen, ihre Freundin blickte ihr über die Schulter.

»Die kenne ich«, sagte Makeda und zeigte auf die Fotos von Waen und Carlisle.

Andrea und Sandana sahen sie erstaunt an. »Die? Woher?«, fragte Andrea.

Makeda verdrehte die Augen. »Dreimal dürft ihr raten.«

Maravan stand auf und schaute sich die etwas ramponierte Seite an. Andrea strich sie mit beiden Händen flach, Makeda machte die Lampe über dem Tisch an. Ein Asiate mit Brille und ein fleischiger Amerikaner blickten sie an.

»Kein Zweifel. Und wisst ihr, wer das Date arrangiert hat?« Makeda wartete nicht ab, bis jemand einen Vorschlag machte. »Dalmann und Schaeffer.«

»Verzeihen Sie, dass ich mich schlecht benommen habe«, sagte Sandana. Sie standen im Schutz eines Wartehäuschens an einer Tramstation auf der Zwölferlinie. Sandana musste hier umsteigen, Maravan hatte seine Fahrt unterbrochen, um mit ihr auf ihr Tram zu warten. Es war kalt und stürmte immer noch in wütenden Böen.

»Sie haben sich nicht schlecht benommen. Sie hatten recht.«

»Wer sind Dalmann und Schaeffer?«

»Kunden.«

»Von Ihnen oder von Makeda?«

»Von beiden.«

»Warum nennen Sie sich *Love Food*?«

Den ganzen Abend über hatten Andrea und Makeda den Namen benutzt, als wäre er eine allen geläufige Marke wie McDonald's oder Mövenpick. Er hatte sich schon gewundert, weshalb Sandana die Frage nicht schon beim Essen gestellt hatte. »Ist doch ein guter Name«, war seine Antwort.

Sandana lächelte. »Ach, Maravan, sagen Sie schon.«

Er sah in die Richtung, aus der ihr Tram kommen sollte. Nichts zu sehen. »Ich koche so …«, er suchte nach dem richtigen Wort, »… anregende Menüs.«

»Appetitanregende?«

Maravan wusste nicht, ob sie ihn auf den Arm nahm. »Irgendwie schon«, antwortete er verlegen.

»Und wo haben Sie das gelernt?«

»Von Nangay. Alles von Nangay.«

Eine Böe fegte in die Zeitungskästen und wirbelte ein paar liegengebliebene Gratiszeitungen durcheinander. Sandanas Tram erlöste ihn.

Als sie einstieg, gab sie ihm einen scheuen Kuss auf den

Mund. Bevor sich die Tür schloss, sagte sie: »Kochen Sie mir auch einmal was?«

Maravan nickte lächelnd. Das Tram fuhr an. Sandana stand ganz hinten im Wagen und winkte.

43

Über eine ungenannte Quelle war der *Freitag* auf Jafar Fajahat gestoßen. In seiner neuesten Ausgabe erfuhren die Leser von der Odyssee einiger ausgedienter Schützenpanzer über die USA nach Pakistan, dem wichtigsten Waffenlieferanten der sri-lankischen Armee.

Wieder zeigte der Bericht je ein Foto von Steven X. Carlisle und Waen. Neu war das Porträt eines schnurrbärtigen Pakistaners namens Kazi Razzaq. Über ihn wusste der *Freitag* zu berichten, dass er aus dem Umfeld von Jafar Fajahat stammte, der damals bei der Atomaffäre eine zentrale Rolle spielte.

Die Bildunterschriften waren etwas reißerisch: Beliefert die Befreiungstiger: Waen. Beliefert die Armee: Razzaq. Beliefert beide: Carlisle.

»Wenn das nur gutgeht«, stöhnte Dalmann, als Schaeffer ihm die Zeitung brachte.

Und es ging gut. Die Tagespresse nahm zwar die Meldung auf, auch in den elektronischen Medien wurde sie weiterverbreitet, aber niemand schien Interesse daran zu haben, noch tiefer zu schürfen.

Die Nachrichtenlage begünstigte Dalmann auch ein wenig: Im US-Bundesstaat Alabama erschoss ein Amokläufer elf Menschen, darunter seine Mutter, und richtete dann sich selbst.

Am nächsten Tag erschoss ein Siebzehnjähriger in Winnenden, einer Kleinstadt bei Stuttgart, in seiner früheren Schule zwölf Menschen, danach drei Passanten und am Schluss sich selbst.

Und schon einen Tag später akzeptierte die Schweizer Regierung den Standard der OECD, was das von Dalmann vorausgesagte Ende des Bankgeheimnisses bedeutete.

Die Verschiebung von ein bisschen schrottreifem Kriegsgerät an einen von der Berichterstattung etwas vernachlässigten Kriegsschauplatz hatte viel von ihrem Newswert eingebüßt.

Sie trafen sich auf der hintersten noch überdeckten Wartebank auf Gleis acht. Sandana hatte den Treffpunkt vorgeschlagen, sie wolle ungestört reden, hatte sie gesagt. Sie würde auch das Mittagessen besorgen: für jeden zwei Laugenbrötchen, eines mit Käse, eines mit Schinken, je ein Mineralwasser ohne Kohlensäure, je einen Apfel.

Maravan war als Erster da. Ein Stück weiter vorne, dort, wo die Überdachung endete, glänzte der Asphalt nass. Schon in der Nacht hatte ein dünner, ausdauernder Regen eingesetzt.

Jenseits des Gleises warteten viele Reisende, aber auf seiner Seite war der Bahnsteig menschenleer. Der letzte Zug war gerade abgefahren, der nächste kam erst später. Sandana hatte nichts dem Zufall überlassen.

Jetzt kam sie, in Hosen und Bahnuniform und der Steppjacke. Maravan stand von der Wartebank auf, sie begrüßten sich mit ihren Standardküsschen und setzten sich.

Er sah sie von der Seite an. Sie hatte den Gesichtsausdruck, den er von Pongal her kannte: rebellisch und resigniert. Sie reichte ihm die jüngste Ausgabe vom *Freitag*. »Seite zwölf«, sagte sie nur.

Maravan las den Bericht und studierte das Bild von Kazi Razzaq neben den inzwischen bekannten von Waen und Carlisle. Als er fertig war, wandte er den Blick zu Sandana, die ihn erwartungsvoll beobachtet hatte.

»Und?«, fragte sie.

»Waffenschieber«, antwortete er schulterzuckend. »Die arbeiten nun einmal nicht nach moralischen Prinzipien.«

»Das ist mir auch klar. Aber Köche. Köche sollten schon ein wenig darauf achten, für wen sie kochen.«

Jetzt erst merkte er, worauf sie hinauswollte. »Sie meinen wegen diesem Dalmann.«

Sandana nickte entschieden. »Wenn er mit dem Amerikaner und dem Thailänder zu tun hat, dann bestimmt auch mit dem Pakistani.«

Etwas ratlos zuckte Maravan wieder mit den Schultern. »Schon möglich.«

Sandana sah ihn ungläubig an. »Ist das alles? Der Mann hat mit Typen zu tun, die die Waffen liefern, mit denen sich unsere Leute gegenseitig umbringen, und Sie kochen für den?«

»Ich wusste es nicht.«

»Und jetzt, wo Sie es wissen?«

Maravan dachte nach. »Ich bin Koch«, antwortete er schließlich.

»Köche haben auch ein Gewissen.«

»Davon kann man nicht leben.«

»Aber verkaufen kann man es auch nicht.«

»Wissen Sie, was ich mit dem Geld mache?« Maravan klang jetzt gereizt. »Ich unterstütze meine Familie und den Befreiungskampf.«

»Mit dem Geld der Waffenschieber unterstützen Sie den Befreiungskampf. Toll.«

Er stand auf und sah wütend auf sie hinunter. Aber Sandana nahm seine Hand und zog ihn zurück auf die Bank. Er setzte sich und nahm das Sandwich, das sie ihm reichte.

Eine Weile aßen sie stumm. Dann sagte er halblaut: »Er war nur ein einziges Mal Gast. Er ist mehr so der Vermittler.«

Sandana legte ihre leichte Hand auf seinen Unterarm. »Entschuldigung. Ich weiß ja auch nicht, wem ich Ferienreisen verkaufe.«

»Aber wenn Sie es wüssten?«

Sandana überlegte. »Ich glaube, ich würde mich weigern.«

Maravan nickte. »Ich glaube, ich auch.«

Makeda hätte vielleicht nichts weiter von der Pakistan-Connection mitbekommen, wenn Dalmann sie nicht wieder einmal für einen seiner »ganz normalen Abende zu Hause« gebucht hätte.

Er hatte Lourdes beauftragt, einen kalten Imbiss für zwei vorzubereiten. Dieser bestand in der Regel aus gemischtem Aufschnitt, kaltem gebratenem Huhn, kalten gegrillten Chipolatas, einer gekochten Schweinshaxe, genannt Gnagi, Kartoffelsalat und grünem Salat. Dazu trank er einen eisgekühlten Landwein aus der Gegend, den er mit ein paar Fläschchen Bier abrundete. Makeda blieb beim Champagner.

Sie aßen im Wohnzimmer, sprachen nicht viel, zappten sich durch die Fernsehprogramme und gingen früh zu Bett.

An diesem ganz normalen Abend griff sie sich während des TV-Essens eine der Zeitungen, die auf einem Rauchtischchen lagen, und blätterte, mit vollem Mund kauend, darin. Sie hatte die drei Fotos gedankenlos überblättert. Erst ein paar Seiten später hielt sie inne und blätterte zurück.

Zwei der Porträts waren ihr bekannt: Carlisle und Waen. Das dritte kannte sie noch nicht. Das heißt: Das Bild kannte sie noch nicht, den Mann schon. Er war einer der Pakistaner vom Essen in St. Moritz. Jetzt entzifferte sie, dass er Kazi Razzaq hieß und Waffeneinkäufer war.

Er verkaufte Waffen an die sri-lankische Armee. Und auch ihn hatte sie bei einer Gelegenheit kennengelernt, die Dalmann arrangiert hatte. Dalmann und sein seltsamer Mitarbeiter Schaeffer.

Sie sah zu Dalmann hinüber, der vornübergebeugt auf einem Sofa saß und schwer atmend sein Gnagi ausbeinte. »Hoffentlich erstickst du daran«, murmelte sie.

Dalmann drehte sich lächelnd zu ihr. »Was hast du gesagt, Darling?«

»Dass du es dir schmecken lassen sollst, Honey.«

Sie hielt sich ans Zeremoniell, stand plötzlich auf, sagte: »Ich geh schon mal vor«, küsste ihn auf die Stirn, ging die Treppe hinauf ins Schlafzimmer und ließ dabei wie zufällig die Tür einen Spaltbreit offen.

Dalmann folgte ihr leise und beobachtete durch den Türspalt, wie sie sich aufreizend langsam auszog und im Bad verschwand, dessen Tür sie ebenfalls offen ließ. Durch diesen beobachtete er sie, wie sie sich duschte, einseifte, abspülte, abtrocknete und ausgiebig eincremte.

Aber diesmal ließ sie ihm keine Zeit, aus dem Schlafzimmer zu huschen, bevor sie zurückkam. Plötzlich trat sie aus der Tür, zog ihn bei der Krawatte zum Bett und schubste ihn auf die Matratze. Er protestierte kichernd, aber sie ließ nicht von ihm ab. »Jetzt wirst du nach Strich und Faden vernascht«, drohte sie und zog ihn aus.

Sie bemühte sich redlich, und ihre Bemühungen waren auch von Erfolg gekrönt. Aber sobald Dalmann in sie eindringen wollte, wurde er im Stich gelassen.

Sie versuchte es weiter, sanft, grob, innig, anschmiegsam und zum Schluss herrisch und entschlossen. Jedes Mal mit dem gleichen Resultat. Endlich gab sie auf und ließ sich mit einem leisen Fluch, den er nicht verstand, in die Kissen fallen.

Dalmann ging ins Bad, duschte und kam im Pyjama zurück.

»Diese verdammten Scheißpillen«, schimpfte er, »früher ist mir das nie passiert.«

»Dann hör doch einfach auf, sie zu nehmen.«

Da erzählte er ihr mit dem Fachwissen und dem Stolz des Chirurgieüberlebenden detailliert von seinem Stent, der das verengte Herzkranzgefäß, das am Infarkt schuld war, weitete, um eine weitere Verstopfung zu vermeiden. Und von Pillen und Pulvern, die seinen Blutdruck in Grenzen, sein Herz am gleichmäßig Schlagen und sein Blut am ungehinderten Zirkulieren hielten.

Makeda hörte ihm voller Anteilnahme zu. Als er geendet

hatte, sagte sie: »Warum versuchen wir es nicht einmal mit einem *Love Menu*?«

Warum eigentlich nicht?, dachte Dalmann, stand noch einmal auf und holte sich ein Gutenachtbierchen aus dem Kühlschrank.

44

Maravan saß vor seinem Computer und versuchte, seine Schwester zu erreichen. Wenn er warten musste, sah er sich die Meldungen aus dem Kriegsgebiet an. Die Front war auf einen kleinen Küstenstreifen an der Ostküste geschrumpft. Mit den Kämpfern der LTTE waren in diesem Gebiet etwa fünfzigtausend Frauen, Männer und Kinder eingeschlossen. Es fehlte an Essen, Wasser, Schutz gegen den Regen, Medikamenten, sanitären Anlagen. Jede Rakete und Mörsergranate verletzte und tötete Zivilisten.

Keine der Kriegsparteien kümmerte sich um die internationalen Aufrufe, den Flüchtlingen sicheres Geleit zu geben oder die Kämpfe auf die Gebiete außerhalb der dichtbevölkerten Flüchtlingszone zu beschränken.

Details über die Zustände waren nicht zu erfahren. Im Kampfgebiet waren keine Journalisten zugelassen.

Endlich klappte die Verbindung. Maravans Schwester klang mutlos und apathisch. Sie nannte die Namen von Freunden, Verwandten und Bekannten, die tot oder verschollen waren. Die Versorgungslage war schlecht. Immer wieder wurden die Transporte an den Checkpoints tagelang aufgehalten, Waren wurden beschlagnahmt. Der Zugang zur Halbinsel vom Meer her wurde von der sri-lankischen Marine kontrolliert.

Von Ulagu keine Spur.

Sie schäme sich, sagte sie, ihn schon wieder um Geld bitten zu müssen.

Sie brauche sich nicht zu schämen, versicherte er ihr. Fast hätte er hinzugefügt, er schäme sich schon genug.

Thevaram und Rathinam, die beiden LTTE-Männer, hatten ihre unangemeldeten Besuche bei Maravan eingestellt. Sie konnten sich jetzt darauf verlassen, dass er unaufgefordert spendete.

»Sie befinden sich in einer schwierigen Situation«, hatte Thevaram bei ihrem letzten Treffen gesagt. »Sie betreiben einen Catering-Service. Dazu bräuchten Sie eine Bewilligung, die Sie nicht haben und auch kaum bekommen. Sie beziehen Arbeitslosengeld, obwohl Sie genug, mehr als genug verdienen. Sie können aber nicht darauf verzichten, weil Sie befürchten, dass eine Behörde sonst fragen würde, wovon Sie leben. So sind Sie also gezwungen, das Geld zu nehmen. Würde es Ihr Gewissen nicht entlasten, wenn Sie das unrechtmäßig erworbene Geld wenigstens für einen guten Zweck spenden? Und Sie würden darüber hinaus noch Ihrem Neffen helfen.«

Von da an deponierte Maravan, wenn ihm sein Stempelgeld ausbezahlt wurde, im Batticaloa-Basar einen verschlossenen Umschlag mit dem Adressaten Th.

Andrea wusste von alldem nichts. Er hätte es auch weiterhin für sich behalten, wenn die Planungssitzung von *Love Food* anders verlaufen wäre.

Ja, Andrea berief jetzt Sitzungen ein. Er hatte nichts dagegen, es besaß Vorteile. Man musste nicht während der Vorbereitungen zu einem Essen oder einer Autofahrt den Terminplan und die Bestellungen besprechen. Aber ihn störte, dass diese Sitzungen immer bei Andrea stattfanden und dass immer häufiger Makeda dabei war. Er fand, sie sollte das Geschäftliche und das Private trennen, und es war ihm auch unangenehm, die finanziellen Fragen vor Außenstehenden zu besprechen.

Bei einer solchen Sitzung im inzwischen wohnlich gewordenen Büro eröffnete ihm Andrea, dass sie vorhabe, mit Makeda zwei Wochen zu verreisen.

»Und wer soll dich vertreten?«, fragte er.

»Ich dachte, vielleicht fragst du deine Freundin?«

»Sandana? Du bist verrückt geworden.«

»Weshalb? Sie ist hübsch und nicht auf den Kopf gefallen.«

»Sie ist eine tamilische Frau. Eine tamilische Frau arbeitet nicht im Sexmilieu.«

Makeda hatte bis jetzt geschwiegen. Jetzt lachte sie. »Eine äthiopische Frau auch nicht.«

»Und ein tamilischer Mann?«, erkundigte sich Andrea.

»Auch nicht«, räumte Maravan ein.

»Und weshalb tust du es dann?«

»Weil ich das verdammte Geld brauche.«

Andrea erschrak, Maravan wurde sonst nie laut. »Dann sagen wir eben alle Termine ab, und du machst auch frei«, schlug sie vor.

»Das kann ich mir nicht leisten«, brummte Maravan.

»Wir haben doch gut verdient. Du hast doch bestimmt genug auf der Seite für zwei Wochen.«

Dieser Satz bewirkte, dass Maravan seine Situation offenlegte.

Beide Frauen hatten schweigend zugehört. Schließlich stellte Andrea fest: »Das heißt, du wirst erpresst.«

»Nicht nur. Sie helfen mir auch.«

»Inwiefern?«

Maravan erzählte von Ulagu. Wie er sich als Black Tiger beworben hatte und wie die beiden verhindert hatten, dass er angenommen wurde.

»Und das glaubst du denen?« Makeda stellte die Frage.

Er gab keine Antwort.

»Trau keinem, der Kinder in den Krieg schickt.«

Maravan sagte noch immer nichts.

»Männer«, sagte Makeda und tat, als stecke sie sich den Finger in den Hals. »Verzeih, Maravan. Männer und Krieg und Geld. Ich könnte nur noch kotzen.«

Andrea nahm das Stichwort auf. »Und doch verbringst du ganze Nächte mit einem, dessen Geschäftsbeziehungen Waffen an die Befreiungstiger und die sri-lankische Armee verscherbeln.«

Makeda stand wortlos auf und verließ das Zimmer. Andrea blieb trotzig sitzen.

»Dalmann?«, fragte Maravan nach einem Moment.

»Natürlich.«

»Er hat auch mit dem Pakistani zu tun?«

Andrea nickte. »Du auch. Du hast für den gekocht.«

»In St. Moritz.« Es klang nicht nach einer Frage. Es war die Bestätigung einer bösen Ahnung. »Aber ich wusste es nicht.«

»Jetzt weißt du es. Und Makeda weiß es auch. Und jetzt?«

»Ich koche nicht mehr für den.«

»Okay. Und sonst?«

Makeda war unbemerkt wieder hereingekommen. Sie trug Mantel, Kopftuch, Handschuhe.

»Und du?«, fragte Andrea. »Wie weiter mit Dalmann?«

»Abwarten.« Sie küsste Andrea auf die Wange, tätschelte Maravans Scheitel und ging.

45

Eine kalte, stürmische Nacht, Regen gemischt mit Schnee. Bis zur Tramstation waren es fünf Minuten zu Fuß. Maravan hatte die Fäuste in den Taschen seiner Lederjacke vergraben und den Kopf mit der Wollmütze zwischen die Schultern gezogen.

Es stimmte also. Dalmann hatte mit den Leuten zu tun, die Armee und Befreiungstiger mit Waffen belieferten. Und weshalb sollte er mit denen zu tun haben, wenn er nicht in deren Geschäfte verwickelt wäre. Sandana hatte recht: Das Geld, das er seiner Familie schickte, stammte möglicherweise aus den Gewinnen, die einer damit machte, dass er Maravans Landsleuten dabei half, sich gegenseitig umzubringen. Und das Geld, mit dem er die LTTE unterstützte, stammte womöglich von der LTTE, die es wiederum von Leuten wie Maravan ...

In seinem Kopf drehte sich alles. Er hatte die Haltestelle erreicht, aber er ging weiter. Die Vorstellung, jetzt in einem Tram zu sitzen, als ob nichts wäre, versetzte ihn in Panik.

Die Straße war menschenleer. In langen Abständen fuhren Autos vorbei. Dunkel standen die Häuser mit geschlossenen Läden und Vorhängen. Maravan ging schnell mit weit ausholenden Schritten. Wie ein Verbrecher auf der Flucht, dachte er. Und so fühlte er sich auch.

Es dauerte fast eine Stunde, bis er zu Hause ankam, durchnässt und außer Atem. Er machte Feuer in seinem Ölofen, zog einen Sarong und ein frisches Hemd über, zündete die Deepam vor dem Hausaltar an, klingelte mit der Tempelglocke und machte seine Puja.

Als er sie beendet hatte, wusste er, was er zu tun hatte. Gleich am nächsten Tag würde er zu Andrea gehen und kündigen. Es reichte nicht, sich zu weigern, für Dalmann zu arbeiten. Es gab viele Dalmanns in diesen Kreisen. Wenn er sicher sein wollte, sauber zu bleiben, musste er Schluss machen.

Er würde Thevaram und Rathinam mitteilen, dass er sein Stempelgeld wieder selber benötige, weil er seinen Mahlzeitenservice ab sofort aufgebe.

Es war nach ein Uhr früh, aber Maravan war zu unruhig, um zu Bett zu gehen. Er schaltete den Computer ein und begann, die Webseiten des Bürgerkrieges abzurufen.

Die LTTE hatte einen einseitigen Waffenstillstand ausgerufen. Der sri-lankische Verteidigungsminister nannte dies »einen Witz«. »Sie sollen sich ergeben«, sagte er. »Sie kämpfen nicht mit uns, sie rennen vor uns weg.«

Die Website des Verteidigungsministeriums hatte einen »Final Countdown« aufgeschaltet, dem man entnehmen konnte, wie viele Quadratkilometer den Befreiungstigern noch blieben. Und den Tausenden von Flüchtlingen dicht bei ihnen. Es waren keine dreißig.

Eine der regierungsfreundlichen Seiten hatte als Beweis dafür, dass die LTTE entgegen ihrer Zusage noch immer Kindersoldaten rekrutierte, ein Foto veröffentlicht. Im satten Grün der Monsunvegetation standen zwei Soldaten. Sie trugen Tarnanzüge, hatten Sturmgewehre umgehängt und blickten teilnahmslos in die Kamera. Im Hintergrund bildeten Palmen und Bananenstauden eine dichte Wand. Mitten durch sie hindurch verlief eine Schneise. Panzerketten hatten den weichen Boden aufgepflügt.

Zu Füßen der Soldaten lehnten an einem umgekippten Baumstamm die Leichen von vier Knaben. Die Köpfe waren ihnen auf die Schultern gefallen, als wären sie eingenickt. Sie trugen Kampfanzüge in einem etwas anderen Muster als die Soldaten.

Maravan vergrößerte das Bild. Er stöhnte laut auf.

Einer der vier war Ulagu.

Maravan verbrachte den Rest der Nacht vor dem Hausaltar, betend, meditierend und dösend. Um halb fünf setzte er sich vor den Monitor und wählte die Nummer des Ladens in Jaffna. Dort war es jetzt acht Uhr, er hatte geöffnet.

Immer wieder kam die Meldung, dass alle Leitungen besetzt seien und er es später wieder versuchen solle. Nach einer halben Stunde meldete sich der Ladenbesitzer.

Maravan bat ihn, nach seiner Schwester Ragini zu schicken. Er musste ihm für die nächste Geldsendung fünftausend Rupien Trinkgeld versprechen, bis er einwilligte. In zwei Stunden solle er wieder anrufen.

Es waren quälende zwei Stunden. Immer wieder sah er Ulagu vor sich. Als erschrockenes kleines Bübchen, das immer etwas Zeit brauchte, um zutraulich zu werden. Als ernsthaften Knaben, der nie spielen, nie herumalbern, aber alles über das Kochen wissen wollte. Er hatte Ulagu nur lachen sehen, wenn ihm beim Vorbereiten oder Kochen etwas

Schwieriges gelungen war. Oder wenn er etwas kostete und es so schmeckte, wie es sollte.

Er hatte noch kein Kind getroffen, das so klein schon wusste, was es werden wollte. Und so überzeugt davon war, es eines Tages auch zu werden.

Genau nach zwei Stunden rief er wieder an. Der Ladenbesitzer meldete sich und verband ihn sofort mit seiner Schwester.

»Ragini?«

»Ja«, sagte sie mit dumpfer Stimme.

»Ragini«, schluchzte er.

»Maravan«, schluchzte sie.

Sie weinten gemeinsam in achttausend Kilometer Distanz, begleitet vom statischen Gesang des weltweiten Netzes.

Andrea hatte Makeda am Abend noch eingeholt und überredet, wieder zurückzukommen. Maravan war schon weg gewesen, und sie hatten sich versöhnt. Aber bereits heute Morgen hatten sie sich wieder ein wenig gestritten.

Andrea hatte Frühstück ins Bett gebracht und, als es so richtig gemütlich wurde, gesagt: »Der Name Dalmann ist von jetzt an tabu, okay?«

Makeda lächelte und antwortete: »Nicht ganz einfach, er will ein *Love Menu*.«

Andrea sah sie entgeistert an.

»Bei ihm zu Hause. Mit mir.«

»Du hast ihm hoffentlich gesagt, dass das überhaupt nicht in Frage kommt.«

»Nein, das habe ich nicht. Das läuft über Kull, das weißt du.«

»Dann werde *ich* es Kull sagen.« Andrea hatte ihr angebissenes Croissant auf den Teller gelegt und die Arme verschränkt.

Makeda aß ruhig weiter. »Das wird er nicht so einfach hinnehmen, Dalmann ist ein wichtiger Kunde, sagt er. Ein wichtiger Vermittler von Kunden.«

»Und ich bin eine wichtige Lieferantin.«

Makeda legte den Arm um sie. »Ach, komm, Kleines, sei

nicht so unprofessionell. Er wird es nicht schaffen, daran ändern auch Maravans Künste nichts.«

»Aber er wird es versuchen«, schmollte Andrea.

»Hoffentlich«, sagte Makeda entschlossen.

»Und was versprichst du dir davon?«

»Dass er dabei abkratzt«, antwortete sie finster.

Andrea sah ihre Freundin erschrocken an. Makeda lachte und gab ihr einen Kuss.

In diesem Moment klingelte es an der Wohnungstür.

»Ich erwarte niemanden.« Andrea machte keine Anstalten aufzustehen.

Es klingelte wieder. Und wieder. Andrea stand wütend auf. Sie warf sich den Kimono über und stapfte zur Tür. »Ja?«, blaffte sie in die Gegensprechanlage.

»Ich bin's, Maravan.« Er stand bereits vor der Wohnungstür. Sie öffnete und ließ ihn ein.

»Wie siehst du denn aus?«

Maravans Haar war zerzaust. Er war unrasiert, was bei seinem starken Bartwuchs wirkte wie ein Dreitagebart. Unter seinen Augen lagen dunkle Schatten, und sein Blick war verändert. Etwas war erloschen.

»Was ist passiert?«

Anstatt einer Antwort schüttelte er nur stumm den Kopf. »Ich höre auf«, stieß er hervor.

Sie wusste sofort, was er meinte, fragte aber dennoch: »Wie, du hörst auf?«

»Ich koche ab sofort nicht mehr für *Love Food*.«

Makeda stand jetzt in der Schlafzimmertür. Sie hatte ein Leintuch über den Brüsten zusammengeknotet und rauchte.

»Dein Neffe?«, fragte sie.

Er senkte den Kopf.

Makeda ging auf ihn zu und nahm ihn in die Arme. Andrea sah, wie seine Schultern zu zucken begannen. Das Zucken erfasste auch seinen Rücken. Plötzlich drang ein Geräusch aus seiner Brust. Ein hoher, klagender, langgezogener Ton, der so gar nicht zu diesem großen, stillen Mann passte.

Und jetzt verzog sich auch Makedas Gesicht. Ihre Augen füllten sich mit Tränen, und sie verbarg schluchzend ihr Gesicht an seiner Schulter.

Eine Stunde später hatte sich Maravan so weit beruhigt, dass sie ihn gehen lassen konnten.

»Über das Aufhören sprechen wir ein andermal«, sagte Andrea vor der Wohnungstür.

»Darüber gibt es nichts mehr zu reden.«

»Das löst wenigstens das Problem mit Dalmann«, bemerkte Makeda.

»Welches Problem?«

»Dalmann wollte ein *Love Menu*«, erklärte Andrea. »Mit Makeda. Bei sich zu Hause.«

Maravan ging. Aber auf dem Treppenabsatz wandte er sich noch einmal um und kam zurück. »Aber nach Dalmann höre ich auf.«

Wenn jemand eines unnatürlichen Todes stirbt, findet seine unbefriedigte Seele keine Ruhe und geistert immer wieder in unserer Welt herum.«

»Glauben Sie das?«, fragte Sandana.

Sie waren bis zum höchsten mit dem Tram erreichbaren Punkt der Stadt gefahren und von dort aus im nahen Wald spazieren gegangen. Es war kalt und hatte bis achthundert Meter hinunter geschneit. Maravan hatte gehofft, auf Schnee zu treffen, denn seit seinem Winterspaziergang im Engadin sehnte er sich manchmal nach dieser weißen Stille. Aber alles war grün oder braun. Nur wenn der Wind den Hochnebel aufriss, konnte er einen Blick auf die weißschimmernden Hügel und Wälder erhaschen.

»So hat man es mich gelehrt. An der Religion habe ich nie gezweifelt. Ich kenne niemanden, der daran zweifelt.«

Sandana trug zu ihrer Steppjacke eine pinkfarbene Wollmütze, die sie tief in die Stirn gezogen hatte. Sie verlieh ihr ein kindliches Aussehen. Es wurde noch dadurch verstärkt, dass sie trotz des ernsten Themas immer wieder mit weit geöffnetem Mund den Atem ausstieß und fasziniert ihrer Dampfwolke nachblickte. »Ich schon. Wenn man hier aufwächst, lernt man zu zweifeln.«

Maravan dachte darüber nach. »Muss schwierig sein.«

»Zweifeln?«

Er nickte.

»Glauben ist auch nicht einfach.«

Ein älteres Paar kam ihnen entgegen. Die Frau hatte auf den Mann eingeredet und verstummte jetzt. Auch Maravan und Sandana unterbrachen ihr Gespräch. Als sie auf gleicher Höhe waren, sagten alle vier »Grüezi«, wie es das ungeschriebene Gesetz der Waldspaziergänger vorschrieb.

Sie gelangten an eine Weggabelung. Ohne zu zögern, entschied sich Maravan für den Weg, der anstieg, dem Schnee entgegen.

Sie gingen im gleichen Tempo weiter. Die Anstrengung vergrößerte die Pausen, erst zwischen den Sätzen, dann auch zwischen den Worten.

»Der Krieg ist bald vorbei, sagen alle.«

»Hoffentlich«, seufzte Maravan.

»Verloren«, fügte sie hinzu.

»Aber wenigstens vorbei.«

»Gehen Sie zurück?«

Maravan blieb stehen. »Bis jetzt war ich mir sicher. Aber jetzt, ohne Nangay und Ulagu ... Und Sie?«

»Zurück? Ich bin von hier.«

Der Weg führte in eine Lichtung und machte eine leichte Biegung. Als sie deren Mitte erreichten, stand plötzlich ein Reh auf dem Weg. Es wandte ihnen erschrocken den Kopf zu und lief davon. Auf dem höchsten Punkt der Böschung blieb es reglos stehen und sah auf sie herab.

»Vielleicht Ulagu«, sagte Sandana.

Er blickte sie überrascht an und sah sie lächeln. Da legte

er die flachen Hände vor dem Gesicht zusammen und verneigte sich in die Richtung des Rehs. Sandana tat es ihm nach.

Aus dem weißen Himmel über der Lichtung fiel jetzt Schnee.

48

Einige der zeitaufwendigen Zutaten des Menüs ließen sich gut am Vortag zubereiten. Zum Beispiel das erotische Konfekt, das sich gekühlt gut hielt. Oder die Urd-Folien, die ihre Zeit zum Trocknen und Gelieren brauchten. Auch die Essenzen aus dem Rotationsverdampfer hielten sich in luftdicht verschlossenen Gefäßchen problemlos.

Mit diesen Arbeiten war er beschäftigt, als es an der Wohnungstür klingelte. Er öffnete. Im Halbdunkel des Treppenhauses stand groß und lächelnd Makeda.

»Mach nicht so ein erschrockenes Gesicht, außer der Nachbarin im zweiten Stock hat mich niemand gesehen.«

»Das reicht vollauf«, sagte er und ließ sie ein.

Sie legte ihren Mantel ab. Darunter trug sie ein traditionelles äthiopisches Kleid. »Passt besser in die Gegend, fand ich.«

»Was willst du?«, fragte er.

»Am liebsten von deinem weißen Tee, Champagner hast du wohl keinen im Haus.«

Er hatte die Frage zwar nicht so gemeint und war sich auch nicht sicher, ob sie sie tatsächlich so falsch verstanden hatte, aber er nickte. Sie folgte ihm in die Küche.

Sie warf einen Blick auf das Konfekt in den verschiedenen Stadien der Vollendung. »Für Dalmann und mich?«

Maravan nickte und füllte den Teekocher mit Wasser.

»Darf ich?« Sie zeigte auf eine der noch nicht glasierten Kichererbsen-Ingwer-Pfeffermuschis.

»Aber nur eine, sie sind abgezählt.« Er nahm zwei Tassen und Untertassen aus einem Schrank und stellte sie auf ein Tablett.

Makeda angelte sich eine und biss ein Stück davon ab.

Das Wasser kochte jetzt, er goss den Tee auf und ging mit dem Tablett voraus in sein kleines Wohnzimmer.

Die Deepam brannte vor dem Hausaltar, und es duftete ausnahmsweise nach Sandelholz. Maravan hatte bei seiner letzten Andacht ein Rauchopfer gebracht. Vor dem Altar lag das Foto mit den gefallenen Kindersoldaten. Makeda betrachtete es, während Maravan für den Tee deckte.

»Welcher ist es?«

Maravan sah nicht auf. »Der Erste von links.«

»Ein Kind.«

»Er wollte Koch werden. Wie ich.«

»Er wäre bestimmt ein guter geworden.«

»Bestimmt.« Maravan sah auf das Bild hinunter. »Es ist einfach ungerecht«, sagte er mit versagender Stimme.

Makeda nickte. »Ich hatte eine Cousine. Sie wollte Krankenschwester werden. Mit zehn wurde sie rekrutiert und, anstatt zu heilen und pflegen, musste sie lernen, wie man mit einer Kalaschnikow verletzt und tötet. Sie wurde keine zwölf.«

Jetzt versagte auch Makedas Stimme. Maravan legte eine Hand auf ihre Schultern.

»Für ein freies Eritrea.« Sie wollte auflachen, aber es klang mehr wie ein Schluchzen.

Sie setzten sich. Beide schlürften vorsichtig vom noch viel zu heißen Tee.

Makeda stellte ihre Tasse ab und sagte: »Es sind Leute wie Dalmann, die diese Kinder auf dem Gewissen haben.«

Maravan wiegte den Kopf. »Nein. Es sind die, die diese Kriege anzetteln.«

»Das sind die Ideologen. Die sind zwar auch schlimm. Aber nicht so schlimm wie die Lieferanten. Die die Kriege erst ermöglichen, indem sie die Waffen liefern. Die mit den Kriegen Geld verdienen und sie dadurch verlängern. Leute wie Dalmann.«

Maravan machte eine wegwerfende Handbewegung. »Dalmann ist ein kleiner Fisch.«

Makeda nickte. » Aber er ist *unser* kleiner Fisch.«

Maravan schwieg.

Nach einer langen Pause sagte Makeda eindringlich: »Er steht für all die anderen.«

Maravan sagte noch immer nichts.

»Du sagst, du willst aufhören. Weshalb machst du denn noch dieses Essen? Ausgerechnet dieses?«

»Ich weiß es nicht.«

»Du hast etwas vor, nicht?«

»Ich weiß es nicht. – Und du? Weshalb machst du es?«

»Ich weiß es.«

Draußen wurde die Sirene eines Streifenwagens laut und langsam wieder leise.

»Dalmann ist herzkrank«, sagte sie.

»Hoffentlich etwas Schlimmes.«

Makeda lächelte. »Er hatte einen Infarkt. Sie haben ihm ein Röhrchen in ein Herzkranzgefäß eingesetzt. Jetzt muss er seinen Blutdruck senken und sein Blut verdünnen, sonst bekommt er wieder einen.«

Maravan schwieg und blies in seinen Tee.

»Weißt du, wo er ihn hatte?«

Maravan schüttelte den Kopf.

Makeda ließ ihr unbekümmertes Lachen erklingen, aber es klang etwas angestrengt. »Im Huwyler. Bei Hochbetrieb.«

Keine Reaktion von Maravan.

»Er muss sich schonen. Keine großen Anstrengungen. Nie bis an die Leistungsgrenze gehen.«

»Verstehe.«

Makeda trank einen Schluck Tee. »Kannst du auch Erektionsstörungen beheben?«, fragte sie unvermittelt.

»Ich glaube schon – warum?«

»Könntest du etwas ins Essen tun, das ihm zu einer Erektion verhilft?«

»Nicht sofort. Aber mit der Zeit schon.«

»Es müsste aber sofort sein.«

Maravan hob bedauernd die Schultern.

»Es gibt Produkte, die wirken in einer halben Stunde.«

»Solche Produkte habe ich nicht.«

»Aber ich«, sagte Makeda.

Als sie eine Viertelstunde später die Wohnung verließ, lag neben dem Teeservice eine Tablettenfolie mit vier Pillen.

Mitten in der Nacht schreckte Maravan aus dem Schlaf. Er hatte vor einer grünen Wand gestanden, dicht, dunkelgrün und regennass – Dschungel. Plötzlich brachen Panzer aus dem Dickicht, wendeten, pflügten neue Schneisen, verschwanden, bis ihre Dieselmotoren kaum mehr zu hören waren. Dann kamen sie wieder, wendeten und verschwanden, kamen wieder, wendeten und verschwanden, bis nichts mehr übrig war vom Grün des Dschungels. Dahinter sah er jetzt den dunklen, gleichmütigen Ozean.

Maravan war jetzt wach und machte Licht. Reglos wie erschrockene Lebewesen verharrten die Currybäumchen neben seinem Bett.

Er sah auf die Uhr. Drei. Wenn er jetzt nicht aufstand und sich eine heiße Milch mit Kardamom und Gelbwurz machte, würde er bis zum Morgengrauen nicht mehr einschlafen können.

Während er in der Küche wartete, bis die Milch heiß war, dachte er über Makedas Vorschlag nach.

Die Milch war lauwarm geworden, als er zu seinem Entschluss kam.

49

Im Archiv der Bundesanwaltschaft? Einfach so? Willst du mich verarschen?« Dalmann saß, bereits für das Abendessen gekleidet, in seinem Arbeitszimmer hinter dem Schreibtisch mit den Messingbeschlägen und dem grünen Tischplattenbezug aus goldverziertem Leder. Das Cateringteam war schon den ganzen Nachmittag im Haus, und er hatte sich noch einen kleinen Sherry genehmigen wollen, bevor Makeda kam. Plötzlich stand Schaeffer unangemeldet auf dem Teppich und hatte etwas Dringendes.

Und es war wirklich dringend. Die Pfuscher von der Bundesanwaltschaft hatten einen ganzen Satz Kopien der sogenannten Atomschmuggel-Akten, die der Bundesrat in ausnahmsweise weiser Voraussicht und auf Druck der CIA hatte vernichten lassen, in irgendeinem Archiv rumstehen. Und anstatt diese diskret zu schreddern, wie es jeder halbwegs vernünftige Mensch getan hätte, hängten sie es an die große Glocke.

»Weiß man, ob es alle sind? Ich meine, sind sie vollständig? Ach, Quatsch: Kommt die scheiß Palucron vor?«

»Darüber ist mir nichts bekannt. Aber es ist damit zu rechnen. Ich weiß nur, dass Fachleute der Internationalen Atomkommission die Papiere bereits vor Tagen bewertet und das Hochbrisante vom Harmloseren getrennt haben.«

»Die Palucron wird wohl nicht zum Hochbrisanten zählen.«

»Davon wollen wir jetzt einmal ausgehen.«

»Dann sollen die Atomfritzen das Hochbrisante mitnehmen – und ab in den Schredder mit dem Rest.«

»Ich fürchte, es ist eher das Hochbrisante, das geschreddert wird.«

Dalmann nahm ihm die Richtigstellung übel. »Und was hast du vor, Schaeffer?« Er sah seinen Mitarbeiter vorwurfsvoll an, als erwarte er von ihm die sofortige Wiedergutmachung eines unverzeihlichen Fehlers.

»Es ist noch zu früh für eine Prognose. Ich wollte nur, dass du auf dem Laufenden bist. Und ich wollte die Sache nicht am Telefon besprechen, du verstehst.«

»Sag bloß, ich werde bereits abgehört.«

»Wo die Geheimdienste involviert sind, kann man nicht vorsichtig genug sein.«

Es klingelte.

»Das wird mein Besuch sein. Sonst noch was?«

Schaeffer erhob sich. »Ich wünsche dir trotz allem einen schönen Abend. Entspann dich. Ich glaube, die Sache wird glimpflich verlaufen.«

»Das will ich dir auch geraten haben«, brummte Dalmann, halb im Ernst. Auch er stand auf und begleitete Schaeffer in die Halle, wo Lourdes gerade dabei war, Makeda aus dem Mantel zu helfen. Auch Schaeffer schien zu bemerken, wie umwerfend sie aussah.

Schon den ganzen Nachmittag stand Maravan in der unpraktischen Küche dieses geräumigen und doch spießigen

Hauses. Er arbeitete mit Sorgfalt und Konzentration. Ulagu und Nangay befanden sich im Raum, er spürte es ganz deutlich. Sie sahen ihm zu, wie er das Messer über die aufgeschnittenen entkernten Tomaten rattern ließ, wie er weiße Zwiebeln in Berge winziger Würfelchen verwandelte, wie er mit zwei Schnitten die grünen Triebe aus den Knoblauchzehen löste, wie er Koriander, Kreuzkümmel, Chili und Tamarinde zu einer feinen Paste verarbeitete. Er zeigte ihnen die neuen Küchentechniken, Gelifikation, Sferifikation, das Arbeiten mit Schäumen, das Gewinnen von Essenzen. Er sprach leise mit ihnen und kümmerte sich nicht um Andrea, die ihre schlechte Laune gerne an jemandem ausgelassen hätte.

Am Tag davor war Maravan früh aufgestanden und hatte in der Apotheke in seiner Nähe mit Nangays Dauerrezept Minirin gekauft. Die Apothekerin hatte sich an ihn erinnert und teilnahmsvoll gefragt: »Wie geht es Ihrer Tante? Oder war es Ihre Mutter?«

»Großtante. Den Umständen entsprechend, danke«, hatte Maravan geantwortet.

In der Küche hatte er den Beipackzettel genau studiert, eine der Tabletten zerteilt und in seinem feinsten Mörser zerrieben. Mit dem angenetzten kleinen Finger hatte er ein paar Stäubchen des Pulvers aufgetupft und gekostet. Es schmeckte bitter.

Er löste das Pulver in einem Schnapsglas mit Wasser auf. Es wurde milchig, aber nach kurzer Zeit war es wieder klar. Er roch daran, stellte es wieder vor sich hin, dachte nach.

Plötzlich stand er auf, ging in das Lebensmittelgeschäft

in der Parallelstraße und kam mit einer Flasche Campari zurück.

Im Mörser pulverisierte er eine weitere Pille und löste sie im selben Schnapsglas in Campari auf. Das gleiche Resultat: erst milchig, dann klar.

Maravan füllte Campari in ein zweites Gläschen, nahm von beiden Sorten mit einer Pipette ein Tröpfchen auf und kostete. Bitter. Beide.

Danach pulverisierte er die zehnfache Dosis und löste sie in hundertfünfzig Milliliter Campari auf. Sobald die Flüssigkeit wieder klar war, rührte er anderthalb Gramm Alginat hinein.

Er zog den präparierten Campari auf eine Kaviarspritze und ließ ihn in gleichmäßigen Tropfen in eine Calciumchloridlösung fallen. Er fischte die Kügelchen aus der Lösung, begutachtete sie, roch daran, sah aber davon ab, sie zu versuchen.

In ein Kelchglas presste er den Saft einer tiefgekühlten Orange, dekorierte das Glas mit einer hauchdünn geschnittenen Orangenscheibe und ließ die roten Kügelchen darin schwimmen.

Maravans Campari Orange Minirin.

Er roch am Drink und goss ihn dann in den Abfluss. Noch einmal zerrieb er Tabletten im Mörser. Diesmal für den nächsten Tag. Genug für drei Campari. Er hatte gehört, Dalmann habe einen guten Zug.

Maravan wurde vom Klingeln überrascht. Falls das Makeda war, war sie eine halbe Stunde zu früh. Aber kurz darauf kam Andrea in die Küche und gab Entwarnung. Es war der unvermeidliche Schaeffer, wie sich Andrea ausdrückte.

Eine gute halbe Stunde später klingelte es wieder. »Sie ist da«, meldete Andrea finster.

Maravan machte die Aperitifs fertig.

»Campari Orange für den Herrn. Und Makeda bleibt selbstverständlich beim Champagner.«

Eigentlich hätte Dalmann lieber einen normalen Campari Orange gehabt. Oder noch lieber einen Campari Soda. Aber er war kein Spielverderber, nie gewesen.

So nahm er denn die Cocktailschale vom Tablett der hübschen Serviererin und ließ sich von ihr den Drink erklären. »Campari-Kaviar in gechilltem Orangensaft mit verglaster Navel-Orangenscheibe. Cheers.«

Dalmann wartete, bis sie das Zimmer verlassen hatte, hob das Glas und prostete Makeda zu, die wie immer Champagner trank. Sie sah ihn über den Glasrand an und lächelte seinen Ärger über die Schlamperei der Bundesanwaltschaft weg.

Das Schlafzimmer oder Master Bedroom, wie er es nannte, war kaum wiederzuerkennen. Außer Bett und Nachttisch waren alle Möbel ausgeräumt. Ein niedriger runder Tisch war exotisch gedeckt, die Sitzgelegenheiten bestanden aus Kissen und Polstern.

»Aha, damit man schon liegt«, hatte er gescherzt, als sie den Raum betraten und er sich an das Kerzenlicht, die einzige Beleuchtung, gewöhnt hatte.

Der Drink schmeckte – lustig. Er war gar nicht so einfach zu trinken, der schwimmende Teppich aus Camparikügelchen war glitschig, die Dinger mussten teils geschlürft, teils mit spitzen Lippen eingefangen werden. Makeda ließ ihr ansteckendes Lachen erklingen, und Dalmann übertrieb die Anstrengungen ein wenig, um sie zu amüsieren.

Bei diesem Spiel war das Glas im Nu leer, und er fragte: »Glaubst du, dass man davon ein Supplément haben kann?«

Makeda verstand das Wort nicht, und er erklärte: »Glaubst du, ich bekomme noch einen?«

Sie läutete das Tempelglöckchen.

Maravan war dabei, die Amuse-Bouches vorzubereiten. Als er das Fläschchen mit der Curryblätter-Zimt-Kokosöl-Essenz öffnete und ein paar Tropfen davon auf die winzigen Reismehl-Chapatis träufelte, stieg ihm wieder der Duft seiner Jugend in die Nase. Und der Jugend Ulagus, die so früh beendet worden war.

Er tat etwas, das er sonst noch nie getan hatte: Er steckte sich eines der Chapatis in den Mund, schloss die Augen und gab sich ganz dem Geschmack hin, der sich zwischen Zunge und Gaumen entfaltete.

Andrea, die missmutig bei der Tür stand und auf das Glockenzeichen wartete, hatte ihn beobachtet. »Ich dachte, die seien abgezählt?«

Maravan öffnete die Augen, kaute, schluckte und antwortete: »Sie werden reichen.«

Das Glöckchen ertönte vom ersten Stock, Andrea nahm die Chapatis und trug sie die Treppe hinauf.

Als sie in die Küche zurückkam, stand die leere Cocktailschale auf dem Tablett. »Er will noch so einen.«

Maravan mixte einen Zweiten.

Dalmann kam noch in den Genuss der Urd-Linsen-Cordons in zwei Konsistenzen und der gefrorenen Safran-Mandel-

Espuma und ihrer Safran-Texturen. Dann kam Makeda unter lautem Tempelglockengebimmel die Treppe heruntergerannt.

»Er stirbt«, sagte sie und rannte wieder hinauf. Maravan und Andrea folgten ihr.

Dalmann lag in den indischen Kissen und Tüchern. Seine rechte Hand war auf der Brust verkrampft. Sein weißes Gesicht glänzte nass im Kerzenschein. Er hatte die Augen angstvoll aufgerissen und schnappte nach Luft.

Makeda, Andrea und Maravan blieben in etwas Distanz stehen und beobachteten die Szene. Niemand machte Anstalten, näher zu treten, jeder hing seinen Gedanken nach.

Dalmann schien etwas sagen zu wollen, aber sein Ringen um Luft und Leben hinderte ihn daran. Manchmal schien er aufzugeben, schloss die Augen, atmete kaum. Dann bäumte er sich wieder auf und kämpfte weiter.

»Man sollte jemanden anrufen«, sagte Andrea.

»Ja, sollte man«, pflichtete Makeda bei.

»144«, ergänzte Maravan.

Aber keiner der drei rührte sich vom Fleck.

Als der Notdienst eintraf, waren Andrea und Maravan gegangen und hatten alles mitgenommen, was mit *Love Food* in Zusammenhang gebracht werden konnte. Makeda hatte die 144 angerufen und die Ambulanz erwartet.

Der Notarzt konnte nur noch den Tod des Patienten feststellen. Die Obduktion ergab, dass der Stent, der dem Patienten vor acht Monaten nach einem ersten Infarkt eingesetzt worden war, trotz Kardioaspirin und Plavix zugeronnen war. Nach Meinung des Hausarztes, Dr. Hottinger, war dieser schlechte Verlauf auf den fortdauernd unvernünftigen Lebenswandel des Verstorbenen zurückzuführen.

Die Aussage der äthiopisch-britischen Staatsbürgerin Makeda F., die an diesem Abend für den Verstorbenen gekocht hatte, bestätigte diese Aussage. Genauso wie der Blutalkoholgehalt.

Hermann Schaeffer organisierte ein angemessenes Begräbnis für Eric Dalmann, dem etwas weniger Trauergäste beiwohnten als erwartet. Und er sorgte für einen schönen Nachruf im *Freitag*.

Die übrigen Medien begnügten sich mit einer Kurzmeldung. Immerhin blieb bis zur Stunde auch der Name Palucron und Dalmanns Verbindung zu dieser Firma unerwähnt.

Auf Scilly Island blühen die Narzissen schon im November. Und jetzt, im April, standen sie immer noch in kleinen Grüppchen im Gras, das mehr einem englischen Rasen glich.

Andrea und Makeda hatten sich für zwei Wochen in einem Bed and Breakfast eingemietet. Jeden Tag spazierten sie auf einem schmalen Weg die Küste entlang, vor der sich die Felsen in der Brandung suhlten wie träge Urtiere.

»Willst du wissen, weshalb ich Dalmann nicht geholfen habe?«, fragte Andrea unvermittelt. Sie hatten das Thema bisher so weit wie möglich gemieden.

»Du wolltest, dass er stirbt.«

Andrea nickte. »Ich war so eifersüchtig.«

Makeda legte den Arm um ihre Schulter und zog sie zu sich heran.

Eine kurze Strecke gingen sie auf diese Weise weiter, bis

der Weg zu schmal wurde und sie sich voneinander lösen mussten. Andrea ging voraus.

Plötzlich sagte Makedas Stimme hinter ihr: »Er sollte sich zu Tode vögeln.«

Andrea blieb stehen und drehte sich um. »Ich dachte, er konnte nicht mehr?«

»Ich wollte ihm ein Erektionsmittel unterjubeln.«

»Wie das?«

»Ich hatte Maravan gebeten, es ihm ins Essen zu tun.«

Andrea sah sie mit großen Augen an. »Ihr wolltet ihn umbringen?«

Makeda nickte. »Stellvertretend für alle anderen wie er.«

Andrea setzte sich ins weiche Gras am Wegrand. Ihr blasses Gesicht war noch blasser geworden. »Bestimmt hat das Zeug seinen Herzinfarkt ausgelöst.«

Makeda setzte sich neben sie und lächelte. »Bestimmt nicht. Maravan hat es nicht ins Essen gemischt.«

»Was macht dich so sicher?«

»Er hat mir die Pillen zurückgegeben. Ganz diskret am selben Abend.«

»Gott sei Dank!«

Sie blieben eine ganze Weile sitzen und betrachteten das vom Golfstrom temperierte Meer und die Wolken, die sich im Westen auftürmten.

»Vielleicht gibt es doch eine höhere Gerechtigkeit«, sagte Andrea nachdenklich.

»Ganz bestimmt«, antwortete Makeda.

50

Auf einer Platte lagen Mangohälften und Ananasschiff-chen. Die Mangohälften hatte er ganz nahe am Kern vorbei getrennt, in ihr dunkelgelbes Fruchtfleisch ein Karo geschnitten und ihr Inneres nach außen gekehrt. Das zarte Fruchtfleisch sah jetzt aus wie ein Panzer aus scharfkantigen Würfeln.

Den Ananasschiffchen hatte er ihren harten Blätterschmuck gelassen. Den zartesten, süßesten Teil des Fruchtfleisches hatte er mit einem scharfen Messer von der schuppigen Haut und dem holzigen Mitteltrieb gelöst und quer eingeschnitten. So waren schmale Ananasklötzchen entstanden, die er so verschob, dass sie einmal links, einmal rechts über das Schiffchen hinausragten. Beides war nicht besonders originell, aber es sah hübsch aus und war mit einer Hand zu essen.

Maravan stand in seiner eigenen Küche. Es war früh am Morgen, es sah nach Regen aus, ein grauer kühler Tag. Der Müllwagen hatte mit Getöse die Container geleert. Jetzt lag wieder die unheimliche Stille über dem Häuserblock in der Theodorstraße, die seit dem Tag herrschte, als die sri-lanki-sche Regierung die LTTE für besiegt erklärt hatte. Journalisten, unabhängigen Beobachtern und Hilfsorganisationen war der Zugang zu den Kriegsgebieten verwehrt. Es gab keine zuverlässigen Nachrichten. Nur Gerüchte. Schreckliche Gerüchte über Zehntausende getöteter, verhungerter, seuchenkranker Zivilisten und über Kriegsverbrechen auf beiden Seiten. Die, die Angehörige in diesem Gebiet hatten, warteten bange auf Nachrichten oder Lebenszeichen. Die, die gute Nachrichten hatten, wagten nicht, sich zu freuen, aus Rücksicht auf die, die schlechte hatten. Und über allem lastete die Ungewissheit, wie es weitergehen sollte. Mit jenen dort und mit ihnen hier.

Aber wieder hatten die Ereignisse dafür gesorgt, dass das Drama nicht auf den Frontseiten landete. Diese wurden von einem Thema beherrscht, das alle anging: In Mexiko war die Schweinegrippe ausgebrochen und hielt die Welt in Angst vor einer Pandemie, wie sie nach dem Ersten Weltkrieg gewütet hatte, mit Millionen von Opfern.

Maravan hatte am Vorabend aus Reismehl, Kokosmilch, Zucker und einem bisschen Hefe einen dickflüssigen Teig angerührt und über Nacht fermentieren lassen. Vor einer halben Stunde hatte er etwas Salz und Backpulver beigefügt. Jetzt war es Zeit, die heiße halbrunde kleine Eisenpfanne mit etwas Kokosöl einzureiben.

Er stellte sie zurück, gab zwei Esslöffel Teig hinein, nahm die Pfanne an ihrem Stiel vom Herd und ließ ihren Inhalt so kreisen, dass sich an ihren Seiten eine Schicht bildete. Er brach ein Ei entzwei und goss es in die Mitte des Teiges. Dann stellte er die Pfanne zurück auf die kleine Flamme und deckte sie zu. Nach drei Minuten waren die Ränder des Hoppers knusprig braun und das Ei durch. Er hielt den Egghopper im Backofen warm und machte den nächsten.

Als er das Tablett mit den duftenden Hoppers, dem Kokosnuss-Chutney, dem Tee und den Früchten ins Schlafzimmer brachte, war es dort immer noch dunkel.

Aber Sandanas Stimme war wach und klar, als sie sagte: »Und wann kochst du *mir* einmal ein Liebesmenü?«

»Nie.«

Maravans Rezepte

Maravans Rezepte sind zum Teil von Heiko Antoniewicz' wunderbarem Kochbuch (Heiko Antoniewicz/Klaus Dahlbeck, *Verwegen kochen: Molekulare Techniken und Texturen*, Matthaes Verlag) inspiriert. In der folgenden Rezeptsammlung hat Heiko Antoniewicz sie nachkochbar und, wo es uns nötig schien, auch mit weniger aufwendigem Küchengerät herstellbar gemacht. Die Mengenangaben der Rezepte des *Love Menu* gelten für zwei Personen bei zehn Gängen. Die des *Promotion Menu* sind für vier Personen gedacht.

Das Love Menu

Minichapatis mit Curryblätter-Zimt-Kokosöl-Essenz
Urd-Linsen-Cordons in zwei Konsistenzen
Ladies'-Fingers-Curry auf Sali-Reis mit Knoblauchschaum
Curry vom jungen Huhn auf Sashtika-Reis mit Korianderschaum
Churaa Varai auf Nivara-Reis mit Mintschaum
Gefrorene Safran-Mandel-Espuma und ihre Safran-Texturen
Süß-pikante Kardamom-Zimt-Ghee-Sphären
Glasierte Kichererbsen-Ingwer-Peffermüschelchen
Gelierte Spargel-Ghee-Phallen
Eislutscher aus Lakritze-Honig-Ghee

Minichapatis mit Curryblätter-Zimt-Kokosöl-Essenz

65 g Weizenmehl
40 ml lauwarmes Wasser
1 TL Ghee

Mehl, Wasser und Ghee am besten mit der Hand zu einem geschmeidigen Teig verarbeiten, etwa 8 Minuten kneten. Den Teig mit einem Mulltuch bedecken und 1 Stunde ruhen lassen. Mit mehligen Händen murmelngroße Teigkügelchen formen. Eine Arbeitsfläche mit wenig Mehl bestäuben, Teigkügelchen flachdrücken und zu einem dünnen Fladen ausrollen. Kurz vor dem Servieren in einer heißen, trockenen Gusseisenpfanne beidseitig anbräunen.

Curryblätter-Zimt-Kokosöl-Essenz:

100 g Kokosöl
9 frische Curryblätter
1 Stangenzimt, grob gemörsert

Alle Zutaten bei 55 °C ca. 1 Stunde rotationsverdampfen. Sie können für die Essenz entweder das Destillat aus dem oberen Kolben oder das Konzentrat aus dem unteren verwenden. Maravan vermischt beide. Die Essenz in einer Pipette zu den Chapatis servieren.

Urd-Linsen-Cordons in zwei Konsistenzen

200 g Dal-Linsen
150 ml Milch
50 g Joghurt
70 g Kandiszucker
2 g Agar-Agar

Die Linsen in der gezuckerten Milch mindestens 6 Stunden einlegen. Fein mixen. Die Hälfte der Masse auf eine Backmatte aufstreichen, längs in Streifen einteilen und im Backofen bei 50°C trocknen lassen. Noch warm von der Matte lösen und in die gewünschte Form drehen. Trocken lagern.

Die andere Hälfte mit dem Agar-Agar mixen und auf 90°C erhitzen. Den Joghurt unterrühren und die Masse ebenfalls auf eine Backmatte dünn aufstreichen. Erkalten lassen und in ebenso breite Streifen schneiden. Vor dem Servieren mit den getrockneten Spiralen verbinden.

Ladies'-Fingers-Curry auf Sali-Reis mit Knoblauchschaum

10 zarte Okras (Ladies' Fingers)
2 grüne Chilis, feingeschnitten
1 mittelgroße Zwiebel, feingeschnitten
¼ TL Bockshornsamen
½ TL Chilipulver
½ TL Salz
5–8 frische Curryblätter
50 ml Wasser
50 ml dicke Kokosmilch

Okras waschen und an der Luft oder mit Küchenpapier trocknen. In 3 cm große Stücke schneiden. Okras, Chilis, Zwiebel und alle Gewürze in einem Kochtopf gut mischen. Wasser zugeben und kochen, bis kaum mehr Flüssigkeit übrigbleibt. Umrühren und Kokosmilch hinzufügen. Weitere 3 Minuten kochen. Die Flüssigkeit bei kleinem Feuer reduzieren.

Reispodest:

- 1 Tasse Sali-Reis
- 2 Tassen Wasser
- Salz

Den Reis etwas anrösten und mit dem Wasser auffüllen. Im Backofen abgedeckt bei 160°C ca. 20 Minuten garen, herausnehmen und sofort mit einem Holzspatel schneiden, damit er nicht klebt. In eine Form geben und warm stellen. Bei Bedarf die Form stürzen und den Curry darauf anrichten.

Knoblauchschaum:

- 200 ml Geflügelfond gut entfettet
- 1 Knoblauchzehe
- 1 Spritzer Zitrone
- 2 g Sojalezithin

Den gleichen Teil des Fonds mit den Zutaten fein mixen und passieren. Mit dem Sojalezithin vermengen, würzig abschmecken und aufschlagen. Eine große Schüssel mit etwas Klarsichtfolie als Spritzschutz abspannen und darunter den Schaum aufschlagen. Viel Luft unterarbeiten und danach etwas stabilisieren lassen. Mit einem Lochlöffel nur den Schaum abnehmen und anrichten.

Curry vom jungen Huhn auf Sashtika-Reis mit Korianderschaum

200 g	Küken, in mundgerechte Stücke geschnitten
3½ TL	Koriandersamen
½ TL	Kreuzkümmelsamen
½ TL	schwarzer Pfeffer
1	rote Chili, getrocknet
1	große Zwiebel, gehackt
¼ TL	Bockshornkleesamen
1	Prise Gelbwurzpulver
6	Knoblauchzehen
	Salz nach Belieben
400 ml	Wasser
½ TL	Tamarindenpaste
6–8	frische Curryblätter
1 EL	dicke Kokosmilch

Koriander- und Kümmelsamen, Pfeffer und Chili fein vermahlen. Huhn, Zwiebeln, Bockshornkleesamen, Gelbwurz, Knoblauch und Salz zugedeckt in 300 ml Wasser garkochen. Gemahlene Gewürzmischung und Tamarinde in 100 ml Wasser auflösen und zusammen mit den Curryblättern und der Kokosmilch hinzufügen. Aufkochen, 2 Minuten köcheln lassen und vom Herd nehmen.

Reispodest:

1	Tasse Sashtika-Reis
3	Tassen Wasser
	Salz
	Zubereitung wie oben Sali-Reis

Korianderschaum:

200 ml	Geflügelfond, gut entfettet
20	Korianderkörner
1	Bund Korianderblätter
2 g	Sojalezithin
	Zubereitung wie oben Knoblauchschaum

Churaa Varai auf Nivara-Reis mit Mintschaum

250 g Haisteak
200 g Kokosnuss, gerieben
1/4 TL Gelbwurzpulver
1/2 TL Pfeffer, gemahlen
1 TL Kreuzkümmel, gemahlen
1 TL Salz
1/4 TL Chilipulver (nach Geschmack)
1 1/2 EL Kokosöl
1 große Zwiebel, gehackt
4 rote Chilis, getrocknet
1/2 TL Senfsamen
9–11 frische Curryblätter

Haisteak gardämpfen und abkühlen lassen. Zerfasern und mit Kokosnuss, Gelbwurz, Pfeffer, Kümmel, Salz und (nach Geschmack) Chilipulver gut vermischen. In der Bratpfanne mit Kokosöl Zwiebeln glasig dünsten. Getrocknete Chilis, Senfsamen und Curryblätter dazugeben und rösten, bis die Senfsamen hüpfen. Die Haimischung dazugeben und über kleinem Feuer alles gut vermischen.

Reispodest:

1 Tasse Nivara-Reis
3 Tassen Wasser
Salz
Zubereitung wie oben Sali-Reis

Mintschaum:

200 ml Geflügelfond, gut entfettet
1 Bund Minze, fein gezupft
Etwas fettarme Milch
2 g Sojalezithin
Zubereitung wie oben Knoblauchschaum

Gefrorene Safran-Mandel-Espuma und ihre Safrantexturen

Safrantexturen:

200 ml	Mineralwasser
80 g	Kandiszucker, pulverisiert
2 g	Safranpulver
2 g	Safranfäden
2 g	Agar-Agar
1	Blatt eingeweichte und ausgedrückte Gelatine
40 g	Ghee

Das Wasser mit dem Kandiszucker erwärmen. Das Safranpulver darin auflösen und das Agar-Agar einmixen. Einmal aufkochen und die Gelatine hinzugeben. Auf gewärmte Kunststofftabletts gießen und erkalten lassen. In 2 cm breite lange Streifen schneiden. Dünn mit dem Ghee bestreichen und die Safranfäden darauf verteilen. Einrollen und die Zylinder so auf die Platte setzen, dass sie die Espuma flankieren.

Espuma:

300 ml	Sahne
3 g	Safranpulver
140 g	geriebene Mandeln
2	Eiweiß
1 EL	Kandiszucker, pulverisiert
2 g	Salz

Die Sahne auf 60 °C erwärmen und bis auf das Eiweiß alles fein untermixen. Das Eiweiß dazugeben und in einen 0,5-l-Siphon geben, mit einer Patrone begasen und für 3 Stunden kalt stellen. Bei Bedarf Stickstoff in ein Dewar-Gefäß geben und einen Metalllöffel herunterkühlen. Eine walnussgroße Espumakugel auf den Löffel sprühen und 20 Sekunden in dem Stickstoffbad

wälzen. Zwischen den Safrantexturen anrichten und sofort
servieren.

Süß-pikante Kardamom-Zimt-Ghee-Sphären

Würzmasse:

200 ml	Kokoswasser
40 g	Ghee
2	Stück Langpfeffer
1	Kardamomkapsel
1 Msp	Zimtpulver
40 g	Palmzucker
0,5 g	Xanthan
2 g	Calziumlactat

Das Ghee mit den Gewürzen zu einer feinen Paste im Mörser verarbeiten. Das Püree erwärmen, passieren und unter
das Kokoswasser mit den Texturgebern mixen. Etwas stehen lassen, bis die Luftblasen entwichen sind. Vor der Ver-
wendung leicht erwärmen.

Lake:

500 ml	Mineralwasser
2,5 g	Alginat
	Beide Zutaten miteinander mixen und stehen lassen.

Mit einem semisphärischen Löffel aus der Würzmasse Kugeln
in der Lake formen. Erwärmtes Ghee auf eine kleine Einwegspritze ziehen und diese mit einer Nadel versehen. In der Lake
eine Injektion setzen und Ghee einspritzen. Die Nadel her-
ausziehen und die Sphäre sofort drehen, damit sich die Einstichstelle verschließt. 3 bis 5 Minuten ziehen lassen. In Wasser klarspülen und bei 60°C mit Klarsichtfolie warm stellen.

Glasierte Kichererbsen-Ingwer-Peffermüschelchen

50 g	Sali-Reis
300 ml	Milch
2 EL	Kichererbsenmehl
1 EL	Ghee
2 EL	Palmzucker
1 EL	Mandeln, gehackt
1 EL	Rosinen
3	Datteln
½ TL	Ingwerpulver
¼ TL	schwarzer Pfeffer, gemahlen

Den Reis mit Milch befeuchten und mörsern, dabei ständig Milch hinzufügen, bis eine feine, feuchte Paste entsteht. Weitere 150 ml Milch hinzufügen, gut umrühren. Alles durch ein feines Mulltuch passieren und gut ausdrücken. Dem gewonnenen Extrakt weitere 50 ml Milch beifügen. Das Kichererbsenmehl im Ghee rösten, mit dem Zucker in der Flüssigkeit aufkochen und auf kleinem Feuer unter ständigem Umrühren zu einer zähflüssigen Masse verarbeiten. Die übrigen Zutaten beifügen und bei kleinem Feuer weitere 2 bis 3 Minuten umrühren. Die Paste auf eine Backmatte aufstreichen und auskühlen lassen. In gleiche Portionen schneiden, formen und glasieren. Bei 60°C im Backofen trocknen.

Glasur:

100 g	Puderzucker
1 EL	Granatapfelsirup

Zutaten mischen und die Kekse glasieren. Zu mattem Glanz trocknen lassen.

Gelierte Spargel-Ghee-Phallen

(Zubereitung mit frischem Spargel. Maravan verwendet getrockneten
und reduziert den Sud im Rotationsverdampfer.)

200 g	weißer Spargel, geschält
1 EL	Zucker
	Etwas Salz
4 g	Agar-Agar
1	Blatt Gelatine, eingeweicht und ausgedrückt
1 g	Chlorophyll
4	Kardamomkapseln, fein gemörsert
100 g	Ghee

Den Spargel bedeckt in kaltem Wasser aufsetzen und kochen lassen. Kardamom zugeben und ziehen lassen, bis der
Spargel weich ist. Die Masse fein pürieren und passieren.
4 Esslöffel davon beiseitestellen und mit dem Chlorophyll
vermischen. 3 g Agar-Agar unter die übrige Masse mischen,
einmal aufkochen und die Gelatine hinzugeben. In eine flache
Form gießen und kalt stellen, bis die Masse formbar ist. In
Streifen schneiden, diese in Backpapier einrollen und kalt
stellen. Wenn sie fest sind, aufrollen und die Würste in 10 cm
lange Stangen schneiden. Die restliche Spargelmasse mit 1 g
Agar-Agar aufkochen. Das eine Ende der Gelspargel mehrmals 2 cm tief darin eintauchen, bis sich eine grüne Ver-
dickung bildet. Kalt stellen. Die grünen Köpfe nach Belie-
ben mit einer kleinen Schere so einschneiden, dass sie wie
Spargelköpfe aussehen. Mit einem kleinen Dip-Schälchen
warmem Kardamom-Chili-Ghee servieren.

Eislutscher aus Lakritze-Honig-Ghee

100 ml Wasser
20 g Lakritzpaste
30 g Honig
30 g Ghee
0,5 g Xanthan
40 g Pistazien, in feine Blätter geschnitten

Das Wasser erwärmen. Den Honig und die Lakritzpaste einrühren. Das Xanthan einmixen und das Ghee unter die warme Masse rühren. Die Masse auf mit Backpapier ausgelegte Bleche kreisrund aufbringen und mit einem Holzspieß versehen. Mit den Pistazien bestreuen und einfrieren. Bei Bedarf entnehmen und servieren.

Das Promotion Menu

Zimtcurrykaviar-Chapatis
In Gelbwurz marinierte Babysnapper mit Molee-Curry-Sabayon
Gefrorene Mangocurry-Espuma
Koteletts vom Milchlamm in Jardaloo-Essenz
mit Dörraprikosenpüree
Buchenholzgeräuchertes Tandoori-Stubenküken
auf Tomaten-Butter-Paprikagelee
Kulfi mit Mangoluft

Minichapatis mit Curryblätter-Zimt-Kokosöl-Kaviar

(Herstellung ohne Rotationsverdampfer)

      40 ml Mineralwasser
         4 frische Curryblätter
         1 Stangenzimt
         1 Prise Zucker
         1 Prise Salz
    120 ml Kokoswasser
       1 g Alginat
       2 g Calciumchlorid
    500 ml Wasser
      10 g Kokosfett

Das Wasser kurz erhitzen. Die Gewürze hinzugeben und
1 Stunde darin ziehen lassen. Salzen und zuckern. Alles durch
ein feines Mulltuch passieren und gut ausdrücken. Der Saft
sollte 20 ml Essenz ergeben. Mit dem Kokoswasser mischen
und abschmecken. Das Alginat mit einem Stabmixer mixen.
So lange stehen lassen, bis alle Luftblasen entwichen sind.
Das Chlorid mit dem Wasser mixen und zur Seite stellen.
Die Currymasse in eine große Spritze füllen und in die Lake
tropfen lassen. Maximal 1 Minute darin ziehen lassen und in
klarem Wasser spülen. Gut abtropfen lassen und rasch servieren, damit die Kugeln nicht durchgelieren. Auf den warmen Blinis arrangieren und etwas Kokosfett darüberreiben.

In Gelbwurz marinierte Babysnapper mit Molee-Curry-Sabayon

         4 Filets vom Babysnapper ohne Gräten
    1 Msp Gelbwurz
            Etwas Salz
      60 ml Kokosmilch, flüssig
            Saft und Abrieb von einer Limone

Die Filets etwas zuschneiden und in eine Form nebenein-
anderlegen. Die übrigen Zutaten mit dem Zauberstab mixen
und auf den Fisch geben. Für mindestens 6 Stunden im Kühlschrank marinieren lassen. Herausnehmen und abtupfen. An
der Kopfseite mit dem Einrollen beginnen und mit einem
Holzspieß fixieren. Bei 60°C im Backofen auf einem leicht
geölten Blech bei Umluft 12–15 Minuten garen, so dass sie
noch leicht glasig sind.

Molee-Curry-Sabayon:

1	kleine Zwiebel, in feine Würfel geschnitten
1	kleine Chilischote, in feinste Würfel geschnitten, ohne Kerne
1	Knoblauchzehe, fein gewürfelt
10 g	Ingwerwürfel
20 g	Kokosöl
1	vollreife Tomate
5	Pfefferkörner, zerstoßen
2	Nelken, angedrückt
1	Kardamomkapsel
4	Curryblätter
	Mariniersud der Babysnapper
300 ml	Fischfond
50 ml	Kokosöl
1 g	Xanthan
1 g	Guaran

Die Zwiebel mit den anderen Gewürzen in dem Kokosöl
glasig anschwitzen. Die Tomate vierteln und dünsten. Etwas
rösten, bis die Gewürze sich voll entfaltet haben. Mit der
Marinade aufgießen und kurz einkochen lassen. Den Fisch-
fond dazugeben und im Wasserbad wieder auf 300 ml reduzieren. Fein passieren und mit dem Kokosöl vermengen.
Xanthan und Guaran mit dem Stabmixer untermixen. In einen 0,5-l-Siphon füllen, mit einer Stickstoffpatrone begasen

und bei 60°C im Wasserbad warm stellen. Die Filets anrichten und mit der Sabayon aus dem Siphon arrangieren.

Gefrorene Mangocurry-Espuma

200 g Mangopüree
150 g Sahne
 20 g Kichererbsenmehl
10 ml Ingwersaft
1 Msp Chilipulver
1 Msp Cuminpulver
1 Msp Kaschmir-Currypulver (Maravan röstet
        die Gewürze einzeln und mörsert sie dann zu
        seiner eigenen Currymischung.)

Alle Zutaten kurz mixen, fein passieren und in einen 0,5-l-Siphon füllen. Mit einer Stickstoffpatrone begasen und kalt stellen. Bei Bedarf auf einen in Stickstoff vorgekühlten Metalllöffel sprayen und im Stickstoff maximal 20 Sekunden wenden. Sofort servieren.

Koteletts vom Milchlamm in Jardaloo-Essenz mit Dörraprikosenpüree

  2   Lammkoteletts mit Knochen
200 ml Lammfond
  2   Zwiebeln, in feine Würfel geschnitten
 20 g   Ingwer, in feine Würfel geschnitten
  2   Knoblauchzehen, feingerieben
  2   Zimtstangen
  1   kleine Chili, zerdrückt
         Etwas Kreuzkümmel
  1 EL   Ghee

Die Zwiebeln im Ghee anschwitzen und die Gewürze dazugeben. Leicht rösten, bis die Öle sich lösen und duften. Den Lammfond dazugeben und im Wasserbad auf die Hälfte reduzieren. Den Fond feinpassieren und die Lammkoteletts damit vakuumieren. Im Wasserbad bei 65 °C während 15 Minuten garen, herausnehmen, abtupfen und kurz anbraten.

Dörraprikosenpüree:

100 g	Aprikosen ohne Stein, ungeschwefelt
50 ml	Orangensaft
1 EL	hellen Weinessig
100 g	weiche Zwiebeln

Die Aprikosen in Orangensaft und Weinessig einweichen. Mit den Zwiebeln erhitzen und zu einem feinen Püree verarbeiten. Das Püree aufstreichen und die Lammkoteletts aufgeschnitten anrichten. Die Kartoffeln anrichten und mit etwas Sud vom Garfond umgießen.

Buchenholzgeräuchertes Tandoori-Stubenküken auf Tomaten-Butter-Paprikagelee

2	Stubenküken, vom Knochen ausgelöst
1	Knoblauchzehe, gerieben
10 g	Ingwer, in feine Würfel geschnitten
1	Chilischote, feingeschnitten
8	Korianderkörner, zerstoßen
1 Msp	Garam Masala
	Etwas Salz
	Saft und Schale von einer Limone
30 g	Joghurt

Das Küken in Vakuumbeutel einlegen. Aus den übrigen Zutaten eine feine Paste herstellen und zu dem Küken geben. Den Beutel verschließen und bei 65 °C im Wasserbad 20 Minuten pochieren. Küken herausnehmen und kurz anbraten.

Tomaten-Butter-Paprikagelee:

100 ml	Tomatensaft
100 ml	roter Paprikasaft
20 g	Ghee
2 g	Agar-Agar
1 TL	Buchenholzräuchermehl

Die Säfte mit dem Ghee und dem Agar-Agar mixen. Einmal aufkochen und in eine rechteckige Form gießen. Für 2 Stunden kalt stellen und in gewünschte Stücke schneiden. Bei 90 °C im Backofen erwärmen.

In einer Petrischale das Küken anrichten und das Gelee arrangieren. Etwas von dem Pochierfond dazugeben. In der Elektropfeife das Räuchermehl anbrennen und den Rauch unter die Petrischale leiten. Sofort servieren und maximal 1 Minute räuchern.

Kulfi mit Mangoluft

100 ml	Milch
100 ml	Sahne
40 g	Zucker
	Etwas Limonensaft
1 Msp	Kardamom
1 g	Safran

Die Milch auf 60°C erhitzen und den Zucker darin auflösen. Ebenfalls den Limonensaft, Kardamom und Safran untermixen. Mit der Sahne vermengen und abschmecken. In einem beschichteten Gefäß mit einem Schneebesen die Masse mit Stickstoff zu einem cremigen Eis rühren und sofort zu Kugeln formen.

Mangoluft:

200 ml	Mangosaft
	Etwas Limonensaft
2 g	Sojalezithin
4	Blätter Blattsilber

Alle Zutaten miteinander mixen und weiter mit dem Stabmixer Luft unterschlagen. Etwas warten, bis der Schaum sich etwas stabilisiert hat, und dann abnehmen. Zum Eis mit der Blattsilberfolie servieren.

Quellen

Recipes of the Jaffna Tamils by Nesa Eliezer, Orient Longham Private Ltd, Hyderabad 2003

Ayurveda for Life: Nutrition, Sexual Energy and Healing by Vinod Verma, Weiser Books, York Beach Me, 1997

Ceylon cookery by Chandra Dissanayake, Felix Printers, Colombo, 1968 (vergriffen)

Currys – Das Herz der indischen Küche von Camellia Panjabi, Christian Verlag, München, 1996

Molekulare Basics: Grundlagen und Rezepte von Heiko Antoniewicz, Matthaes, Stuttgart, 2008

Verwegen kochen: Molekulare Techniken und Texturen von Heiko Antoniewicz und Klaus Dahlbeck, Matthaes, Stuttgart, 2008

Fingerfood: Die Krönung der kulinarischen Kunst von Heiko Antoniewicz, Matthaes, Stuttgart, 2007

Die Molekularküche von Thomas Vilgis, Tre Torri, Wiesbaden, 2007

In der Heimat ihrer Kinder von Vera Markus, Offizin, Zürich, 2005 (vergriffen)

Chronik einer beispiellosen Krise, DRS4 News (http://www.drs4news.ch)

Dank

Ich danke Heiko Antoniewicz für seine Ratschläge, seine Erfahrungen und die Durchsicht, Korrektur und Rezeptur der Gerichte. Ich danke Lathan Suntharalingam für seine Beratung in allen Fragen, die die tamilische Kultur und Situation betreffen. Ich danke meinem Freund Prof. Dr. Hans Landolt vom Kantonsspital Aarau für die diabolische medizinische Beratung. Ich danke Frau Irene Tschopp und Herrn Can Arikan vom Amt für Wirtschaft und Arbeit der Volkswirtschaftsdirektion des Kantons Zürich, Frau Bettina Dangel vom Migrationsamt des Kantons Zürich, Herrn Beat Rinz von der Arbeitslosenkasse Zürich, dem Kommissariat Polizeibewilligungen der Stadtpolizei Zürich und dem Kantonalen Labor Zürich für ihre freundliche und unbürokratische Beantwortung meiner Fragen. Ich danke Herrn Simon Plüss, Ressortleiter Exportkontrollen / Kriegsmaterial des Staatssekretariats für Wirtschaft SECO, für seine präzisen und ausführlichen Informationen. Ich danke Frau Vera Markus für ihre Hilfe und ihr Buch *In der Heimat ihrer Kinder* und Frau Paula Lanfranconi und Frau Damaris Lüthi für ihre kompetenten Beiträge darin. Ich danke Herrn Andreas Weibel von der Gruppe für eine Schweiz ohne Armee GSoA für die aufschlussreichen Informationen zur Situation des Waffenexports aus der Schweiz.

Ich danke meiner Freundin und Lektorin Ursula Baumhauer für die wie immer professionelle, zielstrebige und angenehme Zusammenarbeit. Ich danke meinen Kindern Ana und Antonio für die kleinen Störungen bei der Arbeit an diesem Buch. Ich danke meiner Frau Margrith Nay Suter für ihre unbestechliche, präzise und kreative Kritik. Ich danke dem Diogenes Verlag für seinen Beistand während einer schweren Zeit.

Das Diogenes Hörbuch zum Buch

Martin Suter
Der Koch

Ungekürzt gelesen von Heikko Deutschmann

6 CD, Spieldauer 437 Min.

Martin Suter
im Diogenes Verlag

Small World
Roman

Erst sind es Kleinigkeiten: Konrad Lang, Mitte sechzig, stellt aus Versehen seine Brieftasche in den Kühlschrank. Bald vergisst er den Namen der Frau, die er heiraten will. Je mehr Neugedächtnis ihm die Krankheit – Alzheimer – raubt, desto stärker kommen früheste Erinnerungen auf. Und das beunruhigt eine millionenschwere alte Dame, mit der Konrad seit seiner Kindheit auf die ungewöhnlichste Art verbunden ist.

»Fesselnd. Eine der großen Qualitäten von Martin Suters Roman liegt in der Präzision, mit der er die Krankheit und Umgebung beschreibt, und in der Gelassenheit, mit der er die Geschichte langsam vorantreibt.« *Le Monde, Paris*

Auch als Diogenes Hörbuch erschienen,
gelesen von Dietmar Mues

Die dunkle Seite des Mondes
Roman

Starwirtschaftsanwalt Urs Blank, fünfundvierzig, Fachmann für Fusionsverhandlungen, hat seine Gefühle im Griff. Doch dann gerät sein Leben aus den Fugen. Ein Trip mit halluzinogenen Pilzen führt zu einer gefährlichen Persönlichkeitsveränderung, aus der ihn niemand zurückzuholen vermag. Blank flieht in den Wald. Bis er endlich begreift: Es gibt nur einen Weg, um sich aus diesem Alptraum zu befreien.

»Eine gründlich recherchierte, präzise, elegant und humorvoll geschriebene Geschichte. Martin Suter bietet ein Optimum an Belehrung, Spannung und Vergnügen.« *Friedmar Apel / Frankfurter Allgemeine Zeitung*

»Das Buch ist spannend wie ein Thriller und trifft wie ein Psycho-Roman – eine ungewöhnliche Variante von *Dr. Jekyll und Mr. Hyde.*«
Karin Weber-Duve / Brigitte, Hamburg

Ein perfekter Freund

Roman

Durch eine rätselhafte Kopfverletzung hat der Journalist Fabio Rossi eine Amnesie von fünfzig Tagen. Als er seine Vergangenheit zu rekonstruieren beginnt, stößt er dabei auf ein Bild von sich, das ihn zutiefst befremdet. Er scheint merkwürdige Dinge getan, ein seltsames Verhalten an den Tag gelegt zu haben in jener Zeit. Aber offenbar gibt es Leute, denen es lieber wäre, jener Fabio bliebe ausgelöscht.

»In Martin Suters *Ein perfekter Freund* hungern die Leser nach Informationen wie die Hauptfigur. Jedes neue Häppchen wird stilvoll serviert: keine Schnörkel, keine langatmigen Beschreibungen, viele, aber keine überflüssigen Details. Handlung ist Trumpf, Suter das As.«   *Frankfurter Rundschau*

Lila, Lila

Roman

So rein wie die Liebesgeschichte, die er als Manuskript in einem alten Nachttisch findet, sind auch Davids Gefühle für Marie. Und er möchte ihre Liebe, um jeden Preis. Dafür muss er ein anderer werden als der, der er ist. David schlüpft in eine Identität, die ihm irgendwann über den Kopf wächst.

»Wie stets bei Martin Suter geht es auch in seinem wunderbar geschriebenen Roman *Lila, Lila* um den Verlust von Identität. Suter packt einen von der ersten Seite an. Unbedingt lesen!«
Angela Wittmann / Brigitte, Hamburg

Lila, Lila wurde 2009 von Alain Gsponer mit Daniel Brühl, Hannah Herzsprung und Henry Hübchen in den Hauptrollen verfilmt.

Auch als Diogenes Hörbuch erschienen,
gelesen von Daniel Brühl

Der Teufel von Mailand
Roman

Sonias Sinne spielen verrückt: Sie sieht auf einmal Geräusche, schmeckt Formen oder fühlt Farben. Ein Aufenthalt in den Bergen soll ihr Gemüt beruhigen, doch das Gegenteil tritt ein: Im Spannungsfeld von archaischer Bergwelt und urbaner Wellness, bedrohlichem Jahrhundertregen und moderner Telekommunikation beginnt ihre überreizte Wahrnehmung erst recht zu blühen – oder gerät die Wirklichkeit aus den Fugen?

»Hochspannender Stoff, angerichtet mit der für den Schweizer Bestsellerautor Martin Suter so typischen Milieukenntnis, die dem Roman die wunderschönen Boshaftigkeiten schenkt.«
Verena Lugert / Neon, München

Auch als Diogenes Hörbuch erschienen,
gelesen von Julia Fischer

Der letzte Weynfeldt
Roman

Adrian Weynfeldt, Mitte fünfzig, Junggeselle, großbürgerlicher Herkunft, Kunstexperte bei einem internationalen Auktionshaus, lebt in einer riesigen Wohnung im Stadtzentrum. Mit der Liebe hat er abgeschlossen. Bis ihn eines Abends eine jüngere Frau dazu bringt, sie – entgegen seinen Gepflogenheiten – mit nach Hause zu nehmen. Am nächsten Morgen steht sie außerhalb der Balkonbrüstung und droht zu springen. Adrian vermag sie davon abzuhalten, doch von nun an macht sie ihn für ihr Leben verantwortlich. Weynfeldts geregeltes Leben gerät aus den Fugen – bis er schließlich merkt, dass nichts ist, wie es scheint.

»Martin Suter spinnt und spannt über Adrian Weynfeldt ein höchst intrigantes, höchst elegantes, cooles Netz um Kunstmarkt, Kunst und Lebenskunst.«
Elmar Krekeler / Die Welt, Berlin

Auch als Diogenes Hörbuch erschienen,
gelesen von Gert Heidenreich

Der Koch

Roman

Maravan, 33, tamilischer Asylbewerber, arbeitet als Hilfskraft in einem Zürcher Sternelokal, tief unter seinem Niveau. Denn Maravan ist ein begnadeter, leidenschaftlicher Koch. Als er gefeuert wird, ermutigt ihn seine Kollegin Andrea zu einem Deal der besonderen Art: einem gemeinsamen Catering für Liebesmenüs. Anfangs kochen sie für Paare, die eine Sexualtherapeutin vermittelt. Doch der Erfolg von *Love Food* spricht sich herum, und eine viel zahlungskräftigere Klientel bekundet Interesse: Männer aus Politik und Wirtschaft – und deren Grauzonen.

»Martin Suter erzählt umstandslos, geschliffen, handwerklich so brillant, dass Neider es als konventionell abqualifizieren müssen.« *Die Weltwoche, Zürich*

Auch als Diogenes Hörbuch erschienen,
gelesen von Gert Heidenreich

Die Zeit, die Zeit

Roman

Anfangs begreift Peter Taler nur, dass im Haus gegenüber, in dem der achtzigjährige Knupp wohnt, sonderbare Dinge vor sich gehen. Er beginnt zu beobachten und mit der Kamera festzuhalten – und merkt erst spät, dass er seinerseits beobachtet wird und längst in die Geschehnisse auf der anderen Seite der Straße verstrickt ist. Der alte Knupp, der vor zwanzig Jahren seine Frau verloren hat, ist davon überzeugt, dass man nicht wie Orpheus ins Totenreich hinabsteigen muss, um einen geliebten Menschen wiederzufinden. Denn er hat eine Theorie und kann sich dabei sogar auf berühmte Leute berufen. Allerdings ist deren Umsetzung nicht einfach. Um nicht zu sagen – schier unmöglich. Taler soll ihm dabei helfen.

»Martin Suter ist geglückt, was es in der deutschen Literaturszene nur selten gibt: Er verwischt souverän die Grenzen zwischen Unterhaltung und Literatur mit elegant und scheinbar mühelos erzählten Geschichten.« *Annemarie Stoltenberg / NDR, Hamburg*

Auch als Diogenes Hörbuch erschienen,
gelesen von Gert Heidenreich

Außerdem erschienen:

Allmen und die Libellen
Roman
Auch als Diogenes Hörbuch erschienen, gelesen von Gert Heidenreich

*Allmen und
der rosa Diamant*
Roman
Auch als Diogenes Hörbuch erschienen, gelesen von Gert Heidenreich

Business Class
Geschichten aus der Welt des Managements

Business Class
Neue Geschichten aus der Welt des Managements

*Richtig leben
mit Geri Weibel*
Sämtliche Folgen. Geschichten

Huber spannt aus
und andere Geschichten aus der Business Class

Unter Freunden
und andere Geschichten aus der Business Class

Das Bonus-Geheimnis
und andere Geschichten aus der Business Class
Auch als Diogenes Hörbuch erschienen, gelesen von Gert Heidenreich

Abschalten
Die Business Class macht Ferien

Business Class
Geschichten aus der Welt des Managements. Liveaufnahme von Martin Suters Lesung im Casinotheater Winterthur im Oktober 2006
Diogenes Hörbuch, 1 CD